Войнович

Войнович

Фактор Мурзика

Москва
2017

УДК 821.161.1-3
ББК 84(2Рос=Рус)6-44
В61

Оформление серии *Андрея Саукова*

Фотография на обложке *Валерия Плотникова*

Иллюстрация на переплете *Филиппа Барбышева*

Войнович, Владимир Николаевич.

В61   Фактор Мурзика / Владимир Войнович. — Москва : Издательство «Э», 2017. — 416 с. — (Классическая проза Владимира Войновича).

ISBN 978-5-04-089650-9

В эту книгу вошли хиты малой прозы Владимира Войновича, а также новая повесть — «Фактор Мурзика». На самом деле это первая часть романа, который пишется автором. Уже сейчас, на основе одного эпизода, о готовящейся новинке можно сказать: «очень своевременная вещь»! В «Факторе Мурзика», как всегда, узнаваемые людские типы, точно поставленный диагноз времени и коронный смех писателя. Это повесть о том, что может случиться с нами в самом ближайшем будущем, а может, уже происходит в настоящем. Свой 85-летний юбилей Владимир Войнович встречает в блестящей форме: ему не изменили талант, зоркость, чувство юмора, способность к провидению и любви.

УДК 821.161.1-3
ББК 84(2Рос=Рус)6-44

Фактор Мурзика

Вялотекущее начало

Эта невероятная, но совершенно правдивая история случилась недавно в городе, который мы условно назовем Закедонском Закедонской условно области. Область эта в нашей Федерации считается небольшой и занимает территорию не более Франции с Бельгией и Люксембургом. По географическому положению она относится к числу окраинных и представляет собой почти прямоугольный выступ, с трех сторон окруженный приграничными странами, одна из которых нам очевидно враждебна, а две другие оцениваются политиками как недружелюбные. Тем не менее закедонцы, те, кому это позволяют финансовые возможности, все эти три государственных образования охотно посещают с целью отдыха, покупки различных товаров и отмывания денег, у кого они есть. Там они охотно общаются с местными жителями и в какой-то степени подвергаются их разлагающему влиянию, чем и объясняется некое вольнодумство, имеющее место в головах части закедонского населения.

То лето было необычно жарким и сопровождалось привычными для такой поры катаклизмами. В огороде росла капуста, в тайге падали вертолеты, в Приморье на складе боеприпасов рвались снаряды, под Москвой горели торфяники, а в самой Москве проваливался асфальт и полыхали подожженные кем-то автомобили. Войны еще не было, но по всей стране что-то рушилось, шло под откос, взлетало на воздух, уходило под воду. Наемные киллеры отстреливали бизнесменов, политиков и друг друга, полиция проявляла беспомощность, оппозиционеры возмущали спокойствие, депутаты принимали законы по контролю над поведением граждан, народ безмолвствовал, а в Закедонье и вовсе была тишь да гладь.

Именно в это лето, числа не помню какого, на проспекте имени Маршала Погребенько произошло дорожно-транспортное происшествие, которое по всем параметрам должно было бы сойти за малозаметное, но таковым, к сожалению, не оказалось.

В этот день и в это время движение в сторону центра было почти свободное, а в противоположном направлении еще без настоящих пробок, но уже затрудненное, дерганое. Испытание для нервов и упражнение для ног, если коробка не автомат. Сцепление-газ-тормоз, сцепление-газ-тормоз, и продвижение вперед на полколеса. Несколько секунд постоял, снова просвет, поехал, переключил передачу, опять стоп, применяешь обсценную лексику и сидишь, барабаня пальцами по рулю и слушая Авторадио. Немцы такую езду называют zäh fliesender verker, что приблизительно переводится, как вялотекущее движение. В русском языке такого понятия нет, есть схожее, но оно относится к другому явлению. Я имею в виду вялотекущую шизофрению, открытую в середине прошлого века знаменитым психиатром Снежневским. Тогда эта болезнь имела ту особенность, что поражала исключительно противников советского режима, который, по мнению отечественных психиатров, был настолько хорош, что не любить его мог только клинический сумасшедший. Теперешняя власть, претерпев разные метаморфозы и сама к себе относясь, как говорится, амбивалентно, психиатров пока держит в резерве. Ну, а вялотекущее движение к медицине прямого отношения не имеет, хотя долгое пребывание в нем представляет собой реальную нагрузку для психики. Для физики, впрочем, тоже.

В вялотекущем потоке крайнего третьего ряда скромно тыркался вместе с другими и автомобиль «Порше Кайен» с номерными знаками, по которым понимающий человек мог без риска ошибиться предположить, что машина принадлежит кому-то из людей категории VIP. Мигалки на крыше не было, зато имелась так называемая крякалка, по которой тоже можно было представить себе довольно высокий статус хозяина. Пока спешить было некуда, «Порше» двигался по общим правилам, соблюдая дистанцию между собой и болтавшейся впереди сильно подержанной «Шкодой Октавия». Юное лицо с прыщами-хотимчиками водителя «Порше», если кто его в это время видел, выражало крайнюю скуку и вынужденную готовность к терпению и равенству на дороге. Но вдруг лежавший под лобовым стеклом телефон задрожал и пропел отрывок из песни «Blue wave» какой-то американской группы. Водитель приложил телефон к уху и после ленивого «алё» услышал нечто такое, что резко изменило его поведение. Он проснулся, встрепенулся, нажал на газ, сократил дистанцию между своим передним бампером и задним бампером «Шкоды» и деликатно покрякал, предлагая ей немножко посторониться. Но водитель этой презренной колымаги был, очевидно, глухой, крякалки не услышал, сторониться не поспешил. Водитель «Порше» помигал дальним светом, снова покрякал, затем это кряканье превратил в беспрерывное, одновременно сокращая расстояние до угрожающе малого. Но «Шкода» продолжала держаться в своем ряду, не сдвигаясь ни вправо, ни влево, потому что управлявший ею был если не слеп и не глух, то глуп и не понимал, с кем дело имеет.

На самом деле сидевший за рулем «Шкоды» Вася Перепелкин был человеком как раз зрячим, хорошо слышащим и много чего понимающим несистемным оппозиционером, членом движения «синих ведерок», известным блогером и к тому же продвинутым пользователем всяких электронных устройств. Он сразу, как только «Порше» появился в зеркале заднего вида, разглядел номер, по сочетанию букв и цифр понял, что номер не простой. Включил навороченный свой айпад, пробил известную ему базу данных. И без труда выяснил, что у него на хвосте сидит не кто иной, как сын губернатора Удодова Федя, студент экономического отделения одного из иностранных вузов, приехавший, видимо, на каникулы.

Кстати, о Феде

Вуз, где Федя учился, можно было считать иностранным условно, поскольку находился он в одной из стран Западной Европы. На самом же деле он был создан и существовал на деньги, выделяемые российским правительством, и подчинялся нашему Министерству образования и науки. За границей подобные учебные заведения появились какое-то время назад для детей наших особо важных персон. Детишки эти по своим знаниям и способностям обычно не тянут на Гарвард или Кембридж, но диплом хотят иметь обязательно заграничный, чтобы все в нем было написано латинскими витиеватыми буквами. Вот и имеют, пройдя курс обучения в тамошних как будто бы вузах, полученный с учетом служебного положения родителей, их финансовых возможностей и готовности добиваться высоких оценок по адекватным рыночным ценам.

Автор этих строк не имеет даже намерения намекнуть обобщенно, что все дети наших высоких чиновников относятся к категории бездельников и балбесов, неспособных нормально освоить курс каких-то наук. Некоторые из них успешно и без всякой протекции, хотя и за большие деньги, попадают в лучшие западные университеты, но оканчивают их с отличием и затем по праву занимают высокие позиции в «Газпроме», «Роснефти» или «Норникеле». Федя, однако, увы, до этой категории никак не дотягивал, но отличных отметок достигал с помощью папы. Особых способностей не имел, но, если судить житейски, был не глуп, сметлив и циничен. В отличие от других людей его возраста, не предавался романтическим мечтам о равенстве, братстве и прочей ерунде, а считал (так его воспитали), что от жизни надо брать все, что она дает умным людям (таким, как он), а что не дает, следует отнимать у неумных. При этом понимал, что в одном месте можно вести себя так, а в другом иначе. В стране обучения он вел себя как законопослушный иностранец, здесь же считал, что может позволить себе то, от чего другим следует воздержаться.

Убийство на дороге

Только что Федя получил по телефону от своего друга Жоржика Уборова сообщение, что тот по случаю отъезда шнурков, или черепов, или предков, то есть родителей, на длительный отдых на Лазурном Берегу устраивает у себя на даче прием для близких друзей с пивом, раками, баней и приглашением «телок» соответствующего качества и количества. Это сообщение взволновало Федю, он заторопился, стал наезжать на «Шкоду», сердился на ее водителя, пытался его образумить так и эдак, посылая ему сигналы звуковые, световые, мысленные и высказанные вслух через установленный в машине громкоговоритель. Произнес несколько слов, из которых самыми приличными были «козел», «урод» и «придурок». И продолжал наезжать зигзагообразно, крутя руль туда-сюда. В конце концов он не выдержал, вырулил на встречную полосу (она была в это время свободна), прибавил газу.

Полицейский в высокой фуражке, стоявший на другой стороне проспекта, увидев столь грубое нарушение правил, выскочил на дорогу и поднял полосатый жезл, но, вглядевшись в номер машины нарушителя, опустил палку, смешался, съежился и вернулся на исходную позицию, стыдливо потупившись. Видя замешательство полицейского, Федя самодовольно усмехнулся, но не забыл про «Шкоду». Поравнявшись с Перепелкиным, он показал ему средний палец и прокричал еще кое-какие слова, которые природная стыдливость не позволяет автору повторить. Произнося эти слова, Федя отвлек собственное внимание от дороги и не заметил, что машина приблизилась к перекрестку, что светофор переключился с зеленого света на красный и что прямо перед радиатором автомобиля появился неожиданный пешеход.

При слове «пешеход» читатель, конечно, сразу представит себе идущего на двух ногах человека. Но ведь пешеходом можно назвать всякое живое существо, которое по поверхности земли или чего еще передвигается на собственных конечностях, то есть идет пешим ходом.

В данном случае пешим ходом шел кот. Обыкновенный домашний, довольно упитанный, серый в полосочку, с белыми лапками. Заметим сразу, что кот пересекал улицу по пешеходному переходу типа «зебра» и для него в светофоре горел зеленый кружок, воспринимавшийся зверем как разрешающий движение большой кошачий глаз. Кот прошел уже половину дороги, вышел на встречную полосу, которая казалась ему совершенно свободной, а зеленый глаз все еще гарантировал ему полную безопасность. Но гарантия оказалось мнимой. Не успел кот пройти несколько шагов по пустой полосе, как вдруг... представляете, вдруг увидел, что одна из остановившихся у перекрестка машин вдруг выскочила из общего ряда и понеслась прямо на него, видимо, со специальной целью покушения на убийство. Кот понял, что сейчас окажется под колесами, чего ему никак не хотелось. За четырнадцать лет своей жизни он много раз видел раздавленных кошек с внутренностями, размазанными по асфальту, и это зрелище всегда его ужасало. Подобной участи он готов был предпочесть любую другую. Даже смерть от зубов ротвейлера Пантелея, жившего в том же доме, где и наш герой.

Видя, что от надвигающейся громады уже не увернуться, кот подпрыгнул, надеясь взлететь так высоко, что железный зверь пронесется под ним. Раньше, когда он был помоложе и полегче, именно так все могло и получиться. Но теперь в его старых лапах, пораженных артрозом, не было той пружинности, которой они отличались в прежние годы. Кот подпрыгнул и влепился в разгоряченный движением радиатор. Этим ударом его подбросило еще выше, второе столкновение было с лобовым стеклом, после чего он упал на край дорожного полотна да еще ударился головой о бордюр и застыл бездыханный.

Он еще пожалеет

Федя слышал оба удара, увидел, как перед его глазами мелькнуло и было отшиблено в сторону что-то пушистое с четырьмя лапами и хвостом, понял, что это кошка, но это его не взволновало, потому что стеклу удар вреда не нанес, радиатору, надо надеяться, тоже, а кошек ему приходилось давить и раньше. В совсем еще юные годы, но уже с водительскими правами, он бывало, заметив на дороге кошку или собаку, специально так подворачивал руль, чтобы животное не увернулось. Немного повзрослев, он братьев меньших намеренно давить перестал, но и на тормоз ради них нажимать не стал бы. А уж остановиться, вернуться к кошке, выразить хотя бы для вида хотя бы легкое сожаление, этого он, конечно, не сделал, понесся дальше. О чем впоследствии пожалеть ему придется по-настоящему.

Попутное рассуждение

Даже у самого развитого животного не хватает ума, чтобы совершать такие глупости, на которые способен человек. Человек бывает глуп сам по себе, но совокупность человеков, называемая народом, бывает еще глупее, что подтверждено историческим опытом. Народ бывает глуп, неправ, покорен, пассивен и агрессивен и при этом не в меру доверчив. Вера его безгранична и своеобразна. Еще недавно народ наш был в массе своей атеист и верил, что бога нет. Верил в коммунизм и надеялся: для внуков на райскую жизнь, а для себя — на снижение цен, повышение пенсий и улучшение жилищных условий в пределах коммунальной квартиры. С обменом меньшей комнаты на бо́льшую. Пожалуй, нет на земле народа, который сравнился бы с нашим в способности годами, а то и столетиями надеяться и терпеть то, что с ним делают. Он терпел татарское иго, крепостное право, коллективизацию, электрификацию, пятилетки, сроки за колоски, расстрелы за анекдот, заградительные отряды, перестройку, ваучеризацию, теперь терпит властную вертикаль, малые пенсии и высокие тарифы на ЖКХ. И так он долго и покорно терпит все, что у тех, кто испытывает его терпение, сложилась устойчивая уверенность, что этот, как они говорят, пипл схавает все. Но в истории все же бывают моменты, когда даже самый покорный пипл не оправдывает возложенных на него ожиданий.

Есть, как мы знаем, сосуд, который называется чашей терпения. У нас он наполнялся долго и постоянно. Всякую дрянь в него вливают ведрами, бочками и цистернами, а в чаше все еще место остается для новых емкостей. Так вот, все привыкли, что чаша сия бездонна есть. Хотя находились прозорливые люди, которые предупреждали вливающих, смотрите, мол, ребята, умерьте усердие, доходит уже до краев. Но те, кого предупреждали, не видели, что дела в пределах нашей территории и настроения в обществе дошли до такого состояния, что любое незначительное событие могло вызвать недовольство народа и даже гнев, и тогда происходит то, чего лучше все-таки как-нибудь избежать. Событие может быть любое, самое чепуховое. Допустим, обвалился какой-нибудь ветхий дом престарелых. Или кто-то отравился просроченными консервами. Или провалился в открытый люк. Или сломал ногу на обледеневшем тротуаре. Или плата за коммунальные услуги повысилась на один рубль. Или выключили горячую воду не на три недели, а на четыре. Любая ерунда может вдруг стать той самой последней каплей. Но в данном случае этой ерундой оказался кот. Обыкновенный, серый в полосочку, с белыми лапками.

До сих и отсюда

По внешним признакам он ничем не выделялся в общей массе таких же, как он, мелких домашних животных. Он не относился к тем своим соплеменникам, породистым, с длинной родословной, за которых богатые люди платят большие тысячи, а потом держат в комфорте, кормят деликатесами, стригут и причесывают в дорогих кошачьих салонах. Некоторым особо везучим одинокие сумасшедшие миллионеры завещают свои миллионы, дворцы, виллы и яхты, не соразмеряя бессмысленную щедрость со скромными кошачьими потребностями. Погибший же кот, хотя и жил в достаточно хороших условиях, в любви, холе и неге, был по своему происхождению обыкновенный серый, беспородный, из тех, кого при рождении раздают бесплатно знакомым или подкидывают под дверь незнакомым, а избыточных просто топят в помойном ведре. Не представлял он собой ни зоологической, ни рыночной ценности, и если бы его задавили днем раньше или днем позже, или при других обстоятельствах, при других участниках ДТП и свидетелях, то ничего бы и не было. Просто призвали бы на место события какого-нибудь смуглого гастарбайтера с мусорным темным мешком. Тот очистил бы дорожное полотно от животного трупа, посыпал это место песком, песок смел бы метлой из ивовых прутьев, тем бы дело и завершилось.

Но дело в том, что злосчастное ДТП случилось в тот самый редчайший в истории Закедонья момент, когда упомянутая выше чаша терпения была наполнена до краев и одной капли в виде кота оказалось достаточно, чтобы потекло через край. Потому что, как выразился один наш доморощенный закедонский аристократ, вот до сих пор терпеть еще можно, а отсюда уже нельзя. От сих досюда или отсюда до сих.

Среда, способная к закипанию

Увидев, что «Порше Кайен», совершив наезд, с места происшествия скрылся, а кот лежит на асфальте и, подергавшись немного в конвульсиях, теперь даже лапами не шевелит, а усами тем более, Вася Перепелкин выскочил из машины и, рискуя сам стать очередной жертвой дорожного происшествия, но став одной из причин очередной пробки, кинулся к несчастному животному в надежде оказать ему первую помощь, но она была уже не нужна. Вася сначала долго искал пульс, не зная, где он у кошек находится. Щупал, если можно так сказать, запястье лапы, трогал то место, где у человека располагается сонная артерия. Пульса не нашел, тем более что его уже не было. Поняв, что кот безнадежно мертв, Вася сфотографировал его тем же айпадом, с его же помощью написал и, не сходя с места, разместил в Интернете свой блог о случившемся. О коте, кстати, упомянул мимоходом, как о не очень важной детали события. Подчеркивал главное: сын губернатора, дорогая иномарка, блатные номера, крякалка, выезд на встречную полосу, ну и дальше был упомянут кот, повторяю, как незначительная частность. Правда, в ролике для Ютюба, снятом при помощи того же айпада, кот оказался все-таки заметной деталью, ибо вошел в кадр поднявшимся над автомобильным потоком и похожим на летящего еврея с картины Марка Шагала. И еще не успели люди на месте происшествия отреагировать на него должным образом, а Интернет, который представляет среду, способную к мгновенному закипанию, уже взбудоражился и загудел сначала ироническими заметками, постами, блогами, твитами, инстаграмами, но вскоре тон этих сообщений сместился в сторону возмущения и анонимных угроз неизвестно кому.

Толпотворение

Пока Вася писал свои блоги, твиты и инстаграмы и выкладывал в Ютюб ролик с летящим котом, он не сразу заметил, что вокруг него и кота собралась уже заметная толпа. Первым подошел Васин тезка пенсионер Лопешкин Василий Васильевич, живущий в доме 60/12 по проспекту Погребенько. Увидев кота, он воскликнул:

— Мурзик!

— Извините, — сказал блогер, решив, что пенсионер обратился к нему. — Вы ошиблись, я не Мурзик.

— Вы не Мурзик, — согласился пенсионер, — а он — Мурзик. — И подбородком указал на кота.

— Вы его знаете?

— А как мне не знать, когда он мой сосед, — сообщил Лопешкин таким тоном, словно гордился соседством с покойником. — Да я уже пятнадцать лет живу в одном подъезде с евонной хозяйкой, Маргаритой Максимовной Коноплевой. Коноплеву-то знаешь? Да это ж наша артистка. Гордость не только области, а и всей нашей большой, ну этой как бы вот да.

— Ах, — удивился Вася. — Коноплева Маргарита Максимовна? Народная артистка СССР? И вы лично ее знаете?

— Ну, а как же, — и это подтвердил Лопешкин не без гордости, — ясное дело, знаю. И она меня знает. Иной раз у мусоропровода встренемся, я ей говорю «Здрасьте, Маргарита, говорю, Максимовна». И она мне, здрасьте, говорит, как вас зовут? Как поживаете? Ну я говорю, я, мол, сосед ваш, Лопешкин Василь Васильевич, поживаю нормально, по-пенсионерски, поясница болит и колени погоду предсказывают лучше метеослужбы, а врачи говорят, поменьше соленой и жирной пищи. А она, Маргарита Максимовна, говорит, это правильно, говорит, врачи плохого не скажут, хотя слушаться их не стоит.

— А это что ж, ейный, что ли ча кот? — спросила, подошедши, консьержка из того же дома, но другого подъезда.

— Не ейный, а еёный, — поправил Лопешкин. — А чей же еще? Я ж его знаю, прямо как вот это вот да. Вишь, у него чулочки-то белые, а левое ухо-то драное. Это ж он, пока не охолостили, со всеми котами дрался, как черт, а потом, когда это с ним сотворили, присмирел и весу прибавил. Был такой худенький, а стал во какой. Но с моим Пантелеем и поныне не дружит. Как встренет его в подъезде, так спина дугой, хвост трубой и шипит: шшшшшш...

— А кто это — Пантелей? — спросил белобрысый мужчина в цветной рубахе с флагом США на груди. — Сын, что ли?

— Ну да, он мне как сын. Жена померла, дочка за немца вышла по Интернету и укатила в город Ганновер, а Пантелей со мной. Куда ж он от меня денется? Я ему и папа, и мама, и воинский начальник. Я его кормлю не то что сухим там этим, а тем, что сам кушаю. Даже лучший кусок ему отдаю. Песик это мой, вот кто.

— Ха, песик, — иронически отозвалась консьержка. — Песик размером с хорошего кабана.

— Ну да, ротвейлер, — уточнил Лопешкин. — То, что он большой, так это ему по породе положено. Но, однако же, смирный.

— Ага, смирный, — не унялась консьержка. — Третьего дня на бомжа напал, так тот в мусорный контейнер с перепугу запрыгнул.

— Ну, с бомжом, это да, — согласился Лопешкин. — Вообще-то он тихий, смирный, детишек любит, а кошек и бедных людей на дух не переносит. Классовое, как говорится, сознание. Как увидит бомжа, так с поводка рвется, не удержать, несмотря на строгий ошейник. И еще полицейских не признает. Ну этих, ну просто, ну ненавидит от всей этой вот от души. Не далее как на прошлой неделе один через двор шел, увесь у гражданском: джинсы, ботинки, очки темные, так он, паразит, в смысле Пантелей, я не успел поводок натянуть, раз, и штаны этому-то порвал от низа и до колена. И что думаешь? Капитан полиции оказался. Джинсы мои, говорит, фирменные, стоят пять тысяч рублей и не менее. А пса, говорит, будете без намордника выводить, следующий раз пристрелю, говорит, как собаку.

Пока Лопешкин делился своими соображениями, на месте происшествия народ постепенно прибавлялся в количестве, а отчасти и в качестве. Потому что по-

мимо простых граждан, не обремененных никакими заботами, кроме попутного любопытства, прибыли группа
оппозиционеров левого толка, четверо националистов
движения «Русское Закедонье» и члены Лиги защи-
ты животных в количестве шести человек и во главе
с Валентиной Терентьевой по прозвищу Мать Тереза.
В команде оказался и телеоператор Володя Пеньков
с большой старомодной видеокамерой.

Толпа продолжала густеть. Подбегали все новые
люди, слышались нервные вопросы, что, где, кого
и как? И всем было бы интересно, если бы человека,
но, выяснив, что кота, некоторые разочарованно маха-
ли руками и отходили, сплюнув с досады. Другие же,
узнав, чей именно кот, оставались, проявляли к собы-
тию живой интерес. Особое любопытство выказывали
люди из близживущих. Потому что персонаж этот был,
несмотря на свою обыкновенность, довольно заметной
достопримечательностью микрорайона. И не только потому, что принадлежал знаменитой артистке. Жители
соседних домов, рабочие автоцентра и студенты дорожного колледжа на другой стороне знали его, потому что
ежедневно около полудня он переходил с четной стороны на нечетную, а какое-то время спустя с нечетной на
четную. При этом всегда соблюдал правила движения,
пользовался пешеходным переходом типа «зебра» и зеленый свет легко отличал от красного.

Толпа увеличивалась в размерах и в конце концов
вытекла на проезжую часть и перекрыла движение автомобилей. Водителям это не нравилось. Некоторые,
наиболее нервные, истерически сигналили. Другие,
решив, что имеет место общественный протест против
очередного повышения цены на бензин, решили его
поддержать и тоже гудели. Третьи, не выдержав, по-
кидали свои авто и подходили узнать поточнее, в чем
дело. Василий Лопешкин, оказавшись в центре общего

внимания и весьма этим польщенный, охотно повторял любопытным подробности своих отношений с артисткой Коноплевой и рассказывал про кота и его привычки. А задавил его, добавлял он, ссылаясь на сказанное ему Перепелкиным, не кто иной, как сынок губернатора Федор, многим известный своими похождениями, кутежами в дорогих ресторанах и хамским поведением на дорогах.

Еще неделю назад, случись подобное, народ и ухом бы не повел. Ну, подумаешь, кота задавили. Но если неделю назад это было ну подумаешь, то сейчас настроение масс сильно изменилось. Довели его уже эти чиновники, их прыщавые дети, которые с покупными правами гоняют по улицам на дорогих иномарках на всяких там «Феррари» и «Ламборджини». Устраивают гонки посреди города, носятся со скоростями больше двухсот километров. Сын олигарха Мокеева, пьяный и без водительских прав, устроил на дороге большой карамбуляж, налетел на стоявшие у светофора машины. Шесть иномарок и одна «Лада» воткнулись одна в другую, но, к счастью, без особых последствий, не считая беременной женщины в последней «хёндайке». Женщина погибла на месте, а водитель получил перелом основания черепа и чудом был вытащен с того света. Об этом местная газета «Zakedonian News» писала, и даже по одному столичному телеканалу прошел короткий репортаж, и Интернет гудел. И что вы думаете, мальчишку пожалели, он в СИЗО провел пару недель, потом судьба его выпала из глаз людей, а месяц спустя он опять был замечен среди ночных стритрейсеров. Ну, естественно, люди возмущались, но исключительно про себя и шепотом. А тут кот — и народ стал обсуждать. И раздались разные голоса, которые губернаторского сынка крыли почем зря, а наиболее отчаянные даже поминали его папашу. И мамашу в отдельном контексте. И слышались всякие оскорбительные слова вроде «негодяи, сволочи, подонки и отморозки». И кто-то даже сказал, что мы сами во всем виноваты, что позволяем этим бессовестным людям так себя вести. Мы рабы, мы конформисты. Нет в нас чувства собственного достоинства. Мы на выборы не ходим, а если ходим, то голосуем не по своему разумению, а за кого подскажут. Вот вам и результат.

— А чего удивляться, чего удивляться-то? — рассуждал пожилой человек с пластиковой сумкой из магазина «Пятерочка». — Да для таких людей что кот, что человек — разницы нет.

— Это точно! — согласилась с ним полная женщина в джинсах и камуфляжной куртке с погонами. — Мы все для них мурзики.

— А я вам так скажу, ребятишки, — вмешался рыжий мужчина в такой же рыжей футболке с надписью «I'm not you and you are not me», — если мы, мужики и женщины, извиняюсь, дамского полу, все будем вот так в тряпочку, то они всех нас словно котят передавят. А если б мы все как один собрались и вот так это, понимаешь, вот... — И, поднявши над головой кулак, он мысль свою оставил незавершенной.

— Если бы парни всей земли, — кто-то вспомнил старую песню, — вместе однажды собраться могли...

— Ну да, если бы все собрались, — скептически отозвался покупатель «Пятерочки». — Если б не ОМОН, то и собрались бы. А так кому охота по башке дубиной-то получать.

Тем временем толпа дальше густела, ситуация накалялась. Человек в хорошем костюме жаловался, что из-за какого-то кота он опаздывает на совещание, но никакого сочувствия не снискал. А полная женщина в красной шляпке визжала, что опаздывает на самолет, и тоже обвиняла кота.

— Ага, — иронически поддержал ее мужчина в сиреневой вязаной шапке, — нашли, наконец, виноватого. Воровство, коррупция, правовой беспредел, бездорожье, падение рождаемости, рост цен на ЖКХ, война, во всем виноват котяра.

— Это вы на что намекаете? — повернула к нему голову и прищурилась женщина в шляпке.

— Ни на что, — буркнул мужчина.

— А я верю в нашего губернатора, — ни с того ни с сего громко сказала она.

А человек, судя по очкам, берету и седой бороденке, из мира искусства, поддержал предыдущего и, обращаясь к красной шляпке, изрек:

— Это у вас, дама, стокгольмский синдром.

Что такое стокгольмский синдром, дама не знала и потому оскорбилась, утверждая, что она женщина порядочная и чистая и даже мужу ни разу не изменила. То, глядя на ее внешность, никого особо не удивило.

Нашелся умный человек, который, только войдя в толпу, не понял о чем речь, но заметил, что во всем виноваты американцы.

Против этого серьезных возражений ни у кого не нашлось, но пожилой человек с клочковатой бороденкой добавил, что американцы — это само собой, но в данном случае дело не только в них, а в беспределе на дороге, когда всякое начальство, большое и малое, с мигалками, визжалками, крякалками, блатными номерами и прочими признаками приближенности к высшей власти, ездит как хочет и из-за них простому человеку на дороге страшно появляться хоть в машине, хоть пешему. Такого беспредела, сказал он, даже в Америке не бывает, но тут в разговор вошел Перепелкин и предложил собравшимся подумать не об американцах, а о том, как выразить общий протест против вопиющего местного беззакония. Потому что правильно товарищ говорит —

Перепелкин указал на рыжего, — если бы мы все сегодня собрались и сказали нет, то завтра бы уже жили в другой стране.

На что ему резонно кто-то возразил, что если бы мы умели все собираться и говорить нет, то мы были бы не мы.

Перепелкин согласился и, раздав присутствовавшим свои визитные карточки, предложил всем на следующих выборах голосовать за партию «Гражданское достоинство».

Однако еще про кота

Четырнадцать лет тому назад тогда еще не старая, но уже и не молодая актриса Маргарита Максимовна Коноплева с охапкой цветов возвращалась после очередного спектакля домой. Еще в лифте услышала не мяуканье, а жалкий писк, вроде даже мышиного. А когда вышла из лифта, под самой дверью своей квартиры увидела этот комочек, похожий на клубок шерстяных ниток. Она еще не решила, брать его или не брать, но едва открыла дверь, комочек юркнул внутрь и таким образом сам определил свою судьбу.

Мудрствовать с именем актриса не стала и назвала подкидыша Мурзиком. Описывать подробно биографию Мурзика вряд ли стоит, потому что он не Пушкин, не Ломоносов и вообще даже не человек (хотя Маргарита Максимовна имела на этот счет свое мнение). Этапы жизни у него были самые обыкновенные. Сначала молоко из блюдечка, потом взросление, лазанье по деревьям и крышам, когда его вывозили вместе с хозяйкой на дачу, а там ловля мышей, крыс, птиц, иногда даже и белок.

Были мартовские любовные приключения. Право на обладание той или иной своей избранницей ему приходилось отстаивать в жестокой борьбе с себе подобными.

Бывало, из этих сражений он выходил настолько истерзанным соперниками, что в конце концов актриса решилась ради его же безопасности избавить кота от кое-каких анатомических подробностей, противником чего был один наш известный диссидент и любитель кошек. Говорят, он своих котов никогда не кастрировал, уважая их право жить, любить, сражаться и, если придется, погибнуть в бою.

После кастрации Мурзик, именно так его звали, стал сильно прибавлять в весе и пренебрегать ловлей мышей, тем более что и раньше он не ел их, а только душил ради удовольствия. Когда он слишком сильно растолстел, Маргарита Максимовна обратилась к известному ветеринарному профессору. Тот посоветовал кормить кота только сухим кормом определенной марки заграничного производства «Кошачий пир».

Старуха Изергиль

Вопреки утверждениям неумных людей, что кошки привыкают к дому, а хозяева их не интересуют, Мурзик Маргариту любил, хотя выражал свои чувства сдержанно и по-своему. И она в нем души не чаяла, но в общении держалась немного грубоватой манеры. Но он-то знал, что за манерой прячется нежнейшее чувство, и сам отвечал ей тем же. Он был почти все время при ней. Ночью спал у нее в ногах. Когда она смотрела телевизор, запрыгивал к ней на колени и тоже смотрел. Когда на обеденном столе раскладывала пасьянс, он и туда забирался и, лежа в некотором отдалении, следил за ее руками с пальцами, искривленными подагрой и унизанными кольцами с большими, но не очень дорогими камнями. Ее руки передвигались туда-сюда, и его глаза в том же направлении двигались, поскольку все движущееся всегда привлекало его особое внимание.

Она с ним разговаривала, как с равным, и была уверена, что он ее понимает и разделяет ее точку зрения. Темы разговоров самые разные: жалобы на жизнь, на старость и одиночество, на состояние здоровья, на то, что память ни к черту, лекарства подорожали, губернатор подлец и ворюга, а театр настоящий умер. На такое мнение Маргарита имела полное право, потому что сама была народной артисткой СССР, лауреатом премий разного уровня и достоинства. Она работала много лет в местном драматическом театре, переиграла все роли — от Джульетты и Офелии до матери Павла Власова и Долорес Ибаррури, знаменитой испанской коммунистки. К своему восьмидесятилетию она выглядела так неплохо, что в «Ревизоре», до того как этот спектакль был исключен из репертуара, продолжала играть жену городничего Анну Андреевну. А исключен был спектакль при следующих обстоятельствах. В день юбилея, когда он игрался в четырехсотый раз, явился в театр губернатор Сан Саныч Удодов, сидел в четвертом ряду с женой, сыном, ведущими сотрудниками администрации и охраной и так громко и несолидно, несмотря на высокий занимаемый пост и большой живот, хохотал, что слышно было и на галерке. А после спектакля к нему подбежали с одной стороны директор театра Малашенко, с другой главный режиссер Суматохов, а с третьей приглашенный из столицы режиссер Кацненбоген и спросили хором:

— Ну как?

Директор при этом выхватил губернаторское пальто из рук его пресс-секретаря и услужливо поднес его к спине губернатора, а тот, принимая услугу как должное, заметил глубокомысленно:

— Да-а, не любят в нашем театре своего губернатора.

После чего директор немедленно подписал приказ о закрытии спектакля.

Главный режиссер, который ревниво относился к постановкам приглашенного им же столичного режиссера, то есть Кацненленбогена, с директором согласился, а труппу это решение возмутило, и некоторые из них, включая Маргариту Максимовну, подали заявления об уходе. Маргариту Максимовну больше всего обидело, что директор не попытался удержать ее, единственную в театре народную СССР, а сразу подписал заявление, и так она стала бывшей актрисой и неработающей пенсионеркой. Теперь театр, который когда-то считала родным, она обходила стороной, другие театры тоже не посещала, удовлетворялась Интернетом и телевизионными шоу, но все, что видела, ей не нравилось. Тем не менее, смотрела, возмущалась, иногда писала в Останкино сердитые отклики на передачи из жизни «звезд», упрекая ведущих в пошлости, бездарности и безграмотности, в том, что к месту и не к месту употребляют дурацкие слова вроде супер, круто, волнительно и прикольно, говорят «одеть» вместо «надеть», двое человек вместо два человека, а с числительными вытворяют такое, что язык можно сломать. «Господа грамотеи, — писала она. — Вы уже сколько лет живете во втором тысячелетии, не пора ли в конце концов понять, что нельзя говорить «в двухтысяче первом году» или «в двухтысячно десятом». Да вам всем надо устроить экзамен по русскому языку и каждого второго выгнать к чертовой матери».

Подруга и единственная из оставшихся ровесниц Маргариты, Ангелина Ивановна Симакова, тоже бывшая актриса, тоже народная, но не СССР, а РФ, ругала ее, как могла:

— Да зачем ты смотришь этот зомбоящик? Это же сплошная дрянь, пошлятина, гадость. Ты ж только себе настроение портишь. Это все отрицательные эмоции.

— Лучше отрицательные, чем никакие, — отвечала Маргарита Максимовна. — Эмоции надо тренировать, как мускулы. А если будешь оберегать себя от волнений, заживо загниешь.

Сын Алеша тоже выговаривал ей, что слишком много смотрит телевизор, и, чтобы отвлечь, прислал последнюю версию айпада. Внучка Алена научила, как им пользоваться.

Маргарита Максимовна думала, что никогда этих премудростей не освоит, но, к своему удивлению, со всем справилась, научилась выходить в Интернет, смотреть видео в Ютюбе, общаться с сыном по скайпу и не только читать всякие блоги, твитты и инстаграмы, но и писать их и посещать разные сайты под ником «Starukha Izergil». Тут она совсем распоясалась, участвовала в жарких политических дискуссиях, в которых иногда такое писала, что сама холодела от ужаса. Помнила времена, когда даже не за столь обидные для власти высказывания можно было навсегда пропасть в лагерях. Сочиняя очередную филиппику, она проговаривала ее вслух и поглядывала на Мурзика. Она утверждала, что он все понимает и если жмурится, то одобряет, а если отводит глаза в сторону, значит, нет.

Первый блин

Первый раз она вышла замуж в девятнадцать лет, еще будучи студенткой театрального училища. Валерий Привалов был молодым летчиком-истребителем, только что окончившим Чугуевское летное училище, ходил в форме, которая тогда еще прельщала многих девушек. Но для нее все-таки главное было то, что сам он был из интеллигентной семьи, начитанный, веселый, остроумный и музыкальный. Играл на любом музыкальном инструменте, который попадал ему в руки. От балалайки до пианино и аккордеона, трофейного, привезенного когда-то его отцом из Германии. У Валерия был абсолютный музыкальный слух, но он бросил всерьез заниматься музыкой еще в детстве, потому что еще тогда «заболел небом». Но с аккордеоном не расставался и на офицерских вечеринках охотно наигрывал что-нибудь популярное вроде вальса «Амурские волны» и песенку, посвященную болезни, поражавшей летчиков от перегрузок, неизменных при выполнении фигур высшего пилотажа: «На побывку едет летчик молодой. Грудь его в медалях, в жопе геморрой». Будучи уже классным летчиком, Валерий каждый полет воспринимал как очередную порцию счастья, которое — так он объяснял Маргарите — можно сравнить только с чувством, которое испытываешь от близости с ней. Она его спрашивала, а что будет, если когда-нибудь по каким-то причинам ты не сможешь больше летать. Если не смогу летать или быть с тобой, тогда я просто застрелюсь, говорил он.

Первое время он служил под Москвой, где ему дали комнату в офицерском общежитии с туалетом в конце коридора. Он жил там, она у своих родителей, в такой же коммуналке, но приезжала к нему, и ей нравились его товарищи-офицеры, с их постоянным балагурством и легким бахвальством, с их специфическими рассказами, похожими на охотничьи байки. Потом его направили в ГДР, и возникла проблема. Он хотел, чтобы она бросила училище и уехала с ним. Она отказалась, и у них получился брак по переписке. Она несколько раз ездила к нему, он приезжал к ней. Потом его направили в Россию, и они заранее радовались, что теперь-то будут вместе, но опять реальность с ожиданиями не совпала — его послали в Казахстан, где он, будучи уже майором и командиром эскадрильи, принял участие в атомных учениях. Ему было приказано провести эскадрилью сквозь радиоактивное облако. Он посчитал этот приказ преступным, формально не отказался от выполнения, но вместе с эскадрильей облако обогнул. За что был разжалован в капитаны и уволен в запас практически с волчьим билетом. И, как говорили его друзья, еще легко отделался: не посадили. Его товарищ, майор Нестеренко, приказ выполнил в точности, за что получил орден Красной Звезды, был произведен в подполковники, а через два года полным полковником умер от лучевой болезни.

Перестав летать, Валерий не застрелился, но не находил себе места в гражданской жизни. Долго не мог устроиться ни на какую работу, потом нашел должность коменданта аэродрома при областном аэроклубе. Надеялся, что его переведут в инструкторы, что могло бы в конце концов случиться, но в ожидании такой возможности стал попивать, и чем дальше, тем больше. Это стало известно руководству аэроклуба. Короче говоря, летать ему уже ни на чем и ни в каком качестве не светило, он пил все больше и больше. Пил, стал ревнив, мелочен и агрессивен. Она не могла понять, куда делись его легкость, веселость, чувство юмора. Ревновал ее ко всем, а режиссеру Фантикову разбил нос прямо в театре. За что пятнадцать суток подметал тротуары. Хотя Маргарита и правда безгрешной не была и в любовных отношениях с одним деятелем искусств состояла, но это был вовсе не Фантиков. Валерий чем дальше, тем более был подозрителен. Следил за ней, подслушивал ее разговоры по телефону. Дошло до того, что рылся в ее сумочке и обнюхивал ее белье. Первый раз поймав его с поличным, она пришла в смятение. Она ему сказала: «Валера, что ты делаешь? Ты же летчик, ты истребитель, ты ас, ты мужчина. И до чего ты дошел?» — «Нет, Маргоша, я не летчик, не истребитель, не ас и не мужчина, а говно, а говну все можно». Подозревать ее было в чем, но она свои связи умело скрывала. Скрывала настолько, что сама верила в легенду о своей безупречной верности. (Кстати, ревность и верность состоят из тех же букв, расставленных в разном порядке.) Во всяком случае, точно не попадалась. Тем не менее они разошлись. Не сразу. Он устраивал ей скандалы, потом умолял не бросать, говоря, что пропадет без нее или покончит жизнь самоубийством. Обещал завязать и завязывал на какое-то время, потом все повторялось. В конце концов она ушла, оставив ему однокомнатную кооперативную квартиру. В конце восьмидесятых он, вместе с уже взрослым сыном Алешей, уехал в Америку. Там они разделились. Алеша отправился пытать счастья в Силиконовую долину, а Валерий попал в Майями, где все-таки нашел работу по специальности: на самолете «Сессна» возил над пляжами привязанное к хвосту полотно с рекламой мексиканской водки «Текила». Это было мало похоже на высший пилотаж на реактивном истребителе, но все же — воздух.

А она после развода с Валерием вышла замуж за модного драматурга, у них, можно сказать, были свободные отношения: он изменял ей и она, когда удавалось, делала то же и не считала это зазорным. Зазорным она считала красть чужое, строить свое благополучие на чужом несчастье, пресмыкаться перед начальством. Все знали, что с ней лучше не связываться. Она была остра на язык и даже главного режиссера могла так обрезать, а при случае даже и покрыть матом, что у нее получалось особенно изящно. Актеры театра из поколения в поколение передавали рассказ о том, как, повздорив однажды с тем же Фантиковым, она покрыла его многоэтажным и виртуозным матом, в ответ на что бедный, интеллигентный, целомудренный Павел Ильич, ни разу в жизни не произнесший ни одного непечатного слова, растерялся и, заикаясь от волнения, сказал:

— А вы, а вы, а вы... какашка!

Драматург, кстати, вскоре умер, оставив сберкнижку двоим детям от первого брака, а ей свою могилу с правом и ей быть похороненной там же.

Родственные отношения

Валерий в Майями познакомился с богатой немкой, которую он катал на своем самолете. Ей полеты понравились и пилот понравился, и в конце концов она увлеклась им и увлекла его собой и обещанием, если он женится, купить ему самолет. И увезла его к себе в баварский город Розенхайм. Там он открыл частную летную школу и еще какое-то время летал, но стало пошаливать сердце, и врачи карьеру его окончательно прекратили. Хотя общения у них практически никакого, но все-таки он был ее первой любовью, и она думала о нем чаще, чем о следующих мужьях и сожителях. Иногда она узнает о нем от Алеши, которому он пишет короткие эсэмэски. Жалуется на старость, боли в коленях и геморройные кровотечения. Да и Алеше уже под пятьдесят. Живет в неофициальной столице Силиконовой долины Пало Алто. Начал карьеру простым программистом, теперь занимает важный пост в важной фирме с окладом в 400 тысяч долларов. Маргарита удивлялась, куда он девает такие деньги? Он расписал ей по пунктам: налоги, моргидж, алименты первой жене Марине, плата за обучение второй жены Кэрол (она уже лет восемнадцать учится в Стэнфорде на биологическом факультете), плата за обучение детей, а их у него трое: своя Алена и две черные близняшки, приемные из Гаити, Джессика и Марта (их решила взять Кэрол). Всех их надо кормить, всех учить, и на банковском счету не остается почти ничего.

Когда брали приемных девочек, Маргарита Максимовна предупреждала, что не надо брать черных, будут проблемы. Сын писал: «Ты расистка, как и твоя домработница». Она сердилась: я не расистка, а реалистка. Я не говорю, что люди другого цвета хуже, я говорю, что они другие. Как ты можешь так говорить, возмущался он, прожив долго в мире политкорректности. Все люди рождаются одинаковыми. Равными, возражала она, равными, но неодинаковыми. Он настаивал на том, что способности не зависят от национальности или расы. Она говорила, что не может этого быть. Даже собаки разных пород имеют разные способности. Одни больше приспособлены к охоте, другие сторожить овец, третьи искать наркотики, четвертые выступать в цирке. Почему же мы признаем предопределенную разность животных и не признаем того же в среде людей.

Алешина дочь Алена уже не учится, а работает в Закедонском отделении российско-американской фармацевтической компании, занимается продвижением американских лекарств на российский рынок. Живет в съемной (оплачивает фирма) квартире в Конюшенном переулке. Бабушку при этом не забывает, навещает, благо расстояние небольшое. Не забывает и то, что бабушку бабушкой называть запрещено, можно называть Маргарита или Маргоша.

В Закедонске внучка заразилась общим настроением, общалась с богемой — молодыми актерами, поэтами, художниками, людьми из политической оппозиции, носила белую ленточку, ходила на митинги и дважды побывала в полиции.

Отец ее сидит в своей долине, что-то придумывает, надеется изобрести что-то великое и попутно стать миллионером. Письма писать не любит, раньше кучу денег тратил на телефонные разговоры, теперь общается с матерью по скайпу, по WhatsApp, FaceTime и Viber. Иногда пишет «емельки». Разговоры в основном пустые. Как дела? Нормально. Как твое здоровье? Ничего нового. Ну и слава богу. Надеяться на хорошее новое наивно, а плохое в свой черед придет, но пока не пришло, значит, все хорошо. А как твое здоровье? Сынок, об этом скучно говорить. Недавно врачи обнаружили аритмию, доктор Цыркин предлагает поставить стимулятор за пять тысяч евро, но доктор Калошник категорически не советует это делать. А что вообще происходит в стране? Ничего хорошего. Доходы людей падают, пенсии заморозили, цены растут, ввели дополнительную плату на ЖКХ, народ нищает. А некоторые богатеют и не стесняются хвастаться своим богатством и не боятся разоблачений. Прошли так называемые выборы, ты знаешь, какие это были выборы, я на них не ходила, хотя подруга Ангелина упрекает меня в отсутствии гражданской активности. А она ходит и голосует. Все-таки, говорит, это же выборы. Не то что было при совке, когда в бюллетене был один кандидат и было написано, что голосующий должен оставить одну фамилию, а остальные вычеркнуть. Теперь, говорит Ангелина, все-таки есть реальный выбор из нескольких кандидатов. Если тебе не нравится Петров, можешь голосовать за Сидорова. Эти ее рассуждения Маргариту Максимовну сильно сердили. Дура ты дура, какой же это выбор? Тебе представляют список с включением в него подставных фигур, и не важно, кто из них станет депутатом, они все из одной колоды. А ты разве не видишь, говорила она, что они вытворяют с этими выборами. Вброс заранее заполненных бюллетеней. Карусели, когда подставные люди ездят с участка на участок и голосуют за того, на кого им указали. Нам предлагают участвовать в игре с предсказуемым результатом. Последние выборы показали то, что и предпоследние. В городское собрание и областную думу избраны люди, издающие законы, глупее которых ничего придумать нельзя.

Ну да, конечно, соглашалась Ангелина, все это так. Но надо ж иметь в виду, что наша демократия делает только первые шаги.

Да никаких она шагов не делает, а если делает, то шаги назад.

Ангелина четверть века назад разошлась с мужем. Они продолжают жить в одной квартире, но не разговаривают. Если приходится входить в контакт друг с другом, пользуются электронной почтой. Причем письма пишут очень вежливые, но без какого бы то ни было личного обращения.

Кот-симулянт

Когда Маргарита смотрела телевизор, кот лежал рядом на диване и тоже смотрел. Смотрел с видимым равнодушием, ни на что не реагируя, даже на Палкина с Богачевой. Но оживлялся, когда показывали рыжего кота, демонстрировавшего сухой корм «Кошачий пир». Хотя в жизни этот пир ему надоел. Именно им кормила его все последние годы его хозяйка. И была уверена, что ему эта пища нравится. Боясь огорчить хозяйку, он делал вид, что удовлетворен этой пищей, и даже ел ее, но не много. Хозяйка удивлялась, что, имея такой умеренный аппетит, он при этом чем дальше, тем больше толстеет. Она не знала, что Мурзик был лицемер и изменщик. Как только вырывался на волю, а это было всегда около полудня, отправлялся он на другую сторону улицы, зная, что именно в это время там же появляется деревенская женщина Наташа, работающая у богатых людей домработницей. Выходит на улицу с целой сумкой вкуснейших объедков и раздает их бездомным кошкам. Он пристраивался к этой ораве и делал вид, что он тоже бездомный, чем походил на некоторых двуногих соотечественников, которые, переезжая в Америку или Германию, скрывают свои бизнесы, доходы и недвижимость, выдают себя за неимущих, чтобы получать социальную помощь в виде бесплатных квартир и фудстемпов. Наташа догадывалась, что Мурзик, чистый, ухоженный, с хорошим ошейником, вряд ли относится к числу голодных кошачьих бомжей. Но чем-то он тронул ее сердце, и ему обычно доставался лучший кусок.

Страна, народ и восьмая программа

За день до несчастья Маргарита Максимовна почти до трех ночи говорила с сыном по скайпу. Выражала беспокойство за будущее страны и уточняла, что ей-то уже все равно, а вот молодых жалко. Ругала власть. Воровство, коррупция, беспредел. Сто человек захватили все богатства страны, а остальная масса бедствует. Люди существуют на нищенские пенсии.

— Если существуют и не протестуют, — сказал Алеша, — значит, сами того заслужили.

— Ты, когда здесь жил, тоже помалкивал.

— Значит, и я того же заслуживал, пока не уехал.

— Вот и плохо, что уехал. Активные и умные люди уехали, пассивные и глупые остались.

Было время, она, как все думающие свободолюбивые люди, мечтала о том, что когда-нибудь, может быть (в это всерьез никогда не верилось), наступит в России время, когда, по Пушкину, темницы рухнут и свобода нас примет радостно у входа. Но оказалось, что все не так просто. Свобода наступила, и десятки тысяч людей, не веря в ее надежность, вместо того чтобы укреплять ее здесь, ринулись к выходу, точнее, вылету из страны, искать надежную свободу там, где она уже есть, где за нее боролись и ее добились другие. Если бы все эти люди оставались на месте и боролись за свободу внутри страны, то, возможно, чего-то все вместе смогли бы добиться. В девятнадцатом веке прабабка Маргариты Максимовны по материнской линии, Вера Любатович, молодой девушкой уехала в Цюрих учиться медицине, но увлеклась, как и ее друзья, марксизмом. Не доучившись, вернулась в Россию и за свободу боролась здесь. Здесь в борьбе за свободу готова была жертвовать собой. И не собой тоже. К чему это в конце концов привело страну и их самих — другое дело, но побуждением

к действию был Веры и ее товарищей искренний само-
отверженный порыв к свободе, равенству и братству.
Теперешние же вольнодумцы жертвовать собой не желают и вместо того, чтобы бороться за свободу на месте,
стремятся туда, где им ее преподносят задаром, в пакете
вместе с социальными жильем, бесплатной медициной
и продовольственными купонами. Людей за это можно
осуждать, а можно и понять. Разочарование в революции, ее последствиях и сознание того, что в результате революции плохой режим заменяется еще худшим,
распространилось широко и на десятилетия, став для
многих людей аргументом против какой бы то ни было
общественной активности.

Алексей, как большинство решивших раз и навсегда покинуть Россию, не верил ни в какие возможности
перемен к лучшему, и чем дальше, тем его мнение о по-
кинутой родине становилось все хуже. И если даже на-
мечались неявные признаки перемен, он ими не оболь-
щался и в конце концов всегда оказывался прав.

— Мамочка, дорогая, как ты там живешь, в этой
Рашке? — спрашивал он Маргариту, чем ужасно ее сер-
дил. Ей с детства внушали и внушили, что слово «Рос-
сия» звучит гордо. А почему гордо, чем именно стоит
гордиться, она об этом раньше не задумывалась. Да и не
очень гордилась, но слово «Рашка» казалось ей отврати-
тельным и несправедливым.

— В конце концов, — говорила она сыну, — это
страна, которая дала тебе жизнь.

— А я думал, что жизнь мне дала ты, а не страна.

Он время от времени опять уговаривал ее перебраться
к нему и, ссылаясь на американский закон о воссоеди-
нении семей, обещал, что при переселении она получит
немедленно Грин-карту, медикейт и восьмую программу, то есть бесплатную медицину и дешевую квартиру.
Но она отказывалась, она родину и дорогие могилы не

покинет никогда, какие бы здесь гадости ни творились. Вспоминала ахматовские строки: «Нет, и не под чуждым небосводом, И не под защитой чуждых крыл, *Я была* тогда *с* моим *народом,* Там, где *мой народ,* к несчастью, был».

Очередной спор на эту тему, бессмысленный и беспощадный, состоялся у нее с сыном, как уже сказано, вчера, она после этого часто просыпалась, не выспалась, но в десять утра поднялась и продолжала спор с сыном, на этот раз мысленный.

Ну а народ-то тут при чем? — говорила она.

Она жизнь прожила в обществе, в среде и во времени, когда можно было ругать что угодно, только не народ. Она выросла в убеждении, что народ хороший, народ мудрый, он все знает, все понимает и когда-нибудь скажет свое слово, но как именно он это сделает, она не представляла. Ее огорчало, что теперешние люди давно уже пересмотрели этот взгляд на народ и относятся к нему без всякого уважения и сострадания. Сам народ в лице, например, таксистов говорит, что у нас страна дураков. А другие говорят — быдло. А третьи, что народ — это сумма молчащих разрозненных единиц. А еще надо разобраться, есть ли у этого народа какие-то общие характеризующие черты. Ей много пришлось ездить по стране, и она видела, что русский человек в Архангельске совсем не то, что русский в Краснодаре. И житель Смоленска чем-то отличается от читинца. Не говоря уже о тех, кто в республиках. А ее друг драматург Доломитов говорил, что он по национальности закедонец, и был прав: коренных жителей Закедонья, русских, татар, евреев, армян, грузин, объединяют общие привычки, обычаи, предрассудки и способы восприятия действительности, что отличает их от других жителей Федерации. И в то же время есть что-то объединяющее всех россиян. То общее, что выработалось столетиями совместного проживания, включая семидесятилетний советский опыт. Всеобщее воровство, пьянство, пренебрежение к закону и неверие в то, что от нашего поведения что-то зависит. Что бы с людьми ни делали, со всеми сразу или поодиночке, они молчат. От несправедливостей откупаются взятками, если могут. А если не могут, покоряются судьбе и судебным решениям. Миллионы одиночек боятся каждый сам за себя. Каждый ведет себя тихо, старается ни во что не вмешиваться, ни за кого не заступаться, зная, что и за него никто не заступится. А если не вмешиваться, не заступаться, ничего не принимать близко к сердцу, есть иллюзия, что так тихо до самой смерти и доживешь. Человек живет, ходит на работу, пьет, ест, спит с женой, растит детей, и все, ему кажется, идет своим путем, он никого не трогает, его не трогают, но вдруг в его автомобиль врезался какой-нибудь пьяный большой начальник. И вот с этим тихим и смирным человеком, который никогда не делал никому ничего ни плохого, ни хорошего, но вел себя по закону и даже правил движения не нарушал, случилось как раз то, от чего он всю жизнь себя тщательно оберегал. По поводу столкновения возбуждено уголовное дело, и оказалось, что не в него врезались, а он врезался, и не тот был пьяный, а он был пьяный, и посадят его, а не того, кто был пьяный. И он примет свой жребий покорно, как удар стихии, на который жаловаться бесполезно. Его посадят, и он будет сидеть тихо, не жалуясь, не протестуя, надеясь, что в конце концов пожалеют, снизойдут, срок дадут небольшой и выпустят по УДО.

По привычке, выработанной смолоду, Маргарита Максимовна поздно ложилась и поздно вставала. Все делала долго и обстоятельно. Долгая зарядка, долгий контрастный душ с непромокаемой шапочкой, потому что мытье головы — процедура отдельная. Остатки зубов со всех сторон чистила, вставные вынимала из стакана и продувала феном. Макияжем не увлекалась, но брови седые подстригала и подкрашивала. Кремами пользовалась охотно. Крем для лица, крем для рук, крем для ног. Ноги в последнее время отекали иногда так, что никакая обувь не подходила.

Готовила себе омлет или овсяную кашу на молоке, а коту наполняла его миску сухим кормом.

Кот знал политес и свое расписание. Позавтракав, он благодарил хозяйку тем, что еще некоторое время выгибал спину и терся об ее ноги, потом шел к входной двери, садился перед ней и неотрывно смотрел на ручку, очевидно пытаясь открыть ее взглядом. И, как ни странно, это ему всегда удавалось, Если он долго сидел и долго смотрел на ручку, то в конце концов добивался эффекта. Ручка поворачивалась, и дверь открывалась. Правда, это совпадало с приходом к Маргарите Максимовне ее домработницы, Надежды Петровны, женщины пожилой, полной, подслеповатой, тоже с больными ногами. Всегда в одно и то же время, без пяти двенадцать, она сначала скрежетала ключом, потом поворачивала ручку и открывала дверь. Но поскольку кот ее движений не видел, он имел право думать, что это он взглядом открыл ручку и впустил Надежду Петровну. Она, нагруженная двумя сумками, входила внутрь, а он бесшумно выскальзывал наружу, воровски, в предположении, что его могут задержать, чего никто делать не собирался. С тех пор как он подвергся кастрации и риск нападения на него ревнивых соперников сильно уменьшился, Маргарита Максимовна давала ему полную свободу, зная, что рано или поздно он вернется. Куда он ходил, она не знала и не интересовалась, мало ли у котов, хотя бы даже и кастрированных, какие дела. Она бы очень удивилась, если бы узнала, что он завел роман еще с одной женщиной, кормившей его всякими вкусностями.

Маргарита Максимовна называла Надежду Петровну «помощницей». Домработницей бывшую учительницу химии в старших классах язык не поворачивался называть. Алексей у нее учился в девятом и десятом классах, где она была классным руководителем.

Надежда Петровна набивала купленными продуктами холодильник и рассказывала новости, что слышала по телевидению.

— Говорят, пенсионерам повышают пенсии. А что там они повышают, когда цены растут быстрее, чем наши жалкие пенсии. Вот пучок укропа на той неделе я брала по пять рублей, а сегодня уже десять. Вдвое дороже. Вы богатая, для вас, может быть, это мелочь, а для меня существенно. В прошлом году вот это все, что я сегодня купила, укладывалось в полтыщи, а сегодня я выложила шестьсот сорок.

Пугала Маргариту разными новостями.

— Закедонск, — говорила она, — почернел. В автобус страшно садиться — одни черные. Правда, ведут себя пока тихо, даже место уступают, а что будет потом?

Черные — это кавказцы и жители Средней Азии.

По телевизору новости были одна страшнее другой. На Кузбассе взрыв в угольной шахте. Восемнадцать человек погибли, шестерых ищут под завалами. В Москве на Ленинградском шоссе столкнулись лоб в лоб два экскурсионных автобуса. Опять начались лесные пожары. У женщины пропали двое детей. Их искали полторы недели и нашли задушенными и наспех закопанными в лесу. Выяснилось, что задушила их собственная мать. Их существование не нравилось ее любовнику, она повела их в лес якобы собирать ягоды и там обоих задушила собственными руками и закопала. Ее показывали по телевидению. Обыкновенная молодая женщина. Говорит спокойно. Ни в лице, ни в голосе никаких признаков раскаяния.

Рассказывая, Надежда Петровна варила кофе, очень хороший, восточный, и подавала его со свежими круассанами. Это был для Маргариты Максимовны второй завтрак, после чего она помыла голову и, накрутив бигуди, сидела на балконе, сушилась и пыталась читать книжку модной женской писательницы Ларисы Мешкаровой. Читая, думала о чем-то своем и, одолев первые две страницы, спохватилась, что даже не уловила, о чем идет речь. Начала с начала, когда задребезжала лежавшая рядом на столике телефонная трубка. Звонил ее старый Доломитов и — прямо с утра «под банкой» — стал плести что-то несуразное.

— Привет, Маргоша, я только что прочел в Интернете и огорчен вместе с тобой. Конечно, кот есть кот, но я знаю, что для тебя он был чем-то большим.

— О чем это ты? — не поняла она.

— О твоем Мурзике!

— А что о Мурзике?

— Ну, он же погиб.

— С чего ты взял?

— Разве его не задавили?

— С какой стати и кто должен его задавить?

— Старуха, если что не так, извини. Просто в Интернете фото летящего кота и написано: Мурзик, кот народной артистки СССР Коноплевой.

— Что за чушь!

Войдя в комнату:

— Мурзик! — позвала она. Она всегда звала его по имени, только по имени, и никаких «кис-кисов». Позвала еще раз. Из кухни выглянула Надежда Петровна.

— Вы меня?

— Нет. Мурзика. Где он?

— Гуляет. Когда я входила, он, как всегда, мимо меня прошмыгнул, думал, что я его не заметила.

Она сказала в трубку:

— Ты меня слышишь? Он гуляет.

— Старушка, мне очень не хочется быть горевестником, и я рад буду, если это просто ошибка, но в Интернете пишут, что его сбила машина.

Кто или что?

Между тем толпа на проспекте Погребенько не расходилась и уже полностью перекрыла движение.

По встречной полосе к месту действия приблизился «Форд Фокус» дорожно-патрульной службы с двумя полицейскими. За рулем сидел юный сержант Буряк, а справа от него капитан Мошковец с красной мордой и щеками, лежащими на погонах. Мошковец опустил стекло и, жуя жвачку, поинтересовался, по какому случаю такое скопление. Ему наперебой стали объяснять, из чего он понял, что речь об убитом коте и народ требует разобраться.

— Мы котами не занимаемся, — высокомерно ответил капитан, и машина уехала, вызвав в толпе новое возмущение и реплики о продажности всей полиции и мздоимстве министра внутренних дел, а один гражданин, особо отчаянный, сказал, что дело не только в министре, а... но на этом «а» его перебили и сказали, что в той высокой инстанции, на которую он хотел намекнуть, может, даже и не знают, что тут внизу творится, и вряд ли высшим инстанциям докладывают о каждой задавленной кошке.

Пока все бестолково галдели, к коту подошел худощавый дяденька с усами, как у кота, поднял убитого за хвост и стал внимательно разглядывать на солнечном свету, вертеть перед глазами и общупывать, бормоча вслух:

— А еще говорят, задавили, задавили. Да если б задавили, разве ж он так бы выглядел, а? А этот, смотрите, ни единой царапинки.

— А потому и ни царапинки, — опять возник Лопешкин, — что не задавили, а сбили. Это примерно как в боксе, тебе по башке дадут, ты в полном нокауте, раны нет, а лежишь, и лапки вот так.

— Не надо показывать на себе, — сказала консьержка.

— А так-то он с наружности целый, — завершил свою мысль Лопешкин.

— Вот я и вижу, что целый, — согласился усатый. — И думаю, может, на шапку сгодится или на воротник. Я вообще-то скорняк, — объяснил он народу. — Если шкуру аккуратным образом снять...

— А чего это ты будешь снимать? — возразил Лопешкин. — Кот-то не твой?

— Да это уже и не кот.

— А кто же?

— Не кто, а что. Пока был живой, был кто. А теперь что. Тушка. Для вас никакой цены не имеет, а для меня... — он повернул тушку другой стороной, поморщился, — да и для меня тоже товар никчемный. Старый был котяра и шубку обносил.

Тут на сцене появилась народная артистка СССР Маргарита Максимовна Коноплева в цветном халате и бигудях.

По толпе прошел шум, все расступились.

Маргарита Максимовна приблизилась к скорняку и, ни слова не говоря, отвесила ему звонкую оплеуху. Тот от неожиданности разжал пальцы, кот упал прямо в руки своей хозяйки, и она прижала его к груди. Скорняк потряс головой и, будучи плохо воспитанным сторонником гендерного неравенства, отвел мозолистую руку для симметричного ответа, но толпа угрожающе загудела, а Вася Перепелкин успел перехватить руку грубияна.

Маргарита Максимовна осталась стоять как статуя, похожая одновременно на «Родину-мать» и на работу скульптора Вучетича «Воин-освободитель» с ребенком, прижатым к груди одной рукой, и мечом в другой.

Подъехало еще одно полицейское авто — «Ауди-6». К толпе вышел полковник Арнольд Иванович Априоров.

— В чем дело, граждане? Объясните причину вашего собрания.

Граждане смутились и молчали, поглядывая друг на друга.

— Господа, — повысил Априоров статус собравшихся, — вы здесь немые или как? Вот вы, уважаемый, — он указал на Лопешкина, — что здесь делаете?

— Я? — Лопешкин сперва смутился, затем отвечал, постепенно смелея: — А чего делаю, стою. Все стоят, и я стою.

— А все зачем стоят? — допытывался Априоров и ввел в свою речь просветительный элемент: — Это же не место для стояния, а дорожное полотно для бесперебойного движения автотранспорта.

— Согласен, — совсем осмелел Лопешкин. — Для бесперебойного — да, но не для того, чтобы кого-то перебойно давить.

— А что, — поинтересовался Априоров, — разве кого-то задавили?

— Так в том-то и суть, что задавили. Мурзика задавили.

— Мурзика? — переспросил Априоров. — Константина Семеныча Мурзика? Прокурора области?

— Да нет, — приблизился к нему гражданин с помпоном. — Не прокурора, а вот эту гражданку.

И показал на Маргариту Максимовну.

— Вас задавили? — обратился к ней подполковник.

— Меня задавили, — подтвердила она, — убили насмерть.

Глядя на нее, по всем признакам совершенно живую, Априоров долго молчал, пытаясь осмыслить полученную информацию.

Потом отвернулся от Маргариты и прокричал в пространство:

— Граждане, прошу освободить проезжую часть. Граждане, вы нарушаете общественный порядок! Прошу освободить! — И поворотясь обратно к Маргарите Максимовне: — А вас, женщина, попрошу предъявить удостоверение личности.

— Что? — не поняла Маргарита.

— Паспорт, — уточнил полковник. — Или заменяющий документ.

— А с какой стати я должна предъявлять вам что бы то ни было?

— Женщина, вы должны не задавать вопросы, а исполнять законные предписания представителя власти, или мне придется доставить вас в отделение для установления личности.

Тут к подполковнику приблизился чахоточного вида гражданин в велюровой шляпе и заверещал:

— Слушайте, генерал, что это за обращение: женщина! Вы, может, еще скажете — бабушка.

— Ну да, — согласился Априоров, — можно и так сказать. Женщина солидного возраста. Можно сказать даже бабушка, а что?

— А то, — сказал чахоточный, — что это грубо и бестактно. Это не бабушка и не женщина, то есть, конечно, женщина, но не какая-нибудь женщина, а женщина с большой буквы, народная артистка Маргарита Максимовна Коноплева, гордость всей нашей области и даже всей, можно сказать, страны, звезда телесериала «Огонь по жилам».

Речь чахоточного была встречена недружными аплодисментами.

То, что его назвали генералом, Априоров опровергать не стал, но что женщина оказалась народной артисткой, его смутило. Тем более что сериал он смотрел, но артистку сразу не опознал, поскольку на экране видел ее давно, там она была моложе и без бигудей.

— Тогда, — сказал он, — хорошо, допустим, даже женщина, ну или дама, известная личность, но документы ей при себе иметь полагается. Вот, например, я, тоже в некоторых кругах известный...

— Ха-ха-ха, — отреагировал на эти слова чахоточный.

— Я вам не ха-ха-ха, — возразил Априороров, — а имею звание полковника и занимаю высокую должность. Но при этом даже я должен иметь при себе служебное удостоверение. И оно при мне есть, вот оно. Вот смотрите, я полковник Априоров, начальник Областного управления внутренних дел, официально вас спрашиваю: в чем дело? По какому поводу собрались?

— Так вот же ж, товарищ полковник, — опять влез Лопешкин, значительно осмелев. — Вам же ж говорят, кота задавили.

— А, кота? — дошло наконец до Априорова. — Кота? Вот этого кота? И из-за такой ерунды вы перекрыли движение и нарушаете общественный порядок?

— Не-ет, — возразил Лопешкин, — дело не в коте, а в том, кто его задавил. А задавил его лично губернаторский сынок.

— Федор Александрович? Удодов?

— Ага, — подтвердил охотно Лопешкин, — Федор, ага, Удодов.

— Точно-точно, — подхватил чахоточный. — Именно молодой Удодов, и вот мужчина, — он показал на Перепелкина, — может удостоверить. Он его даже запечатлел.

— Ну, если даже и он, так ведь кота задавил, а не человека. Граждане, как представитель власти требую немедленно разойтись, или я вызываю ОМОН.

— Надо же, — раздался женский писк из толпы, — из-за кота вызывают ОМОН.

Тут подошедшие к месту события вновь стали интересоваться у пришедших ранее. Получился эффект испорченного телефона. Среди вновь появившихся была известная оппозиционерка Надежда Пукалова, участница всех протестных акций и постоянная клиентка полицейских участков.

— Что происходит? — спросила она сзади стоявшего гражданина. Тот объяснил, что какая-то актриса задавила губернаторского кота и теперь ее тащат в кутузку, народ не пускает и полицейский полковник собирается вызвать ОМОН.

— Все ясно, — сказала Пукалова и, сложив ладошки рупором выкрикнула: — Фашисты!

— Фашисты! — дружно подхватила толпа.

Ничего личного

У губернатора Удодова с утра была ежеквартальная пресс-конференция, на которой он отчитывался о проделанной за отчетный период работе. Это уже стало традицией. Пресс-секретарь Понтягин вел. Журналисты задавали вопросы, когда будет построен мост через реку Кедонь, о ценах на лекарства, о квотируемых лекарствах, о поддельных лекарствах, о зарплатах, о пенсиях, мало детских садов, мало спортивных площадок для молодежи, о том, как удалось жене губернатора быть столь успешной в бизнесе, о том, где живет его сын и чем он кормит свою собаку Глори. Он на все отвечал подробно и чистосердечно. Что, несмотря на урезанный федеральными властями бюджет, забота о здоровье граждан стоит у него на первом месте. Сын учится в Швейцарии, но, как только получит образование, немедленно вернется на родину. Жена его обладает большими способностями и интуицией в бизнесе, собака питается сухим кормом фирмы «Собачий пир», да-да, фирма принадлежит жене, Евдокии Васильевне Удодовой. Спрашивали, за что нефтедобытчику Кнышу платят зарплату пятьсот тысяч долларов в месяц. Он объяснял, что столько же платят людям такого же уровня на Западе. Опуская такую деталь, что нефтедобытчик является родным братом его жены Евдокии, урожденной Кныш, и именно это делает его достойным положения нефтедобытчика и достойным зарплаты западного нефтедобытчика.

Затем был прием населения. В приемной на лавочках вдоль стен сидели просители обоего пола и разных возрастов. Мужчина средних лет жаловался на то, что его дом незаконно снесли при прокладывании новой скоростной дороги. Женщина просила защитить ее от мужа, который живет с ней и с ее дочерью, пьет и в пьяном виде обещает обеих зарубить топором, а в полиции говорят: когда зарубит, тогда и приходите. Молодой предприниматель просил разрешить открыть ресторан и жаловался на чиновников, которые этому препятствуют и намекают на то, что нужно дать взятку, а он, человек честный и принципиальный, взяток принципиально никому не дает.

— Очень похвально, — сказал губернатор и обещал разобраться, заранее зная, что принципиальные и не дающие взяток его расположения не достойны. Приема просила группа неугомонных защитников местной березовой рощи, часть которой власти решили выделить местному архиерею владыке Пимену, в миру Васютке Лохматову, бывшему когда-то актером областного Театра имени Немировича-Данченко. Ожидали приема и всякие прочие мелкие люди, а среди них скромно расположились и личности покрупнее, а именно министр строительства Максим Стародуб и начальник треста «Мостострой» Елизар Промедонов. Оба сидели рядышком, прижимая к животам одинаковые плоские чемоданчики, или кейсы, или, как раньше их называли, «дипломаты». Секретарша Тамара пропустила бы их первыми, но они как раз предпочитали быть последними, и Тамара догадывалась почему. Посетители входили в кабинет и вскорости выходили, одни с радостными лицами, другие с огорченными, третьи с таким выражением, словно только что похоронили кого-то очень любимого. Наконец вся очередь истощилась, в дверях появился сам Удодов, дородный мужчина с седоватыми прокуренными усами, поздоровался с именитыми посетителями за руку и затем пригласил их внутрь. Те друг за другом вошли внутрь и двинулись к столу, но губернатор их остановил. И попросил раскрыть чемоданчики не на столе, а на кожаном диване у боковой стены. Те удивились, но спорить не стали. В чемоданчиках, как и предполагалось, были пачки долларов, еще не бывших в ходу, прямо в банковских упаковках. Хозяева чемоданчиков, раскрыв их, смотрели вопросительно на губернатора, а он, подмигнув им обоим, достал из кармана маленький фонарик и ультрафиолетовым лучом пробежал по купюрам. Пришельцы следили за его действиями удивленно, обиженно, и сам он был немного смущен. Но убедившись, что под скользящим лучом не засияли купюры предательским бледным светом и не засверкало зловеще бесовское слово «взятка», губернатор выключил фонарик и, изобразив на полном лице добавочное смущение, прокомментировал свои действия:

— Извините, ребята, время суровое, борьба с коррупцией, то да сё. Так что ничего личного.

Пришельцы покивали головами, после чего принесенное было перемещено для временного хранения в служебный сейф губернатора и настало время расслабиться. Из того же сейфа губернатор извлек бутылку коньяка «Хеннесси», и состоялась официальная часть визита — доклад посетителей о ходе строительства моста через реку Кедонь. Судя по количеству упаковок, перемещенных губернатором в собственный сейф, ход работ шел через пень-колоду, но жители, живущие поблизости, могли бескорыстно подтвердить, что берега по обе стороны сильно развороченны крупной техникой и две фермы будущего моста ржавеют под воздействием местного климата. Сейчас губернатор журил своих гостей за то, что строительство моста идет неудовлетворительно. Те объясняли. Две недели назад ферм было три, но третья была похищена, как, кем и каким способом — полиция теряется в догадках. На земле следов какого-нибудь тягача не осталось, стало быть, был применен мощный вертолет, а вот чей, на этот свет никаких достойных рассмотрения предположений. А то, что эти фермы вовремя не положили, гости объясняли недостатком своевременного финансирования. Губернатор оправдывался тем, что федеральные власти урезают бюджет, и все трое обходили молчанием тот факт, что причина замедления хода работ лежит как раз в сейфе. Губернатор выделяет из бюджета определенную долю Министерству строительства. Министр эту долю делит на доли для строительства муниципального жилья, мукомольного комбината, областной филармонии, упомянутого моста, а еще должен что-то оставить себе и на откат губернатору. Управляющий «Мостостроя» из своей доли тоже должен что-то оставить себе и на откат министру. В результате денег собственно на строительство категорически не хватает, хотя управляющий экономит на всем. Рабочим уже три месяца не платил зарплату, и доходили слухи, что они готовы к забастовке.

Общение в губернаторском кабинете затянулось. Обсудив производственную тему, перешли к личным вопросам, поговорили об охоте, рыбалке, делах семейных и медицинских, но еврейский анекдот, который взялся рассказывать Промедонов, был прерван звонком секретарши, сообщившей губернатору, что его требует Априоров.

— Не требует, а просит, — поправил босс.

— Просит очень настойчиво. Говорит, дело не терпит отлагательства.

— Ну давай, — согласился Удодов неохотно.

Априоров, обычно вялый и флегматичный, был необычно взволнован. Сообщил, что на проспекте Погребенько стихийно собралась довольно-таки большая толпа. Несмотря на принятые меры, народ не расходится, требует губернатора.

— А в чем дело, что случилось?

— Сан Саныч, я извиняюсь, но стыдно сказать.

— Стыдно, у кого видно, — заметил губернатор.

— Тут, я извиняюсь, неприятность получилась.

— Ну, говори!

— Даже как-то неловко говорить, но...

— Ну, давай, не тяни кота за хвост.

— Так вот как раз о коте и речь.

— Слушай, полковник, ты можешь мне русским языком сказать, что тебе нужно?

— Так я ж, Сан Саныч, и говорю, такая ерунда случилась, кота задавили.

Губернатор глубоко вздохнул, он не мог себе даже представить, что солидный человек, начальник областной милиции, будет докладывать ему, еще более солидному, что где-то задавили кота. Разумеется, он подумал, что речь все-таки идет о каком-то человеке, которого Кот прозвище или фамилия. Но ему и в голову не приходило, что под «котом» имелся в виду именно кот.

— Слушай, давай по порядку. Какого кота задавили?

— Да такого, Сан Саныч, самого обыкновенного. Большой, откормленный, судя по внешности, пожилой. Ну что еще вам сказать. Серый в полоску, с белыми лапками. Мяу-мяу.

— Подожди, — сказал Удодов и повернулся к своим посетителям: — Мужики, кто из вас Априорова знает?

— Мента нашего? — спросил Промедонов. — Я знаю. Дачи рядом.

— А у него это часто бывает?

— Что именно?

— Звонит по телефону, мяукает. Кота, говорит, задавили.

— Сан Саныч, я извиняюсь, я тоже про кота слышал. Сейчас ехал к вам, хотел как раз через Погребенько, а там толпа, огромная-преогромная, ну человек так... ой, много! Кота, говорят, задавили. Я тоже удивился. Что, правда, что ли, говорю, из-за кота? Да вроде говорят, да. Вот до чего дошло. Из-за какого-то кота парализуют движение. А если подумать, дело то ведь не в коте, а в том, что народ у нас распустился. Ему говорят: свобода, демократия, он это всерьез понимает. А на самом-то деле он, народ то есть, до этого всего еще не дорос. Детский у нас народ, Сан Саныч, не дорос, и потому его надо держать в узде. Дорогу перекрыли, мне пришлось переулками пробираться.

Губернатор тяжело вздохнул, почти по-человечески.

— Ни хрена не понимаю. Ну задавили кота, и что? Чтобы народ из-за кота выходил на улицу? На прошлой неделе поп Серега спьяну трех человек своим «Ягуаром» сбил, и то ничего. Подписку о невыезде получил, и все. Народ в соцсетях побузил, немного потешился, на том и кончилось. А тут из-за кота...

Не успел он завершить свои размышления вслух, телефон опять забренчал.

— Сан Саныч, — визгливо закричала трубка голосом несчастного Априорова, — пожалуйста, не отключайтесь.

Априоров торопился и быстро, глотая слова, доложил, что хотя кот совершенно беспородный и, по словам тут же находящегося скорняка, гроша ломаного не стоит, но народ все равно бузит. При этом есть три, как он выразился, усугубления. Первое усугубление в том, что кот принадлежит народной артистке СССР Маргарите Коноплевой...

— А, — перебил губернатор, — этой сумасшедшей старухе, которая в «Ревизоре» играла?

— И в сериале «Огонь по жилам», — подсказал Промедонов. — И второе усугубление, — продолжил Априоров, — в том, что кота сбил лично ваш, извиняюсь, сынок.

— Кто? Федька?

— Федор Александрович, — подтвердил Априоров, — и третье усугубление состоит в том, что наезд совершен с пересечением двух сплошных на встречной полосе и при красном свете, что зарегистрировано видеорегистратором водителя Перепелкина и подтверждено постовым Семируковым. Народ волнуется и требует вас.

— Ах, народ требует, народ требует, — повторил губернатор, обдумывая, как ему на это отреагировать, и неожиданно согласился. — Хорошо, — сказал он в трубку, — раз народ требует, значит, надо идти навстречу. Вся власть в нашей губернии принадлежит народу, а я только народа наемный работник. Передай народу: сейчас прибуду.

Наспех попрощался с визитерами. Напомнил им, что текущий месяц подходит к концу и если надо, заказать третью ферму, но строительство моста как-то ускорить. На что те ответили, что непременно, но необходимо дополнительное...

Не услышав слова «финансирование», губернатор стремительно выскочил из кабинета. Охрана не успела встрепенуться, а он уже летел к проспекту Погребенько, где ему предстояло разобраться с этим странным ДТП. Охранники, немного опомнившись, вскочили в другую машину и покатили туда же.

В дороге, как рассказывал потом своей жене водитель Огульников, губернатор сильно ругался, жаловался на народ и сетовал на судьбу, вознесшую его на высокую должность.

— Вот, блин, народ у нас, — говорил он не Огульникову, а себе самому, — народ, говорят, волнуется. Какой народ? Где народ? Когда он трудится, дает продукцию, тогда он народ. А когда он начинает волноваться, это уже не народ, а сволочь. Сволочь, для которой губернатор — это что-то такое. За губернатором надо смотреть во все глаза, как бы чего не скиздил. За всем смотрит народ, где какой дом, на какой машине ездит, какие часы носит, что носит жена. В кабинет, в спальню, в карман лезут, смотрят, где, кто, чего. Так что ж, если я губернатор, нам всем голыми, что ли, ходить, газетками подтираться? Едрит вашу в душу, в бога... Слушай, Огульников, — повернулся он к водителю. — Что ты про это думаешь?

— А чего я должен думать?

— Ты же слышишь, что я говорю, не глухой. Слышишь и как-то внутри себя реагируешь. Ты ведь тоже народ. Ты скромный, дисциплинированный, преданный, а сам-то в душе кто ж тебя знает. Небось тоже смотришь, где губернатор чего скиздил и где чего под себя подгреб. И небось завидуешь, вот, думаешь, губернатор живет, мне бы так. А ты хотел бы быть губернатором?

— Сан Саныч, — взмолился водитель, — не надо меня волновать. Я за рулем. Да зачем мне это нужно? Мой уровень, Сан Саныч, вот, баранку крутить. А губернатору голову какую надо иметь. Не мою.

— Значит, губернатором быть не хочешь?

— Ни в коем разе.

— Верю. Ты же видишь, что губернатор для них. Сын кошку задавил. Сколько кошек по всей стране давят. Ты вот сколько кошек задавил?

— Я? Я — нисколько.

— Ни одной кошки не задавил? И ни одной собаки?

— Ни одной, — подтвердил водитель.

— Ну и молодец, — одобрил губернатор. — А если б и задавил, то что? Кошка — это же неразумное животное. Оно везде под колеса лезет. Ты слышал, чтобы кто-нибудь из-за кота на митинги выходил? Но тут же дело не в том, что кот, а в том, что сын губернатора. Твой бы сын задавил хоть корову, они бы ухом не пошевелили. Во, блин, люди!

На этом восклицании, означавшем глубокое разочарование во всем человечестве, губернатор замолчал и молчал до тех пор, пока машина не довезла его до толпы и не уперлась в нее радиатором.

При виде его толпа ахнула, оробела, пришла одновременно в восторг и дала трещину, которая раздвинулась. Некоторые при этом льстиво заулыбались, а иные даже в ладоши захлопали, но были зашиканы другими, нельстивыми. А в общем-то все настороженно молчали. Губернатор легко прошел к тому месту, где полковник Априоров стоял перед женщиной с котом на руках, и оба молчали, он скорбно, а она негодующе.

— Добрый день, Маргарита Максимовна.

— Угу, добрый, — сказала она. — Для кого он добрый?

— Маргарита Максимовна, позвольте от имени руководства области, от жителей нашей области принести вам искренние соболезнования по поводу трагической кончины вашего котика. Я сам очень-очень люблю животных и разделяю горечь вашей утраты. Но что делать, Маргарита Максимовна, все мы смертны. Кошки, люди, народные артисты, губернаторы и даже... — он запнулся, прежде чем уточнить, даже кто, и, разопнувшись, уточнил: — Даже все. Так же, Маргарита Максимовна?

Она промолчала, он продолжил рассуждать:

— Тем более что котик ваш был, как я слышал, преклонного возраста.

Она опять ничего не сказала.

Он стал излагать вновь возникшую мысль.

— Мы... — сказал он и поправился: — Я все сделаю, чтобы облегчить вашу боль и хотя бы частично восполнить утрату. Я обещаю, что подарю вам кота самой лучшей породы. Скажите, какого хотите: сиамского, канадского, бомбейского с бантиком. Лично вручу в торжественной обстановке, даже под гром барабанов. Что вы на это скажете?

— Я вам скажу... — начала Маргарита Максимовна, подыскивая, как ей хотелось, не слишком грубые выражения, но не сдержалась: — Я вам скажу, что вы осел, и ваш сын осел, и вся ваша порода ослиная.

Услышав это, толпа радостно загудела и оглушила окрестности бурными аплодисментами. И тут же в виртуальное пространство полетели растиражированные всеми айфонами, айпадами, «самсунгами», через ютюбы, «фейсбуки» и «одноклассники», эсэмэски, твиты, посты, блоги о том, что народная артистка СССР Коноплева назвала губернатора Удодова ослом, а его сына и всю их породу ослиной.

Он хотел выйти, но толпа сомкнулась вокруг него плотным кольцом.

— Вот видите, — сказал Удодов толпе, — как она губернатора называет. Не кого-нибудь, а губернатора, — подчеркнул он свое звание поднятием пальца. — Притом что губернатор лично принес извинения.

— Этого мало, — сказал вышедший вперед Перепелкин. — Извиниться должен ваш сын.

— Ах, мой сын... Хотите, чтобы я его принес в жертву, как Моисей. Хорошо, ждите, сейчас я его вам доставлю. А ты, Априоров, следи за порядком.

— Слушаюсь, — взял под козырек Априоров и объявил толпе, что если уж она собралась здесь на митинг, то должна соблюдать соответствующие правила и держаться кучно, не расползаясь по всей дороге. После чего достал из кармана мел, очевидно, припасенный заранее, провел на асфальте черту и заявил, что это есть граница, до которой власти еще будут терпеть, но кто пересечет черту, пусть потом пеняет на себя. И народ, до того готовый к беспощадному бунту, вдруг с этой мерой смиренно согласился, черту в самом деле никто не переступал, но и расходиться не торопился.

Очутившись на даче хозяина сети ресторанов быстрого питания Тимофея Угарова, губернатор прошел внутрь и у крытого бассейна нашел следы весело проведенного времени. Четверо участников состоявшейся оргии, слегка прикрывшись простынями, сидя вокруг круглого низкого столика, прихлебывали из бутылок пиво «Хайнекен» и играли в лото. Стас и Карина спали в обнимку на надувном матрасе. Алик Дзержинский спал на диване, а его подруга Лена в длинной мужской рубахе сидела рядом с ним и по неизвестной причине беззвучно плакала. Один Федя Удодов был все еще неутолим. Завалив в предбаннике на коврике красавицу немку Сабину, он только взобрался на нее и устроился должным образом, и тут же получил такого пинка, что взлетел в воздух чуть ли не как задавленный им давеча кот. Сабина, еще не опомнившись от мгновенного перепуга, подхватила какую-то тряпку и скрылась за дверью парной, а Федя зажал сам себя в углу и, прикрывшись руками, стоял, дрожал и выпученными от страха глазами пялился на разъяренного родителя. А тот, поднеся к носу сынка огромный свой кулачище, вопрошал:

— Ну что, подлец, ты понял, что ты, гад, натворил?!

Федя, не понимая, в чем дело, решил, что дело в его совокуплении с красавицей Сабиной, и стал лепетать, что она совершеннолетняя, паспорт показывала, и он ее не насиловал, а все произошло, то есть даже еще не произошло, а было в самом начале происхождения, по обоюдному влечению и желанию, и Сабина лично может этот факт подтвердить. Но губернатор, в свою очередь, ничего не понял, заявил, что с него хватит и что Федя, если сам не понял, какая это ответственность — быть губернаторским сыном, то он ему сейчас объяснит. Объявил ему, что его «Порше» у него изымается, велел немедля одеться и ехать с ним куда надо. За руль «Порше» посадил своего шофера, сам сел за руль «Мерседеса».

Несся по городу со скоростью сто шестьдесят километров в час, к счастью, по дороге ни один кот не попался. Пока ехали, губернатор надеялся, что народ, перебесившись, растечется по домам, но надежда его обманула. Хотя до его приезда часть народа действительно схлынула, но вновь прибывших оказалось намного больше. И хотя стало их намного больше и вели они себя весьма воинственно, но за проведенную Априоровым черту пока никто не зашел, что способствовало чрезмерной сплоченности.

У самой этой черты, резко затормозив, губернатор выскочил из «Мерседеса» и вытащил из него своего прыщавого отпрыска.

— На колени! — приказал дрожавшему от страха Феде и умело примененным приемом, какой освоил когда-то, то есть пнув сына сзади в подколенную чашечку, достиг того, что тот прямо так на колени и рухнул. Правда, губернатор предусмотрительно придержал его от резкого падения твердой отцовской рукой, отчего колени упавшего соединились с асфальтом нетравматично.

— Вот, — отдуваясь, сообщил губернатор народу, — вот этот злодей, который задавил кота. — Выдержал паузу. — Что с ним будем делать?

Толпа от неожиданности онемела.

— Я вас спрашиваю, что мы будем с ним делать? — повторил свой вопрос губернатор, и безмолвие прервалось.

— Суд линча! — вякнула блаженного вида старушка в вязаной сиреневой шапочке.

По толпе пронесся неясный гул.

— Чо? — Губернатор крутнул головой, вычленил из первого ряда старушку. — Чо вы, бабушка, провозгласили?

— Суд линча, — засмущавшись, тихо повторила бабушка.

— А чо так неуверенно? — спросил губернатор. — Вообще-то, бабуля, мыслите правильно, но суд линча это все ж таки американское изобретение, а по-нашему проще расстрелять или повесить. Не так ли? — и ткнул пальцем в опять оказавшегося под рукой Лопешкина.

Лопешкин растерялся и произнес неподходящее к случаю междометие: хе!

— Что значит — хе? — спросил губернатор.

— Хе-хе, — пробормотал Лопешкин и развел руками.

— Ну хорошо, — сказал Удодов, — ставлю вопрос иначе. Вы мне можете сказать, что сделал этот подлец?

— Известно что, — выступила вперед осмелевшая консьержка Акиншина, — кота задавил.

— Вот, — удовлетворился ответом губернатор. — Задавил кота. Убил невинное беззащитное существо. Убил и с места преступления скрылся. Это называется — преступление, совершенное с особым цинизмом. Какую кару заслужил преступник? Не меньше, чем смертную казнь. И что мы с ним сделаем, расстреляем или повесим? У вас есть веревка? У вас? У вас? Да неужели ни у кого нет веревки? Тогда расстрел. — Он оглянулся и увидел: два телохранителя стояли уже тут, за его спиной. — Слушай, ты, — обратился к одному из них губернатор, — у тебя пистолет с собой?

— А что? — спросил тот.

— Можешь преступника расстрелять?

Охранник посмотрел на хозяина, покраснел от напряжения, ничего не сказал, но ничего и не сделал.

— Ну хорошо, — сказал Удодов, — не можешь сам, дай пистолет кому-нибудь, кто сможет. Кто может?

— Я могу, — отозвалась сиреневая старушка и прикрыла ладошкой рот, застеснявшись того, что там мало зубов.

— Правда, бабуля? — радостно удивился Удодов. — Ты что, можешь застрелить человека?

— Неужто нет? — сказала бабуля. — Я шашнадцать лет в ВОХРе служила.

Это сообщение повергло собравшихся в странное состояние, все замерли, разглядывая старушку как неизвестное чудо природы.

— Господа-товарищи! — выскочил вдруг из задних рядов человек с седой короткой бородкой, похожей на шерстяную варежку, приклеенную к нижней губе. — Вы что здесь, все одурели? Ну задавили кота. Но не человека же. При чем здесь смертная казнь?

— Тем более что у нас на нее мораторий, — поддержал его мужчина в темно-зеленой бейсболке с надписью Army of Israel. — По рекомендации Совета Европы.

— А нам Гейропа не указ, — возразила кровожадная старушка, все еще на что-то надеясь.

Тут народ от главной темы отвлекся и перешел к горячему спору о преимуществах и пороках Европы. И хотя отдельные голоса допустили, что в Европе что-то положительное при внимательном взгляде заметить все-таки можно, но восемьдесят шесть процентов собравшихся с этим не согласились и ничего, кроме разврата, однополых браков и чего-то еще, вспомнить не смогли. И спор этот дошел до такого накала, что стороны уже чуть не лезли стенка на стенку, забыв при этом, ради чего собрались, а когда опомнились, на месте действия уже не было ни кота, ни его хозяйки и губернатор со своим отпрыском испарились. Кто-то, опомнившись, предложил толпе вспомнить, за чем пришли, и продолжить свою акцию протеста, но этот призыв оказался вялым, ни на кого не подействовал. Народ постепенно растекся в разные стороны, дорожное движение восстановилось, но покой в городе не наступил. Разрозненные группы молодых людей, собираясь в разных частях города, всю ночь колобродили и где-то дрались между собой, били стекла в витринах, поджигали машины и писали на асфальте матерные слова и призывы к чему-то. У многих тогда возникло ощущение, что в городе наступило что-то такое, после чего чего-то такого, что раньше было, уже не будет.

Закопать, как собаку

Не дожидаясь дальнейшего развития, Маргарита Максимовна покинула место действия и, прижимая кота к груди, вернулась домой. Положила его на диван, накрыла пледом, оставив открытой морду. Долго смотрела, надеясь на чудо. Чуда не было. Думала, как и всякий человек в таком случае, какая малая грань пролегает между жизнью и смертью. Как трудно бывает поверить и примириться с мыслью, что существо, которое вот еще сегодня утром было совершенно живое, стало совсем не живым. Еще сегодня он завтракал, потом ловил муху, потом сидел у нее на коленях, и она его гладила, а он сладко мурлыкал. Затем переместился к двери и, сидя перед ней, смотрел на ручку. Вот был совершенно живой, был кот, а теперь тушка. Глаза закрыты, выражение морды, то есть лица, спокойное, умиротворенное, на нем написано, что покойный прожил достойную жизнь и ушел в мир стабильности и покоя, где нет никаких потребностей, забот и тревог. Нет людей, мышей, собак и автомобилей.

Надежда Петровна спросила:

— Что вы собираетесь делать?

— Пока не знаю. Надо похоронить.

— Давайте отвезем в Пушково и там в овраге зароем.

— Что? — переспросила Маргарита. — Зароем в овраге? Вы хотите, чтобы я Мурзика закопала, как собаку, в канаве?

— Маргарита Максимовна, что вы говорите?

Маргарита опомнилась.

— Ну да, ну конечно. Собака тоже кому-то дорога. Но как можно сравнивать!

— Маргарита Максимовна, а я слышала, у нас теперь есть где-то кладбища для животных.

— Да, есть. Я подумаю.

На этом обсуждение завершилось.

Похоронить близкое существо

Домниковское кладбище было одним из самых старых в городе и самым престижным. В нашем иерархическом обществе равенства нет ни для живых, ни для мертвых, поэтому на этом кладбище хоронили только самых высших руководителей области и наиболее уважаемых ученых, спортсменов, людей искусства, бандитов и богачей, желающих вечным сном спать в хорошей компании.

Когда-то давно, похоронив своего второго мужа, Маргарита Максимовна справилась, может ли она рассчитывать, что это будет и ее могила. Ее заверили, что конечно, конечно. Если брак с покойным оформлен должным образом, то она, разумеется, имеет полное право.

Это был хороший сухой участок, по сравнению с другими и в расчете на перспективу довольно просторный, по краю его она когда-то посадила две березки. Посещая кладбище в день рождения и в день смерти мужа, она убеждалась, что оплачиваемая ею смотрительница могил Ангелина выполняет свои обязанности добросовестно, участок содержится в должном порядке, а березки довольно бойко растут.

У входа на кладбище, сразу за тяжелыми чугунными воротами, стояла небольшая, недавно построенная местным вором в законе Серегой Однобоковым церквушка, а на выделенном перед ней участке и могила самого Сереги, застреленного вскоре после построения церкви. Тогда на похороны съехался весь криминальный мир Закедонья, на «Мерседесах», «Бентли», «Феррари» и прочих крутых тачках, возлагали, не скрываясь, пышные венки и букеты. Тут бы их всех и прихватить, тем более что и вся полиция была здесь же, но она вела себя смирно и на воров в законе взирала почтительно. Более того, поскольку Однобоков якобы воевал когда-то в Чечне, на его похороны был прислан взвод солдат, отдавший ему военные почести троекратным салютом из автоматов. Мемориальный комплекс, воздвигнутый вскоре, представлял собой площадку примерно в 20 квадратных метров, застеленную плитами черного мрамора. По периметру, соединенные тяжелой чугунной цепью, торчали квадратные тоже мраморные столбики с неснимаемыми коническими крышками, посредине поставленная на ребро мраморная доска, где золотом выведены имя, фамилия и даты жизни усопшего, а над плитой, вцепившись в нее когтями, рвущийся в небо бронзовый орел с размахом крыльев метра в полтора.

Рвался он, правда, недолго. Не прошло и недели после торжественного открытия мемориала, как орла спилили по самые когти и сперли. Вор в законе по кличке Батон, говорили, был очень разгневан и похитителей обещал найти и закопать, но не здесь, а в овраге за кладбищем. Слева от церкви стоял длинный одноэтажный дом вроде барака. В одном крыле его находились мастерская по изготовлению надгробий и цветочный магазин, а в другом — контора кладбища. Контора состояла из двух комнат, из которых первая, проходная, была пуста, а во второй, с табличкой на дверях «Директор», сидел директор. Над его головой, как и должно быть в государственном учреждении, висел портрет президента. Директора, а не президента, звали Алексей Алексеевич Стытов. Это был полный мужчина предпенсионного возраста, с лицом, красным от избыточного давления, следствия избыточных возлияний. В советское время Стытов был одно время начальником местной тюрьмы, затем заведовал областным отделом культуры и потому хорошо знал Маргариту Максимовну.

— О, какие люди! — сказал он, выходя из-за стола. — Рад видеть вас в добром здравии. — Наклонясь, приложился к ручке. — Присаживайтесь, Маргарита Максимовна. Чай, кофе?

— А я не знала, что вы теперь здесь, — сказала Маргарита Максимовна. — И как вам новая должность? Не слишком ли хлопотная?

— Справляюсь, — скромно ответил директор.

— Не трудно?

— Да нет, ничего, контингент у меня тихий, покладистый, никто ни на кого не жалуется, никто никого не подсиживает, не пишет жалобы. Денег не требуют. Мир, покой и полное равенство. Впрочем, равенства нет и здесь. Ведь к нам сюда попадают люди очень даже неравные, вроде вас.

— Философствуете?

— Должность располагает к философии. Столько разных судеб проходит перед глазами. Ведь я половину из похороненных за последние лет тридцать знал лично. С одними дружил, с другими враждовал, выпивал с теми и с теми. Вот люди живут, воруют, подличают, стараются друг друга объегорить. А потом вот его, такого остроносого и напудренного, сюда привезут, и, оказывается, ничего ему больше не надо. Ничего! И зачем же он вел себя как подлец, зачем портил другим людям жизнь? Впрочем, что это я разболтался. Вы же ко мне, наверное, по какому-то делу?

— Да уж по делу, могилу моего мужа знаете?

— А как же, почти каждое утро прохожу мимо, контролирую. Место одно из лучших, потому время от времени появляются желающие его захватить. Но, слава богу, в нашей отрасли законы есть четко прописанные, и порядочные люди тоже имеются.

— Но там же и мое место?

— Само собой, Маргарита Максимовна, ваше. Потому и бережем. И, надеюсь, еще долго будем беречь. Долго-долго. Торопить не будем ни в коем случае. Потому что перед нами вечность, как сказал поэт.

— Спасибо. Но я хочу мое место использовать немедленно.

Стытов изобразил лицом непонимание.

— Ну что вы, Маргарита Максимовна, у вас такой цветущий вид.

— Речь не обо мне. Скажите, могу ли я похоронить туда близкое мне существо?

— Пока не можете.

— Почему?

— Разъясняю. Согласно пункту 2 статьи седьмой федерального закона номер восемь в родственную могилу имеют право быть захоронены только, — он распрямил указательный палец правой руки, — супруг, супруга, сын, дочь, усыновитель, усыновленный, родной брат, родная сестра, внук, внучка, дедушка, бабушка захороненного лица. Это значит, что пока в могиле находится только ваш супруг, то туда можете быть захоронены вы, ваши общие дети или только его дети и его мама, папа, бабушка, дедушка. Но ваши родственники, пока вы, дай вам бог, живы, не могут. А вот, извиняюсь, когда вы там будете, тогда и ваши прямые родственники могут претендовать.

— Ну а что же мне делать? Мне нужно похоронить кого-то, с кем я хочу лежать после смерти.

— Вы имеете в виду какого-то еще любимого вами человека? — спросил Стытов.

— Ну, не совсем человека...

— То есть?

Маргарита Максимовна замешкалась, не представляя, как поделикатнее обозначить любимое существо, но не нашла ничего лучшего, как сказать прямо:

— Кот у меня погиб. Трагически. Я его очень любила. Он мне был как сын. Я его взяла маленьким комочком. Я его поила молоком из соски, я его выходила и потом четырнадцать лет...

Пока она говорила, он, не зная, как реагировать на ее слова, открыл ящик стола, пошарил в нем руками, хотя ничего не искал, закрыл, схватил со стола пачку сигарет, достал сигарету, сунул в рот, стал искать зажигалку, но не нашел. Сигарету выплюнул, поднял глаза на гостью, попробовал объяснить свое состояние.

— Маргарита Максимовна, — сказал он, — вы меня извините, у меня с чувством юмора очень плохо, и шутки, особенно тонкие, я не всегда понимаю...

Но когда она ему раскрыла сумку и показала содержимое, он понял, что она не шутит. Но сам неожиданно пошутил:

— Вот чем покойник отличается от живого. Его даже этим не соблазнить.

Разумеется, она пообещала, что все останется между ними, а имя третьего покойника на надгробном памятнике обозначено не будет.

Элитный гроб

В тот же день она посетила магазин ритуальных принадлежностей «Оксана». Там за маленьким столиком в углу и опять под портретом президента сидела сама Оксана, женщина лет сорока, блондинка, крашеная, потная, с короткой прической и большими кольцами в ушах. Кольца едва не касались оголенных плеч, с которых до самого локтя сползала разноцветная татуировка с изображением ящерицы. Перед ней — раскрытая книга заказов.

— Какого размера гроб желаете?

Маргарита Максимовна задумалась.

— Небольшой.

— Что значит — небольшой? Какого роста был покойный?

— Ну, если в длину... — задумалась Маргарита.

— Не в ширину же.

— Вот примерно такой, — Маргарита, раздвинув руки, показала размер.

— Шестьдесят сантиметров? — на глаз определила Оксана. — Младенец? — И изобразила печаль особого рода. — Какого возраста был ребенок?

— Точно не знаю, но лет четырнадцать.

— Четырнадцать лет — пятьдесят сантиметров? Может быть, четырнадцать месяцев?

— Да какая вам разница?

— Мне — никакой, — согласилась Оксана.

— Ну так и пишите: гроб шестьдесят сантиметров.

— Пишу, — покорно согласилась и с этим. — Гроб детский, шестьдесят сантиметров. — А какой именно?

— Вы же сказали — детский.

— Ну да, но есть и другие параметры.

Оксана положила книгу в ящик стола, заперла его на ключ и открыла дверь в соседнюю комнату. Это была выставка. На одной стене висели искусственные венки с лентами и без, а две стены занимали гробы на железных стеллажах в несколько ярусов.

— Вот, — объясняла Оксана. — Это мусульманские ящики, как я понимаю, не для вас. Так? Это гробы общего назначения, то есть для агностиков, атеистов, не исповедующих никакую религию, а это православные, из сосны, лиственницы, сибирского кедра и ценных пород дерева. Вам ГО или ГЭ?

— Что?

— Аббревиатура, — объяснила Оксана. — ГО — гроб обыкновенный экономкласса, ГЭ — элитный, для ВИП-персон.

Гробов того и другого классов было так много, что глаза разбегались, но Маргарита ограничила выбор соображением, что в сферу интересов православных и мусульман лучше не вторгаться, а из гробов конфессионально не ориентированных выбрала элитный «Наполеон» с атласной обивкой за 8300 рублей.

Дома уложила Мурзика в гроб, покрыла до морды белым атласом, гроб поставила на табуретку в прихожей.

Предварительные поминки

Вечером пришла внучка Аленка с сумкой всяких продуктов и бутылкой вина. В прихожей увидела Мурзика в гробу. Постояла над ним, смахнула слезу.

— Мои соболезнования, Маргоша.

Именно Маргоша, иногда Ритуля. Бабушкой бабушку с детства называть было запрещено. Утешала как могла.

— Что делать, Маргоша, что делать? Но он же был уже старый. Мышей не ловил, двигался с трудом. Пожил достаточно.

— Ну что ты говоришь, — раздражилась Маргарита. — «Достаточно». Мне уже восемьдесят лет, а ему только четырнадцать.

— Маргошенька, для него четырнадцать больше, чем для тебя восемьдесят. Жил хорошо и умер достойной и быстрой смертью. Умер, можно сказать, в бою. Смертью своей привлек внимание общественности к беспределу на дорогах. Ты видела, что в Интернете творится?

Пошла на кухню, нашла штопор, раскупорила бутылку.

— Давай, Маргоша, выпьем, помянем.

— Поминают после похорон.

— А мы предварительно. Кстати, как собираешься хоронить?

Маргарита собиралась похоронить Мурзика тайком и заколебалась, сказать ли Аленке о своем плане. Решилась и рассказала. Аленка пришла в восторг.

— Маргоша, любимая. Идея замечательная! Слушай, из этого надо вообще сделать хеппенинг.

— Как это?

— Увидишь. А пока ничего не делай. Завтра все увидишь. Мы, Маргоша, твоему Мурзику устроим такие похороны, каких ни один кот еще не видал.

Тараканище

Вскоре она покинула бабушку и отправилась к живущему недалеко художнику Сергею Тарханову, благодаря созвучию фамилии и усам определенной формы прозванному Тараканом. Он давно завлекал Алену к себе в свою однокомнатную квартиру, бывшую одновременно и мастерской. Просил позировать обнаженной. Она хихикала и обещала когда-нибудь в другой раз.

— Старуха, — говорил он, — если ты опасаешься, что я буду к тебе приставать, то совершенно напрасно, для своих моделей я импотент.

Он всем, кого приглашал позировать, так говорил, полагая, что модели пожелают проверить, что он не врет. Большинство из них в самом деле его проверяли и убеждались, что тест на правдивость он не выдерживал.

Она позвонила снизу по домофону, он открыл вход в подъезд, а потом долго гремел изнутри засовами, прежде чем открылась железная дверь в его логово.

Она вошла со словами:

— Тараканище, зачем тебе столько замков?

Он объяснил:

— Первый этаж. Замки на дверях и решетки на окнах. Берегу себя от возможного ограбления. Кстати, что такое ограбление — знаешь? Не то, что ты думаешь. Ограбление — это обеспечение народа граблями. Для полевых работ или для революции. Занимательная этимология.

— Остроумно, — оценила она.

— Так вы, мадам, ко мне позировать? Джинсы можно повесить на спинку стула.

— Нет, Тараканище, позировать в другой раз. Есть более продуктивная идея. Моя бабка собралась хоронить кота...

Таракан выслушал, оживился, подхватил идею и через Интернет распространил ее среди широкого круга своих друзей и единомышленников, объединенных в неформальную группу «Веселые ребята». В группу входили общественные активисты вроде того же Васи

Перепелкина и много другой молодежи, готовой нарушать скучное течение будней каким-нибудь общим, не одобряемым властью действием.

Позже тем же вечером губернатору позвонил начальник управления безопасности Закорыжный и попросил срочно собрать совещание руководителей силовых структур по безотлагательному делу. Совещание состоялось совсем уже поздно ночью. Присутствовали губернатор, вице-губернатор, начальники и замы начальников полиции и органов безопасности.

Губернатор дал знак Закорыжному, и тот начал с места в карьер.

— Коллеги, извините, что в столь поздний час извлекли вас из ресторанов или оторвали от жен и любовниц, но дело серьезное. По полученным оперативным данным в нашем городе группой активистов определенного толка готовится провокация под кодовым названием «Хороним Мурзика».

— Мурзика? — переспросил Удодов. — Это как-то связано с этим проклятым котом?

— Именно с ним, — подтвердил Закорыжный. — Суть провокации в том, что группа антиобщественных активистов, подстрекаемая художником Тархановым и его подругой, гражданкой иностранного государства Хеллен Приваловой, пользуясь недовольством граждан нашей области, вызванным незначительным ДТП с участием с одной стороны Федора Александровича Удодова, а с другой — именно этого кота, собираются похороны животного превратить в, как они говорят, хеппенинг, несанкционированное шествие с нарушением общественного порядка. Нам надо принять срочные меры по противодействию. Какие будут предложения?

Собравшиеся условно делились на ястребов и голубей. Ястребы предлагали самые решительные действия, вплоть до объявления чрезвычайного положения, привлечения к делу всех наличных сил полиции и госбезопасности и ареста зачинщиков. Голуби, напротив, советовали не смешить народ, не принимать никаких мер, позволить провокации провалиться самой по себе.

Было принято компромиссное решение: на провокацию не поддаваться, но затевающейся акции оказать противодействие силами патриотической общественности. В качестве дополнительной меры было решено маршрут намеченного на тот же день общегородского марафонского забега изменить и направить его с улицы Железнодорожников на проспект Погребенько.

Вынос тела

В намеченный день начиная с семи утра у подъезда Маргариты Максимовны стала собираться толпа, которая состояла сперва из людей, широкой публике не известных, но уже к девяти она стала гуще и шире и в ней уже замелькали лица, знакомые телезрителям. Это были поэты Влад Куманский и Игорь Древлев, известная сочинительница детективных романов Анастасия Пуховик, адвокат Юлий Шторм. Разумеется, были здесь и сотрудники известной организации, которые так старались быть незаметными, что именно по этой незаметности и узнавались.

Маргарита Максимовна не выспалась и не успела позавтракать. Около девяти часов пришли Алена с Тараканом, Игнатом Шутовым и Перепелкиным. Закрыли гроб крышкой, но барашки, скреплявшие ее, лишь слегка наживили. Лифт в доме был старой конструкции, узкий, с трудом вместил четырех нетолстых человек. Гроб целиком в лифт не входил, пришлось его наклонить.

Накрапывал мелкий дождь, когда Маргарита Максимовна вышла из подъезда и увидела перед собой черный похоронный кадиллак и большую, как ей показалось, толпу, покрытую парашютами зонтиков. Толпа была правда не маленькая. По подсчетам полиции, человек не меньше трехсот. Но если взять во внимание, что реальные цифры полиция никогда не дает, то можно предположить, что людей было гораздо больше. Тем более что количество собравшихся росло. Одна тетя особенно любопытствовала: а кого это хоронят? Ей объяснили: Мурзика. Она не подумала, что кота, хотя имя ей показалось для человека не совсем подходящее. Увидев маленький гробик, она поинтересовалась: а сколько же лет было усопшему? Услышав, что четырнадцать, удивилась, что такой маленький. Лилипут, что ли. Ей ответили: лилипут. Она еще больше удивилась, потому что никогда не видела, как хоронят лилипутов, и удивилась, что их хоронят так же, как и других людей. Но другие-то люди знали, что хоронят именно кота, и это знание подвигало их к тому, чтобы присоединиться к процессии. Через проходной двор процессия вышла на проспект Погребенько и двинулась в сторону улицы Пролетарской. По дороге к ним присоединились представители разных партий и общественных движений. Стратегия 31, общество обманутых дольщиков, движение «синих ведерок», несколько свидетелей Иеговы и пара дзен-буддистов. Затем подошли полсотни членов ЛГБТ-сообщества и болельщики местной футбольной команды «Турбина».

Гроб несли Вася Перепелкин, Игнат Шутов, Сеня Панченко и Вадим Друскевич. Была идея положить гроб в машину, но Вася предложил и другие согласились, оказать покойному особый респект и в начале пути пронести его на руках. И понесли: Вася, Сеня и Вадим на плечах, а Игнат — два метра восемь сантиметров росту — на согнутой руке, чтобы уравнять себя с другими. За ними двигался кадиллак, за машиной — поддерживаемая внучкой — Маргарита Максимовна.

Процессия приближалась уже к пересечению проспекта с Пролетарской улицей, когда дорогу ей преградила плотная шеренга православных активистов в темных одеждах и с темными же зонтами.

Шеренгу возглавлял стоявший в середине ее поп Виталий Пологин в черной рясе и серой каракулевой казачьей папахе с красным верхом. В левой руке он держал свернутый зонт, а в правой большой деревянный крест. При приближении процессии шеренга еще плотнее сомкнула свои ряды. Расстояние между стоящими и идущими быстро сокращалось. Православные стояли на месте и казались грозной неодолимой силой.

— Ребята, — вполголоса сказал Перепелкин, — кажется, нас собираются бить.

— Не дрейфь, Васек, — отозвался Игнат, — мы их тоже побьем.

— Нам их бить нельзя, — возразил Вася. — Их за нас оштрафуют, а нам за них припаяют срок.

Процессия была уже на расстоянии вытянутой руки. Это была державшая крест рука отца Виталия.

— Сгинь, нечистая сила! — тихо произнес Виталий. Нечистая сила не сгинула, но остановилась.

— Куда путь держим, уважаемые? — вежливо поинтересовался батюшка.

— Что, не видите? — спросил Игнат.

— А что я должен видеть?

— Гроб.

— Гроб вижу. А кого, извиняюсь, хороните?

— Покойника.

— А, ну да, ну покойника, — сказал поп. — Это ясно, что покойника, а не живойника. — А покойник, позвольте поинтересоваться, он у вас какого рода?

— Мужского, — вышла вперед Алена.

— Мужского, — повторил поп одобрительно, как будто женского было бы хуже. — А все-таки к какому виду млекопитающих относится ваш мужской покойник и к какому подвиду и отряду, хотелось бы знать.

— А ни к какому, — сказал Перепелкин. — Покойник был индивидуалист и ни в какие отряды не вписывался.

Поп собирался еще какой-то вопрос задать, но тут из-за его спины выскочил его младший сын, тринадцатилетний отрок Яшка Череп, получивший такое прозвание, поскольку носил на плечах голову, стриженную под ноль, а череп имел особой конструкции, с большими внутренними наростами костной ткани, частично замещавшей слабую мякоть мозга. Это было у Пологиных фамильное. Старший брат Черепа Леха служил в ВДВ и на показательных выступлениях о собственную голову разбивал кирпичи. Череп, будучи тринадцати лет от роду, не очень хорошо учился в школе, но некоторым премудростям был научен своими ровесниками. И один из усвоенных им уроков говорил, что в случае групповой драки начинать надо с наиболее крупных противников. Сначала надо выбить из строя их, с остальными будет справиться легче. Поэтому он, еще когда стоял за батюшкой, выбрал своей первой жертвой высокорослого Игната. Выскочив из толпы, возглавляемой батюшкой, Череп ринулся навстречу Игнату Шутову и врезался ему в живот своим черепом. Удар этот был силой с летящее ядро. И от этого удара Игнат, этот великан и силач, согнулся пополам, свалился на бок и стал скрести ногтями мокрый асфальт, широко раскрывая рот, как выброшенная на гальку рыба. В процессе падения равновесие сильно нарушилось, гроб, слетевший с правой руки Игната, соскользнул с левого плеча Васи Перепелкина и пикирующим бомбардировщиком воткнулся в мокрый

асфальт. Крышка, едва наживленная на шпильки, от-
летела, и, к удивлению участников процессии, а также
их контрагентов, из открывшегося гроба выскочил совершенно живой и даже как будто помолодевший, но
в то же время и похудевший кот и с прытью, доступ-
ной только молодым и не слишком упитанным пред-
ставителям семейства кошачьих, просвистел зигзагами
между ног толпы, пересек дорожное полотно, тротуар
и скрылся в ближайшей подворотне, не проявив ни
малейшего интереса к дальнейшему развитию сюжета.
Потом, когда страсти частично утихли, люди обсуждали чудесное воскресение Мурзика, выдвигали различные предположения. Одни говорили, что Мурзик не
был убит, а от сильнейшего удара только впал в кому,
из которой впоследствии вышел, известный ветеринар
Оношко полагал, что речь шла о летаргическом сне, он
также мог наступить в результате сильнейшего не только
физического, но и нервного потрясения, но большинство склонялись к тому, что старый мертвый кот был
подменен молодым и здоровым. Кем был подменен,
никто не сомневался, а вот с какой целью, это также
вызывало догадки, широко распространенные по со-
циальным сетям. Чудесное воскресение кота настолько
всех поразило, что участники обеих колонн сначала как
завороженные стояли с раскрытыми ртами друг против
друга, а потом Игнат, восставший из пыли и пришедший в себя, с криком «эх суки!» ринулся на Яшку Черепа и схватил его, автор просит прощения за вынужденную тавтологию, именно за череп. Но Яшкин череп,
немедля вспотевший от страха, оказался неудержимым,
как кусок мокрого мыла, и потому легко выскользнул из
пытавшихся сжать его мощных пальцев Игната. Яшка
юркнул обратно в ту толпу, из которой и появился.
Игнат рванулся за ним, Яшку не догнал, но сбил с ног
двоих, а третьего нокаутировал, и ряды православных,

привыкших до того к отсутствию какого бы то ни было сопротивления, дрогнули и кинулись наутек. Раньше, когда не было вокруг понастроено столько заборов, они могли бы рассыпаться по дворам, но поскольку теперь все дворы оказались окружены собственными заборами, убегавшим ничего не осталось делать, как бежать по шоссе.

Тут с проспекта Энтузиастов на проспект Погребенько выбежала колонна марафонцев, и все эти три группы бегущих смешались в одну удивительную толпу.

Путем взаимной переписки

1

В наш авиационный истребительный полк пришло письмо. На конверте, после названия города и номера части, значилось: «Первому попавшему». Таковым оказался писарь и почтальон Казик Иванов, который, однако, письмом не воспользовался, а передал его аэродромному каптерщику, младшему сержанту Ивану Алтыннику, известному любителю «заочной» переписки.

Письмо было коротким. Некая Людмила Сырова, фельдшер со станции Кирзавод, предлагала неизвестному адресату «взаимную переписку с целью дальнейшего знакомства». Вместе с письмом в конверт была вложена фотография размером 3×4 с белым уголком для печати. Фотография была старая, нечеткая, но Алтынник опытным взглядом все же разглядел на ней девушку лет двадцати — двадцати двух с косичками, аккуратно уложенными вокруг головы.

Письмо Алтынник положил в стоящий под кроватью посылочный ящик, где у него уже хранилось несметное количество писем от всех заочниц (числом около сотни), а фотографию спрятал в альбом, но прежде написал на обратной стороне мелкими буквами: «Сырова Людмила, ст. Кирзавод, медик, г. рождения — ?». Потом достал из того же альбома свою фотокарточку размером 9×12, где он был изображен в диагоналевом кителе, со значком классного специалиста (чужим) и в такой позе, как будто именно в момент фотографирования он сочинял стихи или же размышлял над загадками мироздания.

Фотографию эту положил он на тумбочку перед собой и принялся за ответ. Надо сразу сказать, что своими изображениями Алтынник особенно не разбрасывался. Бывало и так, что для смеху вкладывал в конверт фотографию, сорванную с Доски отличников учебно-боевой и политической подготовки. Но над Людмилой Сыровой подшучивать не захотелось — она произвела на него хорошее впечатление. К тому же некоторый запас карточек у него еще был.

2

Писание писем было для Алтынника второй, а может быть, даже первой профессией. Во всяком случае, этому делу он отдавал времени гораздо больше, чем основным служебным обязанностям. Где бы он ни находился — в каптерке, в казарме или в наряде, как только выдавалась свободная минута, пристроится, бывало, на тумбочке, на бочке с гидросмесью, на плоскости самолета — на чем попало — и давай лепить букву к букве, строку к строке своим замысловатым кудрявым почерком, которым весьма гордился и был уверен, что многими своими успехами (заочными) у женщин в значительной степени обязан ему.

Писал он легко и быстро. Одно слово тянуло за собой другое, Алтынник едва успевал запечатлеть его на бумаге и при этом размахивал свободной рукой, бормотал что-то под нос, вскрикивал, всхлипывал, мотал головой и только изредка останавливался, чтобы потереть занемевшую руку, перевести дух и лишний раз подивиться, откуда в одном человеке может быть столько таланта. Вот только никогда не знал он, где и какой ставить знак препинания, но это обстоятельство его мало смущало, и он эти знаки разбрасывал наобум, по возможности равномерно.

Взявшись за письмо Людмиле Сыровой, передав ей, как обычно, «чистосердечный пламенный привет и массу наилучших пожеланий в вашей молодой и цветущей жизни», Алтынник, не теряя даром время и чернил, перешел к деловой части:

«Письмо ваше, Люда, я получил через нашего почтальона Иванова Казимира, который дал мне его и сказал: ты, Иван, давно хотел переписываться с хорошей девушкой, и вот я даю тебе письмо и адрес, а почему даю тебе, а не другому, потому что ты самый грамотный из рядового и сержантского состава, хотя и не имеешь высшего образования. Я тогда распечатал письмо ваше, и фото, и личность ваша мне, Люда, очень понравилась как в смысле общего очертания, так и отдельные части наружности, например глаза, нос, щечки, губки и т.д. К сожалению, фото вы прислали маленькое, на нем ваш облик рассмотреть внимательно трудно, так что, если будет такой момент и возможность, пришлите большое, я вам свое высылаю. Если же не хотите прислать в полный рост, то пришлите хотя бы в полроста, а что касается красивой фигуры, Люда, то на это я не смотрю, потому что красота и фигура — такие качества человека, которые могут быть утеряны в дальнейшей жизни, а я смотрю на ум, характер человека...»

Дальше Алтынник подробно описал свою жизнь, и по этому описанию выходило, что автор письма — круглый сирота, воспитывался в детском доме у чужих людей, с детства привык к лишениям, унижениям и физическому труду.

Все это у него получалось складно да гладко, хотя и не имело никакого отношения к его действительной биографии, ибо жил он не хуже многих, воспитывался в нормальной рабочей семье, и во время войны отец его даже не был на фронте, потому что болел бронхиальной астмой. В прошлом году отец умер, но мать и поныне была жива и здорова, работала на заводе формовщицей, правда, в эту осень собиралась уже на пенсию в сорок пять лет из-за вредности производства.

Но сказать, что Алтынник врал, было бы не совсем справедливо, просто давал он волю своей руке, зная, что она его не подведет, и она действительно не подводила. Перед потрясенным автором во всей своей широте разворачивалась картина такого несчастного, лишенного радостей детства, что ему до слез становилось жалко себя и искренне хотелось, «чтобы после стольких, Люда, мучений и терпения всевозможных обид от злых людей, которые, Люда, еще встречаются и в нашей стране, найти самостоятельную девушку, работящую и с веселым характером, не с умыслом чтобы над ней подшутить или же посмеяться, а совсем с другой целью: или замужество, или женитьба после непродолжительного знакомства».

Что Людмила Сырова из этого письма поняла, трудно сказать, но ждать себя не заставила, и ответ от нее пришел ровно через столько времени, сколько понадобилось почте, чтобы пройти от места расположения части до станции Кирзавод и обратно.

Переписка завязалась.

Алтынник, получая письма от новой своей знакомой, всегда внимательно их прочитывал да еще подчеркивал красным карандашиком сообщения о том, что у Люды есть свой дом, огород, корова, что она (Людмила, а не корова) любит петь, танцевать, уважает веселое общество, может и сама пошутить и посмеяться, когда шутят другие. Красным карандашом Алтынник пользовался и при переписке с другими своими корреспондентками. Полученные сведения выписывал на отдельные карточки, а потом раскладывал, сопоставлял. И не для какой-то корысти, а потому, что любил в каждом деле порядок. Всерьез он не рассчитывал ни с кем из этих заочниц встретиться и вел эту переписку просто так, от нечего делать.

И, вероятно, он никогда бы не встретился с Людмилой Сыровой, если бы вдруг поздней осенью не вызвал его к себе командир эскадрильи майор Ишты-Шмишты.

Ишты-Шмишты была не двойная румынская фамилия, а прозвище майора Задачина, который все свои сильные чувства — радости, огорчения, удивления или гнева — выражал превратившимся в прозвище словосочетанием: «Ишь ты! Шмишь ты!»

С майором Ишты-Шмишты мы еще познакомимся ближе. Пока скажу только, что майор приказал Алтыннику немедленно отправляться в командировку за получением аэродромного имущества.

И, как ни странно, станция Кирзавод была по той самой дороге, по которой должен был ехать Алтынник. Впрочем, странного в этом было немного, потому что заочные подруги нашего героя жили по всем без исключения железным, шоссейным и частично проселочным дорогам, и неизвестно, что сулила ему любая другая из этих дорог.

Но ему выпала эта.

По этой же дороге, через два пролета от станции Кирзавод, была еще одна станция, и там тоже жила заочница — Наташа. Иван на всякий случай дал телеграммы обеим.

3

В Москве была у него пересадка. Никогда раньше в столице он не бывал, хотя и надеялся, и теперь наметил обязательно сходить в Мавзолей и посетить, если успеет, Третьяковскую галерею. В галерею он не попал, зато съездил на сельскохозяйственную выставку и даже сфотографировался на фоне фонтана «Золотой колос».

Погода была противная. Сыпал мелкий дождь, и дул ветер. Алтынник мотался из одного конца города в другой то на троллейбусе, то на метро и к концу дня настолько свыкся с эскалатором, что уже не прыгал с него с вытаращенными глазами, боясь, что утянет в щель, а сходил свободно и даже небрежно, как заправский москвич.

4

Устроился Алтынник на третьей полке, потому что солдату срочной службы, хоть бы он даже ехал до Владивостока, плацкартных мест по литеру не положено. Еще спасибо, проводник попался хороший, разрешил взять свободный матрац без простыней и подушки. Но подушка Алтыннику была не нужна, у него был мягкий чемодан польского производства. Этот чемодан Алтынник очень выгодно выменял у старшины Ефремовского на старые хромовые сапоги без головок. К слову сказать, у старшины тоже было свое прозвище — его звали де Голлем за высокий рост и внешнее сходство.

Хотя проводник и обещал его разбудить, Алтынник не понадеялся и все ворочался на своей верхней полке, боясь проспать, и жег спички, чтобы посмотреть на часы, и спавшая внизу толстая тетка с ребенком, думая, что Алтынник курит, демонстративно вздыхала:

— О-ох!

А Алтынник ее передразнивал и тоже делал так:

— О-ох!

Он не курил. Он думал. Он обдумывал свою предстоящую встречу. Хорошо, если Людмила придет встречать и он ее сразу узнает. А если будет много народу и он ее в толпе не найдет или вовсе она не выйдет, а он слезет с поезда? Потом пока дождешься следующего! Но, допустим, она придет, и сразу они узнают друг друга, тогда как с ней встречаться? За руку поздороваться или обниматься? Этого Алтынник не знал.

В казарме после отбоя, когда заходил разговор про женщин, Алтынник выступал как крупнейший знаток вопроса. Ни у кого из его слушателей не возникало сомнения, что уж кто-кто, а Алтынник все знает про женщин. Где что у них как устроено и что с ними нужно делать. Но если сказать правду, то до сих пор никаких иных отношений с женщинами, кроме заочных, у него не было.

Была у него перед армией одна девчонка — жила в соседнем дворе. Она занималась художественной гимнастикой и носила очки, что Алтынника особенно подкупало. Он ходил с ней два раза в кино и четыре раза стоял в подъезде. Говорили на разные посторонние темы, а он все думал, как бы к ней подступиться, и однажды набрался храбрости и сказал:

— Знаешь, Галка, я чего тебя хочу спросить?

— Чего? — спросила она.

— Только ты не обидишься?

— А чего?

— Нет, ты скажи — не обидишься?

— Я ж не знаю, что ты хочешь сказать, — уклонялась она.

— Ну, в общем, я тебя хочу спросить, ну это... ну... — Он набрал полные легкие воздуху и ляпнул: — Можно я тебя поцелую?

Она отодвинулась в угол и спросила испуганно:

— А зачем?

А он не знал зачем. Он думал, что так нужно.

Спустя некоторое время она вышла замуж за демобилизованного моряка, и уж наверное он ей все объяснил, потому что ровно через девять месяцев (Алтынник служил уже в армии) мать написала ему, что Галка родила девочку.

Вспоминая Галку и думая о предстоящей встрече с Людмилой, он все же не выдержал и заснул. Но проводник не подвел и разбудил его, как обещал, в четверть второго. Иван слез, помотал головой, чтобы совсем проснуться, стащил чемодан и пошел к выходу.

Проводник сидел на боковой скамеечке напротив служебного купе. Перед ним стоял незажженный электрофонарь.

— Что, батя, скоро этот самый Кирзавод? — спросил Алтынник.

— Еще минут десять, — зевнул проводник.

Алтынник сел напротив проводника, небрежно выбросил на столик пачку «Казбека», купленного в Москве.

— Кури, батя, скорей помрешь.

— Некурящий, — отказался проводник.

Алтынник вынул папиросу, помял ее, но в вагоне курить было неудобно, а в тамбур выходить не хотелось. Глянул в окно, а там мельтешит что-то белое. Удивился:

— Снег, что ли?

— Снег, — подтвердил проводник.

— Ты смотри, а? В Москве дождь, а тут километров триста проехали, а уже снег. Старшина говорил мне: «Возьми шапку», а я, дурак, пилотку надел. Хорошо еще, что шинелку взял, а то ведь и околеть можно, скажи, батя.

— Да уж, — согласился батя. Он привык поддакивать пассажирам.

Алтынник помолчал, повздыхал, решил поделиться своими сомнениями с проводником.

— Вот, батя, еду я на эту самую станцию Кирзавод, так, а встретят меня или не встретят, не знаю. Если бы это я к матери ехал, так она бы, конечно, встретила. В любое время дня и ночи. А я, батя, к бабе еду. Познакомился с ней путем переписки, так вроде по карточке она ничего, из себя видная, но на личность я ее не видал, ничего сказать не могу. Она вообще-то писала «приезжай». Я, конечно, и не думал, а тут как раз вышла командировка, ответственный груз. Кого в командировку? Меня. Ну вот еду. Отбил ей телеграмму — встречай. Получила она телеграмму или нет, я, батя, не знаю, ответа ж не получал. Теперь возникает другой вопрос: если даже и встретит, она меня первый раз видит в глаза, может не согласиться. Скажет, распишемся, тогда хоть ложкой, а мне, батя, расписываться сейчас ни к чему. Я еще молодой. После службы в техникум пойду, а потом, может, и в институт. Хочу, батя, диплом получить, чтобы в рамке на стенку повесить, пускай каждый видит: у Алтынника — это у меня фамилия такая, Алтынник, — высшее образование. А у меня, батя, через две станции еще одна живет баба — Наташка. Тоже заочница. Ну та, правда, хроменькая. Сама написала: «Ваня, я должна вас сразу предупредить, что имею физнедостаток — левая нога у меня в результате травмы короче правой на два сантиметра, но, если надену чуть повыше каблук, это почти незаметно». Ну тут заметно или не заметно, а ломаться, я думаю, не должна, потому что хоть какой там каблук ни подставляй, а хроменькая есть хроменькая, никуда не денешься. Хотя я, батя, конечно, не осуждаю и не смеюсь, потому что это с каждым может случиться. Вот, скажем, ты стоишь на перроне, поезд тронулся, ты на ступеньку — рраз! Поскользнулся — и лежишь без обеих ног. Но, с другой стороны, недостаток свой она должна понимать, я-то хоть и сочувствую, но я не хромой, во́, посмотри, — Алтынник встал и прошел три шага к тамбуру и обратно. — Видишь. Не хромаю. Значит, ты уже будь поскромнее, чего дают, не отказывайся, а то и того не получишь. Ну и вот, значит, батя, не знаю, то ли мне здесь слезать, а она еще неизвестно как будет ломаться, то ли ехать дальше к Наташке, но она вот хромая. Ты как, батя, считаешь?

— Да уж это тебе видней, — сказал проводник. — Я про эти дела давно позабыл. У меня в эту осень внук в школу пошел.

— Да, батя, — посочувствовал Алтынник, — так на личность ты еще молодой. А я, батя, решил так: до сорока годов поживу, погуляю, а потом сразу — веревку на шею, и с приветом к вам Сергей Есенин.

— Доживи сперва, — усмехнулся проводник. — Помирать никогда не хочется.

— Это я понимаю, — сказал Иван, боясь, что обидел проводника. — Это я для себя только так решил. Думаю, до сорока годов доживу, ну, до сорока пяти от силы, и хватит. А то это, знаешь, все ходи, мучайся. То поясницу ломит, то ревматизм на погоду болит. Эх...

Алтынник огорченно махнул рукой и, глядя в окно, задумался, попытавшись представить себя жалким и больным стариком, но представить ему это было почти невозможно, и мысли его тут же сбились на другое — он опять заволновался, встретит его или не встретит Людмила. Была ночь с субботы на воскресенье.

5

На станцию Кирзавод поезд прибыл точно по расписанию. Проводник открыл дверь, и на Алтынника, стоявшего в тамбуре с чемоданом, дунуло сырым холодом. Шумел ветер, густо валил и вспыхивал в свете единственного на станции фонаря лохматый снег. Под фонарем стояли дежурный в красной фуражке и маленькая, залепленная снегом фигурка. «Она», — догадался Алтынник. И действительно, фигурка побежала вдоль поезда, шаря по вагонам глазами и отыскивая того, кого ожидала. Алтынник отошел в глубь тамбура и следил за ней одним глазом. Он все еще колебался.

— Как, батя, советуешь — слезать или не слезать? — в последний раз понадеялся он на проводника.

— Слезай! — махнул рукой проводник и отступил в сторону, освобождая проход.

— Была не была, — решился Алтынник. — Будь здоров, батя, и не кашляй.

И соскочил на мокрый перрон.

Когда они встретились, Алтынник понял, что его жестоко обманули — фотография, которую хранил он в альбоме, по крайней мере десятилетней давности.

— Здравствуйте, Ваня, — сказала Людмила, протянув ему руку.

— Здравствуйте. — Поставив чемодан, переминался он с ноги на ногу, переживая сомнения. — Людмила? — спросил он на всякий случай, еще надеясь, что это не она, а, допустим, старшая сестра.

— Ага, — беспечно согласилась она. — У нас часы стали. Ночь, время спросить не у кого. Пришла за час до поезда. Ну, пойдемте. — Она наклонилась к чемодану, как будто хотела взять.

— Сейчас, — сказал Иван и чемодан придержал. И стал быстро соображать, не сесть ли ему, пока не поздно, обратно на поезд.

Дежурный в красной фуражке ударил в колокол. Поезд шумнул тормозами и тронулся медленно, без гудка. Алтынник все еще колебался. Остаться или на ходу вскочить на подножку?

Медленно проплыл мимо последний вагон, и проводник с грохотом опустил откидную площадку. Решать было уже нечего.

— Ладно, пойдем, — вздохнул Иван и нагнулся за чемоданом.

6

Дул ветер, в глаза летел сырой снег, Алтынник шел боком. В правой руке он держал чемодан, а левой прижимал к уху воротник шинели, чтоб не продуло. Дома и заборы неясно чернели по сторонам, нигде ни огня, ни звука, хоть бы собака пролаяла.

Людмила молча шла впереди, ее залепленная снегом спина то исчезала, то вновь возникала перед Алтынником. Поворачивали направо, налево, опять направо. Иногда ему казалось, что они кружат на одном месте. В какой-то момент стало страшно: мало ли слышал он разговоров, как какого-нибудь доверчивого чудака женщина заводила в темное место, а там... Ведь никто же не знает, что в роскошном его чемодане ничего нет, кроме смены белья да портянок. В крайнем случае можно, конечно, чемодан бросить и дать волю ногам. Но куда побежишь, когда мокро, скользко и незнакомое место? И, как назло, под ногами ни камня, ни палки.

— Далеко еще? — спросил он подозрительно.

— Нет, недалеко, — ответила Людмила, не оборачиваясь.

— Ну у вас и погодка, та еще, — громко сказал Алтынник. Все-таки когда говоришь, не так страшно. — А я ваш адресок товарищу оставил, он утречком должен подскочить. Не возражаете?

Насчет товарища он сейчас только придумал: пусть знает, если что — адрес известен.

— Пожалуйста, — сказала Людмила.

Ее согласие Ивана несколько успокоило, и он не стал излагать следующую придуманную им версию, что, в случае чего, его, Ивана Алтынника, как военнослужащего и необходимого в данный момент стране человека будут разыскивать всюду и, если что, перероют всю эту вшивую станцию. Потом сообразил, что их видел вместе дежурный по станции, и это успокоило его окончательно.

Еще раз повернули направо и остановились перед забором из штакетника.

Людмила перекинула руку через забор и звякнула щеколдой.

Скрипнув, отворилась калитка.

— Проходите, — сказала Людмила.

— Собаки нет? — осторожно спросил Алтынник.

— Нет, — сказала Людмила. — В прошлом годе был Тузик, так брат его из ружья застрелил.

— За что же? — удивился Алтынник.

— Ружье новое купил. Хотел проверить.

— И не жалко было?

— Кого? — удивилась Людмила.

— Да Тузика.

— Так это ж собака.

Маленьким кулачком в шерстяной варежке долго она колотила в закрытую дверь, потом, утопая в свежем сугробе, пролезла к окну. Качнулась в сторону занавеска, показалось расплывающееся в темноте чье-то лицо.

— Мама, откройте, — негромко сказала Людмила.

За окном вспыхнул электрический свет. Послышались негромкие, но тяжелые шаги, дверь распахнулась, и на пороге появилась крупная старуха в валенках, в нижней полотняной рубахе. В руке она держала зажженный китайский фонарик.

— Проходите, — еще раз сказала Людмила Алтыннику и сама пошла вперед, показывая дорогу. Старуха, посторонившись, светила фонариком. Тускло сверкнули коромысло и ведро, развешанные на стенах. В нос ударил запах квашеной капусты.

Пройдя через сени, Алтынник очутился в комнате, жарко натопленной и освещенной лампочкой без абажура.

Он поставил чемодан у порога и нерешительно топтался, осматриваясь.

— Раздевайтесь, — предложила Людмила и сама подала пример. Размотала пуховый платок и сняла пальто с серым воротником из искусственного каракуля. Теперь на ней было темное шерстяное платье с глубоким вырезом. Алтынник посмотрел на нее и вздохнул. Там, на перроне, он, пожалуй, ошибся. Карточка была не десятилетней давности, а постарше.

Он повесил шинель на гвоздь возле двери и расправил под ремнем гимнастерку.

Вернулась старуха, положила на табуретку фонарик.

— Мама, познакомьтесь, — сказала Людмила.

Старуха вежливо улыбнулась и протянула Алтыннику черную искривленную руку.

— Иван Алтынник, — громко сказал Иван.

— Чудна́я фамилия, — не называя себя, покачала головой старуха.

— Чего же в ней чудного? — обиделся Алтынник. — Фамилия самая обыкновенная, происходит от слова «алтын». Слыхала такое слово?

— Нет, не слыхала, — отказалась старуха.

— Как не слыхала? — изумился Алтынник. — Алтын, в старое время деньги такие были.

— Эх, милый, — вздохнула старуха. — У нас денег не то что в старое время, а и теперь нету.

— Полно вам прибедняться, — возразила Людмила. — Живем не хуже людей. Ваня, наверное, маланец. Правда, Ваня? — она повернулась к Алтыннику и улыбнулась.

— Кто-кто? — не понял Алтынник.

— Маланец.

— Угу, маланец, — согласился Алтынник, чтобы не спорить, хотя все же не понял, что это значит.

— Ох-хо-хо, — вздохнула старуха и, скинув валенки, полезла на печку.

Положив руки в карманы, Алтынник прошел по комнате, осмотрелся. Комната была самая обыкновенная деревенская. Ведра с водой на лавке возле двери, тут же рукомойник, дальше на стене портрет Кагановича, под ним рамочка с налезающими одна на другую фотографиями. Красноармеец в довоенной форме с треугольничками на петлицах, старик в очках, ребенок на столе голый, масса каких-то людей группами и в одиночку, и среди них кое-где Людмила. Была здесь и та фотография, которую знал Алтынник, и другие, последнего времени. Прислала бы Людмила одну из последних, сейчас бы Алтынник уже обнимался на перроне с хроменькой Наташей.

Продолжая осмотр, наткнулся он на косо повешенное полотенце, где была вышита плоская девушка в трусах, лифчике и с одним глазом. Девушка лежала, задрав ноги, на животе и держала в руках что-то, похожее на раскрытую книгу. Подпись под картиной гласила: «На курортах». Алтынник отступил на шаг и прищурил сперва один глаз, потом другой.

— Вы вышивали? — спросил он уважительно.

— Я, — скромно сказала Людмила.

— Ничего, — оценил он. — Так это вообще... — Он подумал, но нужного определения не нашел и махнул рукой.

Без интереса скользнул взглядом по темной иконе в углу — религиозные предрассудки не уважал, сквозь полуоткрытую дверь заглянул в горницу, но там было темно. Тут ему послышалось чье-то посапывание за выцветшей ситцевой занавеской, отделявшей пространство между печью, куда залезла старуха, и дверью.

Алтынник резко шагнул к занавеске и отдернул ее. Здесь увидел он белобрысого парня лет четырнадцати, который спал лицом к стене на железной кровати с шишечками.

— Кто это? — Алтынник строго посмотрел на Людмилу.

— Сын, — сказала Людмила и стыдливо потупилась.

— Внуков нет?

— Что вы, — обиделась она, — я еще молодая.

— Юная, — поправил Алтынник, отошел к стоявшему у окна столу, сел и положил локти на скатерть с бледными, вышитыми гладью цветами. Девушка «на курортах» висела на противоположной стене и единственным своим глазом смотрела не в книгу, а на Алтынника. Он достал свой «Казбек» и, не спрашивая разрешения, закурил. Поинтересовался:

— Когда будет следующий поезд?

— У нас только один поезд, на котором вы приехали, — сказала Людмила. — Другие не останавливаются.

— Угу. Так-так. — Он побарабанил по столу пальцами. — И чего ж делать будем? — поднял голову и нахально посмотрел на Людмилу.

Она смешалась и покраснела. «Ишь ты, еще краснеет», — про себя удивился Алтынник.

— Ну, так я спрашиваю: чего делать будем? — повторил он свой вопрос, чувствуя, что сейчас может сказать все, что хочет.

— Кушать хотите? — не поднимая глаз, тихо спросила Людмила.

— Кушать? — понимающе переспросил Алтынник и посмотрел на часы (было без пяти три). — Чего ж делать? Давайте кушать.

В одну минуту Людмила стащила со стола скатерть, постелила клеенку, и не успел Алтынник оглянуться, на столе стояли пол-литра водки, теплая еще жареная картошка с салом и пироги с грибами.

— Со знакомством, — сказал Алтынник, подняв стакан.

— Со знакомством, — кивнула Людмила.

7

Надеялся Алтынник, что сразу же опьянеет, но выпили всю бутылку, а ему хоть бы хны. Несмотря на то что с утра ничего не ел, кроме двух пирожков с мясом, купленных на Курском вокзале. Но в груди потеплело, и настроение стало получше. Он снял сапоги, ремень и расстегнул гимнастерку. Чувствовал себя легко, свободно, закусывал с аппетитом и все благожелательнее поглядывал на Людмилу.

Людмила от водки тоже оживилась, на щеках выступил румянец, глаза блестели. Она уже казалась Алтыннику не такой старой, как при первом взгляде, а вполне привлекательной. Теперь он не сомневался в том, что хорошо проведет эти сутки в ожидании следующего поезда, а большего он и не хотел. И то, что Людмила была не самой первой молодости, Алтынник теперь расценивал как факт положительный: очень надо ему иметь дело с молоденькими дурочками вроде Галки, которые строят из себя черт-те что. Перед ним сидела женщина настоящая, не то что недоросток какой-то, уж она-то знает, зачем люди целуются и что делают после. Губы ее и глаза обещали Алтыннику многое, и он знал совершенно точно, что теперь своего не упустит и таким лопухом, как тогда с Галкой, не будет. И от уверенности в том, что все будет, как он себе наметил, было ему сейчас весело. Давно уже он умял всю картошку и принялся за пироги, которые показались ему особенно вкусными.

— Пироги ну просто замечательные, — сказал он, чтобы сделать хозяйке приятное и потому, что неудобно было за свой неумеренный аппетит. — А то ведь в армии у нас пища какая: шрапнель, конский рис и кирза. Хоть бы, вот я говорю, сливочного масла дали кусочек солдату, так нет, не положено. А как же. Друзей всех кормим. Но солдат — тоже ведь человек, ты на нем хоть верхом ездий, а кусочек маслица дай. От этой кирзы только живот дует, а калорий и витаминов почти никаких. А вот грибы уважаю. Хоть сушеные, хоть свежие. Потому что высокие вкусовые качества — раз! — Алтынник загнул один палец. — И по калорийности не уступают мясу — два!

— Это точно, — подтвердила Людмила. — Мы во время войны, когда голод был, одними грибами спасались. Бывало, пойдешь в лес, наберешь корзинку...

И как начала она с этих грибов, так и пошла дальше, перескакивая с темы на тему, без остановки рассказывать Алтыннику свою жизнь с того времени, как в сорок четвертом году, осенью, вышла замуж за парня, работавшего на станции электриком, и прожили они вместе до декабря, когда его взяли в армию, и он успел дойти до самого Берлина живой и невредимый, но на обратном пути в поезде застудил голову и умер, а она осталась жить для ребенка и никого близко к себе не подпускала, хотя многие добивались, потому что знали ее как женщину самостоятельную, чистую, и ее все уважали, не только соседи, но и по работе, некоторые врачи даже из института приходят и с ней советуются, ведь сколько ни учи, но теория — это одно, а практика — другое, и ни у одного врача, приходящего из института, такой практики нет и быть не может; тут на станции не то что в большом городе в поликлинике, где есть отдельно хирург и отдельно терапевт или невропатолог, здесь хоть зубы лечить, хоть роды принимать — все бегут к ней; вчера, например, ночью прибежали с другого конца станции, там старуха с печки упала, старухе будет в обед сто лет, а ты поднимайся ночью, беги, потому что народ несознательный, считает, что фельдшера можно поднимать в любое время, сам восемь часов отработал и свободен, а тут никакого внимания, уж лучше рабочим на производстве или бухгалтером, как ее брат Борис, который живет в районном городе, двадцать километров отсюда, у него там тоже свой дом, жена Нина и дочка Верушка, которой на прошлой неделе исполнилось два годика, живут, правда, плохо; несмотря на то что Нинка окончила техникум, но такая неряха — когда в дом ни придешь, всегда грязи по уши, посуда не мыта, не то что за ребенком — за собой следить не умеет; уж она, Людмила, ничего Борису, конечно, не говорит, сам женился, самому жить, но все же обидно — родной брат, младше ее на три года, вместе росли, а потом, когда она выучилась и ему помогала учиться, каждый месяц пятьдесят рублей посылала, отрывая от себя и ребенка, чего Борис теперь уже не помнит (все люди неблагодарные), приезжает каждое воскресенье домой и хоть бы матери-старухе ко дню рождения или на Восьмое марта подарил ситцу на платье или сто граммов конфет, дело не в деньгах, конечно, хотя знает, что фельдшеру много не платят, несмотря на выслугу лет; так он еще, как приедет, требует каждый раз, чтобы она ему пол-литра поставила; мужчина, известно, за пол-литра мать родную продаст, как, например, сосед-учитель, который до того допился, что и жена от него ушла, и дети родные отказались, только название одно, что мужчина, а на самом деле настоящее горе, уж лучше век одной вековать, чем с таким связывать свою жизнь...

Алтынник слушал сперва терпеливо и даже поддакивал и охал в подходящих местах, но потом стал морщиться и отвлекаться. Ему давно уже было не интересно ни ее прошлое, ни будущее, он приехал вовсе не для того, чтобы изучать ее биографию, а совсем для другого дела, на что он и хотел как-нибудь намекнуть, но невозможно было прорваться, она все сыпала и сыпала на него свои рассказы, как из мешка, один за другим, и все в такой жалобной интонации, что уже ничего не хочется, а хочется только спать (время позднее), но приходится вежливо таращить глаза да еще делать вид, что тебе это все безумно интересно. Но когда речь дошла до учителя, он все же не выдержал и сказал:

— Извините, Людмила, я вас перебью, но как бы мы бабушку не разбудили.

— Да ничего, над ней хоть из пушки стреляй, — успокоила Людмила, порываясь рассказывать дальше. — Значит, про что это я говорила?

Но Алтынник потерял нить, не помнил и не хотел помнить, про что она говорила. Он хмуро смотрел перед собой и вертел за горлышко пустую бутылку.

— Может, вы еще выпить хотите? — догадалась Людмила.

— А есть?

Хотя, конечно, и хотелось спать, все же он помнил, зачем сюда приехал, а в распоряжении одни только сутки, и если не сейчас, то когда?

— А как же. — Она пошла в горницу и тут же вернулась с плоским флаконом, широкое горло которого было заткнуто газетой.

— Самогон? — спросил Алтынник.

— Спирт.

— Спирт?

— Я же медик, — улыбнулась Людмила.

— Спирт я люблю, — одобрил Алтынник, хотя чистый спирт ни разу в жизни не пробовал. — Мы у себя пьем ликер «шасси».

— Ликер чего? — не поняла Людмила.

— То есть гидросмесь, — пояснил Алтынник, — которая заливается в стойки шасси. Семьдесят процентов глицерина, двадцать спирта и десять воды.

— И ничего?

— Ничего, — сказал Алтынник. — Правда, потом понос бывает, но вообще-то пить можно.

Разбавили спирт водой, выпили, закусили.

— Да, так я вам про учителя не рассказала, — вспомнила Людмила.

Алтынник посмотрел на нее и попросил:

— Не надо про учителя.

— А про что? — удивилась Людмила.

— А ни про что, — сказал он и вместе со стулом придвинулся к ней. Положил руку ей на плечо. Она ничего. Повернул слегка ее голову к себе. И она без всякого сопротивления вдруг повернулась и впилась в его губы своими.

Это было так ошеломительно, что Алтынник в первый миг растерялся, а потом ринулся навстречу тому, что его ожидало, и дал волю рукам, жалея, что их у него только две, что они короткие и что нельзя все сразу. Людмила, не отрываясь от его губ, прижималась к Алтыннику грудью, коленями, вздрагивала и дышала, изображая такую сумасшедшую страсть, как будто сейчас помрет, и вдруг резко его оттолкнула, так что он ударился локтем об стол. Алтынник схватился за локоть и удивленно посмотрел на Людмилу.

— Ты... чего? — спросил он, с трудом выдавливая слова, потому что дыхания не хватало.

— Ничего. — Людмила загадочно усмехалась.

Видимо, спирт наконец подействовал: Алтынник смотрел на Людмилу и не мог понять, что она хочет.

— Эх ты, герой! — засмеялась она и легонько стукнула его по голове. — Думаешь, если женщина одинокая, так у нее сразу можно всего добиться?

— А разве нельзя? — удивился Алтынник.

— Вам всем только этого и нужно, — вздохнула она. — Все мужики как собаки, честное слово. Ни поговорить ничего, только про свое дело и думают.

Алтынник смутился.

— Так мы ж говорили, — неуверенно возразил он и пообещал: — Опосля еще поговорим.

— Дурак, — сказала она и положила голову на стол.

Алтынник задумался. Видно, он сделал что-то не то, потому что она сперва вроде бы поддалась, а теперь заартачилась. А скорее всего, просто дурочку валяла.

Алтынник попытался ее снова обнять, но она его опять оттолкнула и приняла прежнюю позу.

— Людмила, — помолчав, сказал Алтынник. — Ты чего из себя это строишь? Ты же не девочка и должна знать, зачем ты меня приглашала и зачем я к тебе приехал, и не за тем, чтобы над тобой посмеяться или пошутить, а чтоб по-товарищески сделать тебе и себе удовольствие. А если ты из себя будешь девочку строить, то надо было сразу или сказать, или намекнуть, потому что время у меня ограничено, сама понимаешь — солдатское положение.

Она молчала. На печи негромко всхрапывала и чмокала губами во сне старуха. Алтынник посмотрел на часы, но спьяну не мог разобрать — то ли половина четвертого, то ли двадцать минут шестого. Людмила сидела, положив голову на руки. Иван еще посидел, повздыхал, почесал в голове. Было обидно, что зря потратил столько времени и не выспался.

Нагнувшись, достал он под столом сапог, вынул из него портянку и стал наматывать на ногу. Задача эта оказалась нелегкой, потому что стоило ему задрать ногу, как он терял равновесие и хватался за край стола, чтобы не свалиться с табуретки. В конце концов с этим сапогом он кое-как справился и полез за вторым. Людмила подняла голову и удивленно посмотрела на Алтынника:

— Ты куда собираешься?

Он пожал плечом:

— На станцию.

— Зачем?

— А чего мне здесь делать? Поеду.

— Куда ж ты поедешь? До поезда еще цельные сутки.

— Ничего, подожду, — сказал он, принимаясь за второй сапог.

— Обиделся?

Он молчал, сосредоточенно пытаясь попасть ногой в голенище.

— Эх ты, дурачок, дурачок, — Людмила вырвала у него сапог и швырнула обратно под стол.

Он только хотел рассердиться, как она схватила его и стала целовать, и он снова все позабыл, и опять не хватало рук и нечем было дышать.

— Подожди, — шепнула она, — сейчас свет погашу, пойдем в горницу.

Он с трудом от нее отлепился. Он мог подождать, но недолго. Поцеловав его, она на цыпочках прошла к двери и щелкнула выключателем. Свет погас.

Алтынник ждал ее нетерпеливо, чувствуя, как беспорядочно колотится сердце, словно дергают его за веревку. Людмила не возвращалась.

— Людмила! — позвал он шепотом.

— Сейчас, Ваня, — отозвалась она из темноты тоже шепотом.

Он поднялся и, чувствуя, что ноги его не держат, хватался за край стола и таращил глаза в темноту, пытаясь хоть что-нибудь разглядеть. Но, ничего не увидев, осторожно оторвался от стола и, как был в одном сапоге, направился туда, где, по его мнению, находилась Людмила.

Он шел бесконечно долго и в конце своего пути напоролся на табуретку, повалил ее, чуть не свалился сам и сильно зашиб колено. Табуретка упала с таким грохотом, что ему показалось: сейчас он поднимет весь дом. И действительно, старуха на печи коротко вскрикнула, но, должно быть, во сне, потому что тут же опять захрапела и зачмокала губами. Он понял, что забрал слишком сильно вправо, и пошел дальше, стараясь держаться левее, и наткнулся на какую-то тряпку и догадался, что это занавеска, за которой спал сын Людмилы. Он отшатнулся, но занавеска оказалась и сзади. И слева, и справа. Чтобы освободиться от нее, он стал делать над головой такие движения руками, как будто отбивался от целого роя пчел, запутался окончательно и, не видя иного способа вырваться, дернулся что было сил в сторону. Где-то что-то затрещало, Алтынник рухнул на пол и на этот раз ударился головой. «Господи! — подумал он с тоской. — Так я сегодня и вовсе убьюсь». Он попытался подняться, но никаких сил для этого не было. Тогда он пошарил вокруг себя руками, наткнулся на какой-то веник, подложил его под голову и уснул.

8

Проснулся он оттого, что стало больно глазам. Солнце светило прямо ему в лицо сквозь полузамерзшие стекла. Слегка повернув голову, он увидел, что лежит в комнате совершенно ему незнакомой, на широкой кровати и под ним мягкая перина и огромная пуховая подушка. За круглым столом посреди комнаты между окном и зеркальным шкафом сидел парень лет четырнадцати в старой школьной форме. Должно быть, считалось, что парень сейчас делает уроки, на самом же деле он одну за другой зажигал спички, совал их, зажженные, в рот, а потом перед зеркалом шкафа выдыхал дым и делал страшные рожи. Алтынник стал за ним следить через зеркало. Парень чиркнул очередной спичкой, раскрыл рот и в этот момент встретился с отраженным в зеркале Алтынником. Он вздрогнул, закрыл рот, а спичку зажал в кулаке и, наверное, обжегся. Потом повернулся, и они оба бесконечно долго разглядывали друг друга.

Парень первый нарушил молчание.

— Мамка побегла в магазин, — сказал он.

— У-у, — промычал Иван в знак того, что все ясно, хотя ему ничего не было ясно.

— Ты в каком же классе? — спросил он парнишку.

— В восьмом.

«Ничего себе», — удивился Алтынник. Сам он окончил только семь классов.

— А зовут тебя как?

— Вадик.

— Молодец, — похвалил Алтынник и прикрыл глаза. Побаливала голова. То ли оттого, что он вчера немного перебрал, то ли оттого, что он, кажется, обо что-то вчера ударился. Было у него еще такое ощущение, будто из его памяти выпало какое-то очень важное звено, но он не мог понять, какое именно. Смутно помнилось, вроде он ночью что-то искал, не нашел, улегся на полу. Но как он попал в кровать? И в мозгу его слабо забрезжило воспоминание, что будто бы Людмила подняла его с пола и положила к себе в постель и между ними как будто что-то было, а она его потом спросила:

— Почему же ты говорил, что маланец?

А он спросил:

— Что такое маланец?

— Еврей.

— А почему ж маланец?

— Ну, сказать человеку «еврей» неудобно, — пояснила Людмила.

Теперь никак он не мог припомнить, приснилось ему это все или было на самом деле. Но думать не хотелось, и он вскоре уснул.

9

Когда он открыл снова глаза, Вадика в комнате уже не было. Решив, что уже поздно, Алтынник встал, надел штаны (они вместе с гимнастеркой висели на спинке стула перед кроватью), сунул ноги без портянок в сапоги и вышел в соседнюю комнату.

Старуха в разорванном под мышками ситцевом платье (нижняя рубаха выглядывала из-под него) стояла спиной к Алтыннику возле печи и, нагнувшись, раздувала самовар.

Алтынник подошел к старухе сзади и крикнул в самое ухо:

— Бабка, где тут у вас уборная?

— Ой, батюшки-светы! — вскрикнула старуха и подняла на Алтынника перепуганные глаза. — Ой, напужалто... Ты чего кричишь?

— Я думал, ты глухая, — махнул рукой Алтынник. Он поморщился. — Ой, бабка, мутит меня что-то, и голова вот прямо как чугун, честное слово.

— Похмелиться надо, — сочувственно улыбнулась бабка.

— Что ты, бабка! Какое там — похмелиться. Мне это вино и на глаза не показывай, и так там, внутре, как будто крысу проглотил, честное слово. Чего-нибудь бы холодненького испить бы, а, бабка?

— Кваску, — нараспев сказала старуха.

— А холодный? — оживился Алтынник.

— А как же. Чистый лед!

Алтынник обрадовался.

— Давай, бабка, быстрей, не то помру, — заторопил он. Старуха сбегала в сени и вернулась с трехлитровой бутылью красного свекольного кваса. Алтынник хватил целую кружку.

— У-уу! — загудел он довольно. — Вот это квас! Аж дух зашибает. Погоди, бабка, не уноси. Сейчас я сбегаю по малому делу, еще выпью, а то уже некуда, под завязку.

На улице было морозно и солнечно. Жмурясь от слепящего глаза снега, Алтынник пробежал через огород к уборной и обратно, ворвался в избу немножко оживший, выпил еще квасу, попробовал закурить, не пошло — бросил. Поинтересовался у старухи, не пришла ли Людмила.

— Да еще не верталась. — Старуха все возилась у самовара.

— А Вадик где же?

— Гуляет.

— А ну-ка, бабка, подвинься, я дуну, — сказал Иван и отодвинул бабку плечом.

У него дело пошло лучше, и скоро самовар загудел.

— Во́ как надо дуть, — не удержался и похвастал Алтынник. — Три раза дунул — и порядок. У меня, бабка, легкие знаешь какие. Смотри, как грудь раздувается. — Он действительно набрал полную грудь воздуха да еще и выпятил ее до невозможности. — Поняла? Ты, бабка, не смотри, что росту среднего. Я на гражданке лабухом был. В духовом оркестре учился. На трубе играл. Она маленькая, а играть потяжельше, чем на басу. На басу просто, хотя и здоровый. Знай только щеки раздувай побольше, ума не надо. А на трубе, бабка, губы покрепче сожмешь и вот так делаешь: пу-пу-пу. И звук получается, бабка, чистый, тонкий. Бас, он мычит, все равно что баран: бэ-э, бэ-э, а труба... — Алтынник взял в руки воображаемую трубу и стал перебирать пальцами, словно нажимал клавиши. Но только собрался изобразить он, какой звук издает труба, как во дворе заиграла гармошка и, приблизившись к дому, смолкла. В сенях загремели тяжелые чьи-то шаги. Дверь распахнулась, и на пороге появилась фигура огромного мужика в синем зимнем пальто и валенках, подвернутых у колен. На груди у него висела маленькая для его роста гармошка. Алтынник все еще держал руки, как будто собирался играть на трубе.

Вошедший, не обращая ни на кого внимания и не здороваясь, снял и поставил гармошку на лавку рядом с ведрами, взял в углу веник и стал не спеша обмахивать валенки.

— Ох, погодка хороша, — сказал он, видимо обращаясь к старухе.

— Один приехал? — спросила старуха.

— Один. Верушка простыла, температурит, ну, Нинка с ней и осталась. — Бросив веник на прежнее место, он прошел мимо Алтынника и сел к столу.

— А в прошлое воскресенье чего не приехал?

— А этого хоронили... как его... Ваську Морозова, — сказал он все в той же своей бесстрастной манере.

— Ай помер? — удивилась старуха.

— Ну. С прорабом своим древесного спирту нажрался. Прораб ослеп на оба глаза, а Васька... в среду это они, значит, выпили, а в четверг утром, Райка евонная рассказывает, на работу собирался. Нормально все, встал, умылся, завтракать она ему подала. Он сел, все как положено. «Радио, — говорит, — надо включить, время проверить». И потянулся к приемнику, а приемник от его так примерно с метр, нет, даже меньше, ну, сантиметров девяносто... Так потянулся он и вдруг как захрипит да брык со стула. Райка ему: «Вася, Вася», а Вася уже неживой.

— О господи! — вздохнула старуха. — Райка-то, чай, убивается?

— Сука, — махнул рукой мужик. — Она ж с этим... с Гришкой милиционером путалась. Вся улица знала. Да и Васька сам знал. Уж он, бывало, бил ее и к кровати привязывал, никакого внимания. А теперь, конечно, убивается. Невдобно ж перед людями.

Алтынник постоял немного и тоже сел. Исподволь стали друг друга разглядывать. Алтынник заметил, что у мужика много сходства с Людмилой, и догадался, что это, наверное, тот самый брат, который убил собаку. Оба неловко молчали. Старуха возилась у печки.

— А это кто? — неожиданно громко спросил мужик у старухи, показывая кивком на Алтынника, как будто Алтынник был для него какой-нибудь шкаф или дерево.

— А это к Людке приехал, — равнодушно объяснила старуха.

— Где ж это она его нашла?

— По переписке.

— А-а.

Мужик неожиданно шумно вздохнул, поднялся, шагнул к Алтыннику и протянул ему свою огромную лапу.

Алтынник вздрогнул, посмотрел на мужика снизу вверх.

— Чего? — спросил он, заискивающе улыбнувшись.

— Познакомимся, говорю.

— А-а. — Алтынник вскочил, пожал протянутую руку: — Иван.

— Очень приятно. Борис, — назвал себя ответно мужик.

Сели на свои места, постепенно стали нащупывать тему для разговора.

— В отпуск едешь? — спросил Борис.

— В командировку.

— Виатор? — уважительно не то спросил, не то просто отметил для себя Борис. — Я виацию не люблю. Шумит больно. Я служил в войсках связи поваром. Служба хорошая, только старшина вредный был.

Для любого солдата тема старшины неисчерпаема. Людмила вернулась как раз в тот момент, когда Алтынник, ползая по полу на карачках, показывал, как именно старшина де Голль учил молодых солдат мыть полы.

10

Людмила принесла с собой бутылку «Кубанской», сели завтракать. Как ни противно было Алтыннику смотреть на водку, пришлось пить. Бабка поставила на стол ту же жареную картошку, крупно нарезанные соленые огурцы и вчерашние пироги с грибами. Людмила села рядом с Иваном, вела она себя так, как будто ничего не случилось. Он искоса поглядывал на нее, пытался и не мог понять, было между ними что или просто ему приснилось.

Борис разлил водку — себе и гостю почти по полному стакану, сестре половинку, а матери самую малость для компании.

Иван этой водкой чуть не захлебнулся, выпил, правда, до дна, но потом стал долго и стыдно кашлять и морщиться.

— Не пошла, — с пониманием отнесся Борис.

— А ты закуси, Ваня, пирожком, — сказала Людмила и подала ему пирог. — Понравились ему твои пироги, — сказала она матери.

— Кому ж они не нравятся, — сказал Борис. — Фирменное блюдо. Вообще у нас, Ваня, жизнь хорошая. Грибов этих самых завал. Вот приезжай летом, возьмем два ружья, пойдем в лес. Грибов наберем, зайцев настреляем.

— Уж ты настреляешь, — засмеялась Людмила. — Ты за всю жизнь, окромя как в Тузика, ни в кого не попал, да и то потому, что он был привязанный.

— Ты ее не слушай, Ваня, — убеждал Борис. — Мы живем хорошо. Овощ свой, мясо — кабана вот скоро зарежем, свое молоко... Корову видал?

— Нет, — сказал Алтынник, — не видал.

— Пойдем покажу, — Борис вышел из-за стола.

— Да куда ж ты человека тянешь? — возмутилась Людмила. — Чего он — корову не видел?

— Твою не видел, — стоял на своем Борис. — Пойдем, Вань.

Алтыннику идти не хотелось, но и отказываться было вроде бы неудобно. Он встал.

— Борис! — повысила голос Людмила.

— Ну пущай посмотрит, — не сдавался Борис. — Может, ему интересно. Он же городской. Он, может, корову в жизни своей не видел, на порошковом молоке вырос.

— Ну что пристал к человеку, — поддержала Людмилу старуха, — сядь, тебе говорят.

— Ну ладно, — сдался Борис. — Давай, Ваня, допьем, а им больше не дадим.

Разлил остатки в два стакана, выпили.

— Мама, вы говорили, что он маланец, а он не маланец, — вдруг сказала Людмила и подмигнула Ивану.

Кровь бросилась Алтыннику в голову. Значит, все, что ему смутно припоминается, было на самом деле, не приснилось.

— Это он сам тебе сказал? — не поверила бабка.

— А он мне паспорт показывал, — сказала Людмила и бессовестно засмеялась.

Борис намека не понял и сказал:

— А у солдат паспортов не бывает. У них служебные книжки. Ваня, у тебя есть служебная книжка?

— А как же, — сказал Иван. — Вот она. — Он расстегнул правый карман и протянул документ Борису.

Борис взял служебную книжку и стал ее перелистывать. Людмила не удержалась и тоже заглянула через плечо матери.

— А чего это здесь написано? — удивилась она.

— А это размер ног, головы, — объяснил Борис и перелистнул страницу. — Особых отметок нету, — сообщил он и повернулся к Алтыннику: — Чего ж так? Хочешь, сейчас в поссовет пойдем, там Катька секретарем работает, и штампик тебе поставим?

— Еще чего — штампик, — возразил Алтынник. — Дай сюда.

Он забрал служебную книжку и положил на место, в карман.

— Мне и без штампа хорошо, — сказал он. — Молодой я еще для штампов.

— Сколько ж тебе годов будет? — поинтересовалась старуха.

— Двадцать три.

— Молодой, — недоверчиво сказала старуха. — Молодой не молодой, а семьей надо обзаводиться, детишками. Это ж какая радость — детишки.

— Людмила, — сказал Борис, — у тебя спирту нет?

— Нет, — сказала Людмила. — Немного оставалось, вчера выпили.

— Поди-ка сюда. — Борис отозвал ее в соседнюю комнату и о чем-то с ней говорил, судя по всему, просил денег, а Людмила отказывала. Потом они вместе вышли.

— Пойдем, Ваня, прогуляемся, — предложил Борис. — Посмотришь наш поселок, а то ж ночью небось ничего не видал.

— Пойдем, — согласился Иван.

11

В небольшом магазине напротив станции выпили они еще по полстакана водки и по кружке бочкового подогретого пива. Зашли на станцию проверить расписание и выпили там в буфете по стакану красного. На обратном пути завернули опять в магазин, взяли еще по кружке пива. Бутылку «Кубанской» Борис запихал в левый внутренний карман пальто.

— Во́, Настёнка, — похлопав себя по тому месту, где выпирала бутылка, — сказал Борис продавщице, — грудь побольше, чем у тебя. Еще б сюда бутылку — и можно в самодеятельности бабу играть.

— А чего ж не возьмешь еще? — спросила Настёнка.

— Время не хватает, — пошутил Борис и пошевелил пальцами, словно пересчитывая деньги.

Назад пошли напрямую, по тропинке через какие-то огороды. Тропинка была узкая, левой ногой Алтынник шел нормально, а правой попадал почему-то в сугроб. «Видно, обратно косею», — подумал он безразлично.

Вернувшись, сели опять за стол. Алтынник выпил еще полстакана и после этого помнил себя уже смутно.

Почему-то опять разговор зашел насчет возраста.

— А мне вот скоро тридцать пять годов будет, — сказала Людмила, — а никто мне моих годов не дает. Двадцать шесть, двадцать восемь от силы.

— Еще взамуж десять раз выйдешь, — сказал Борис.

— А у нас Витька Полуденов, — вмешалась в разговор бабка, — со службы пришел, взял за себя Нюрку Крынину, а она на двадцать лет его старше и с тромя ребятами. И живут меж собой лучше не надо.

Алтынник насторожился. Он понял, куда клонит бабка. Ему стало весело, и он сказал:

— Ишь, бабка-хитрюга. Думаешь, я не понимаю, к чему ты все это гнешь? А хошь вот я, — он хлопнул ладонью по столу, — на тебе женюсь? — Он повернулся к Борису: — А, Борис? А ты меня будешь звать папой и будешь нам с бабкой платить алименты по старости лет.

Эта мысль показалась ему настолько смешной, что он долго не мог успокоиться и трясся от мелкого, может быть, нервного смеха. Но его никто не поддержал, а наоборот, все трое насупились и недоуменно переглядывались. Поняв, что сказал бабке что-то обидное, он перестал смеяться. Старуха сидела, поджав тонкие губы.

— Что, бабка, обиделась? — удивился Алтынник.

— Еще б не обижаться, — сказал вдруг Борис. — Нешто можно старому человеку глупости такие говорить?

— Фу-ты ну-ты, — огорчился Алтынник. — Что за народ пошел. Мелкий, пузатый, обидчивый. В рожу плюнешь — драться лезет. Я ж пошутил просто. Характер у меня такой веселый: люблю пошутковать, посмеяться. Ты говоришь, этот ваш... как его... взял на двадцать лет старше, а я тебе говорю: давай, мол, бабка, с тобой поженимся. Ну ты, конечно, не на двадцать годов меня старше, потому что у тебя дочь мне все равно как мать. А жениться, бабка, мне еще ни к чему. Я, бабка, еще молодой. Двадцать три года. Можно сказать, вся жизнь впереди. Вот армию отслужу, пойду в техникум, после техникума в институт. Инженером, бабка, буду.

Ему вдруг стало так грустно, что захотелось плакать. И говорил он все это таким тоном, как будто к трудному и тернистому пути инженера его приговорили и приговор обжалованию не подлежит.

Людмила, сидевшая рядом с Алтынником, на эти его слова реагировала самым неожиданным образом. Она вдруг встала, покраснела и изо всей силы грохнула вилку об стол. Вилка отскочила, ударилась в оконное стекло, но, не разбив его, провалилась на пол между столом и подоконником.

— Ты чего, Людка? — вскочил Борис.

— Ничего, — сказала она и кинулась в соседнюю комнату.

Борис пошел за ней. Бабка молча вздохнула и стала собирать посуду. Алтынник сидел растерянный. В его мозгу все перемешалось, и он никак не мог понять, что здесь произошло, кого и чем он обидел. Бабка собрала посуду и стала мыть ее возле печки в тазу с теплой водой. За дверью соседней комнаты слышен был глухой голос Бориса, он звучал монотонно-размеренно, но ни одного слова разобрать было нельзя, хотя, правда, Алтынник особенно и не пытался. Потом послышался какой-то странный, тонкий, прерывистый звук, как будто по радио передавали сигнал настройки музыкальных инструментов.

— Ну вас! — махнул рукой Алтынник и уронил голову на стол. Но стоило ему только закрыть глаза, как в ту же секунду он вместе со стулом и со столом начинал переворачиваться, он хватался за край стола, рывком поднимал голову — и все становилось на место.

Дверь из соседней комнаты отворилась, вошел Борис. Он сел за стол на свое место, взял рукой из тарелки кусок огурца и начал жевать.

— Чего там такое? — спросил Алтынник не потому, что это ему было действительно интересно, а просто как будто бы полагалось.

— Чего ж чего? — Борис развел руками. — Обиделась на тебя Людка.

— С чего это вдруг? — удивился Алтынник.

— Не знаю, — Борис пожал плечами. — Тебе лучше знать. Вчерась обещал на ней жениться, а теперь и нос в сторону.

— Кто? Я обещал? — еще больше удивился Иван. — Я, что ли?

— Вот тебе на! — Алтынник подпер голову рукой и задумался. Неужто вчера по пьянке что-то такое он ляпнул? Да вроде не может этого быть, и на уме такого у него никогда не было. — Ишь ты, жениться, — бормотал он. — Еще чего! Делать нечего. Да если б я захотел... любая девчонка... У меня на гражданке была восемнадцать лет... Художественной гимнастикой занималась. Очки носила минус три...

Борис молча жевал огурец, не обращая никакого внимания на слова Алтынника, и выбивал пальцами на столе барабанную дробь.

Алтынник посмотрел на него, встал и пошел в соседнюю комнату. Людмила лежала поперек кровати животом вниз и тихонько скулила. Именно этот скулеж и показался Алтыннику похожим на сигнал настройки.

— Э! — Алтынник отодвинул ее ноги в сторону, сел и потряс ее за плечо. Она продолжала скулить на той же ноте.

— Слышь, Людмила, перестань, — дергал ее за плечо Алтынник. — Я это самое... не... не... — язык у него заплетался, — не люблю, когда плачут.

— И-и-и-и-ииии, — выла Людмила.

— Вот тоже еще завела свою музыку! — Алтынник в досаде хлопнул себя по колену. — Слышишь, что ли, Людмила? Ну чего плакать? Ведь можно и по-человечески поговорить. Ты говоришь — жениться я на тебе обещался?

Людмила перестала выть и прислушалась.

— А я вот не помню. И не помню, было у нас чего или не было, честное слово. Потому что пьяный был. Ну а по пьяному делу, сама знаешь, мало ли чего можно сказать или сделать. Ведь ты, Людмила, взрослая женщина. Ты старше меня, и намного старше, Людмила. Ты, если правду говорить, по существу мне являешься мать.

Услышав последние слова, Людмила выдала такую высокую ноту, что Алтынник схватился за голову.

— Ой, что же это такое! — закричал он. — Людмила, перестань, я тебя прошу, Людмила. Ну, если я тебе обещал, я готов, Людмила, пожалуйста, хоть сейчас, но и ты войди в мое положение, пожалей меня. Я ведь, Людмила, еще молодой, я хочу учиться, повышать свой кругозор. Зачем тебе губить молодую жизнь? Найди себе какого ни то мужичка, подходящего по твоему возрасту, а я еще к семейной жизни не подготовлен, у меня об этом деле никакого понятия...

Не меняя в своей песне ни одной ноты, Людмила поднялась, села на кровати, спустив ноги на пол, и продолжала выть, широко раскрыв рот и бессмысленно пуча глаза в пространство.

Алтынник отбежал в сторону, прижался к стене. Не смолкая ни на секунду, Людмила стала не спеша отрывать от своей кофточки по кусочку кружева, словно лепестки ромашки: любит, не любит... «С ума сошла!» — похолодел Алтынник. Он выскочил в соседнюю комнату. Борис по-прежнему сидел за столом, но теперь он жевал пирог.

— Борис! — закричал Алтынник.

— Чего? — равнодушно спросил Борис.

— Людмиле плохо. Воды!

— Вон налей, — Борис невозмутимо показал глазами на графин.

У Ивана тряслись руки, и половину воды он пролил мимо стакана. Со стаканом вернулся в горницу. Кружевная кофточка Людмилы за это время уже сильно уменьшилась в размере.

— Людмила, — ласково сказал Иван, — на-ко вот, выпей водички, и все пройдет.

Он схватил одной рукой ее голову, а другой пытался влить в рот воду, но оттого, что дрожали руки, только бил ее стаканом по зубам, а вода лилась ей на грудь.

Резким движением она вышибла стакан из его руки, стакан ударился о спинку кровати и вдребезги разбился.

— И-и-и-и-и-иии!

Терпение Алтынника кончилось. Он выбежал за дверь.

— Всё! — закричал он Борису. — Уезжаю. К чертовой матери! Где мой чемодан?

— Где его чемодан? — спросил Борис у матери, подметавшей пол тем самым веником, который ночью Алтынник использовал вместо подушки.

— Там, — сказала старуха, махнув веником в сторону двери.

— Там, — повторил Борис.

Алтынник подошел к двери, но у порога остановился. Звук, доносившийся из горницы, вызвал у него дрожь в коленях.

— Борис! — взмолился Иван. — Скажи ей, что я согласный. Что я на ей женюся прямо сейчас. Как говорится, предлагаю ей руку и сердце. Руку и сердце, — повторил он и засмеялся: эта фраза показалась ему смешной.

И у него вдруг все поплыло перед глазами, закружилось в бешеном темпе, он еле дошел до стула, уронил на стол голову и тут же уснул.

12

— Эй, вставай, что ли!

Кто-то тряс Алтынника за плечо.

С трудом разлепив веки, он увидел перед собой Бориса.

— Вставай, Ваня, пойдем, — ласково сказал Борис.

— Куда? — не понял Алтынник.

— Да в поссовет же.

— Зачем?

— Забыл, что ли? — Борис сочувственно улыбнулся.

Алтынник потер виски и увидел Людмилу. Людмила красила губы перед зеркалом, которое держала старуха. Лицо Людмилы было густо напудрено, особенно под глазами, но следы недавней истерики оставались. Пока Алтынник спал, она еще раз переоделась. Теперь на ней был синий костюм и новая белая блузка под жакеткой, встретишь на улице, подумаешь — из райкома.

Алтынник мучительно пытался и не мог никак вспомнить, куда он собирался идти с этими людьми и какое отношение к нему, военному человеку, имеет их поссовет.

— Пойдем, что ли, — нетерпеливо сказал Борис.

— Пойдем.

Ничего не вспомнив (но раз говорят, значит, нужно), Алтынник встал и, сильно шатаясь из стороны в сторону, пошел к выходу.

— Погоди, — остановил его Борис. — Шинелку надень. Ишь, разбежался. На улице-то, чай, не лето.

Борис подал шинель, и Алтынник долго тыкал руками куда-то, где должны были быть рукава, и все никак не мог попасть. Наконец все обошлось.

— Вот так, — говорил Борис, застегивая на Иване шинель. — Вот застегнем все крючки, теперь ремёшек наденем, пилоточку поправим — на два пальца от левого уха. Людмила, поддержи-ка его пока, чтоб не упал. — И, пока Людмила поддерживала, отошел на два шага, оглядел Алтынника критическим взглядом и был удовлетворен полностью. — Ну, теперь полный порядок, хоть на парад на Красную площадь. На параде на Красной площади не был?

— Нет, — сказал Алтынник.

— Будешь, — пообещал Борис.

Вышли на улицу. Борис шел впереди и играл на гармошке, Алтынник в двух шагах держал взглядом спину Бориса и все время водил головой, потому что ему казалось — спина у Бориса куда-то уплывает, и он боялся сбиться с дороги. За Алтынником шла Людмила, покрасневшая от вина и от слез и возбужденная предстоящим событием.

То и дело к дороге выходили какие-то люди. Выползали старухи, черные, как жуки. Никогда Алтынник не видел одновременно столько старух. Они смотрели на процессию с таким удивлением, как будто по улице вели не Алтынника, а медведя.

— Милок, — спросила Бориса одна старуха, — куды ж это вы его, болезного, ведете?

— Куды надо, — растягивая гармошку, ответил Борис.

Дошли до какой-то избы. Здесь Борис дал Людмиле подержать гармошку, а сам прошел внутрь. Вскоре он вернулся с какой-то девушкой. На ней была новая телогрейка и клетчатая шаль, похожая на одеяло.

— А он согласный? — кинула девушка беглый взгляд на Алтынника.

— А как же, Катя, — заверил Борис. — Чай, не жулики мы какие, сама знаешь. Всю жизнь по суседству живем. Сам приехал, говорит, руку и сердце... Скажи, Ваня.

— Сердце? — переспросил Алтынник. — А чего сердце? — И вдруг запел: — «Сердце, тебе не хочется покоя...»

— Ну пойдемте, — сказала Катя.

Дошли еще до какой-то избы. На ней была вывеска. Пока Катя притопывала от холода и гремела ключами, открывая замок, Алтынник пытался и не мог прочесть вывеску. Буквы прыгали перед глазами, никак не желая соединиться в слова. Тогда он попытался с конца и прочел: «... путатов трудящихся».

— Что такое «путатов»? — громко спросил он у Людмилы.

— Заходи, — сказал Борис, пропуская его вперед.

Пропустив затем и Людмилу, Борис вошел сам и закрыл за собой дверь.

Небольшое холодное помещение было загромождено двумя письменными столами, железным сейфом, закрывавшим половину окна, и рядом сколоченных между собой стульев вдоль боковой стены.

— Это что здесь, милиция? — спросил Алтынник.

— Милиция, — сказал Борис и, слегка надавив ему на плечи, усадил на крайний стул возле двери.

Людмила стояла возле стола и — то ли от холода, то ли от возбуждения — мелко постукивала зубами.

Девушка открыла сейф, вынула и положила на стол толстую книгу типа бухгалтерской и какие-то бланки. Потыкала ручкой чернильницу, но чернила замерзли.

— На, Катя, — Борис протянул ей свою авторучку.

— Где у него служебная книжка? — спросила Катя.

— Ваня, где у тебя служебная книжка? — ласково спросила Людмила.

Алтынник открыл один глаз:

— Какая книжка?

— Служебная. Ты ж ее вынимал. Борис, не помнишь, куда он ее положил?

— Должна быть в правом кармане, — подумав, рассудил Борис. — В левом — партийный или комсомольский билет, в правом — служебный документ.

Он подошел к Ивану, расстегнул правый карман, и книжка очутилась на столе перед Катей.

Катя долго дула на замерзший прямоугольный штамп, потом приложила его к книжке и с силой придавила двумя руками.

В этот момент Алтынник на миг протрезвел и понял, что происходит что-то непоправимое, какое-то ужасное шарлатанство.

— Э-э! Э! — закричал он и захотел подняться, но только оторвался от стула, как почувствовал, что пол под его ногами стал подниматься к потолку и одновременно переворачиваться. Алтынник быстро ухватился за спинку стула, сел и махнул рукой. И он не помнил, как подносили ему бумагу, вложили в пальцы авторучку и водили его рукой...

13

Потом справляли свадьбу — не свадьбу, но что-то похожее было. Был стол, выдвинутый на середину комнаты, были какие-то гости. Пили «Кубанскую», красное и разбавленный самогон. Алтынник сидел во главе стола рядом с Людмилой, и гости кричали «горько». Он послушно поднимался и подставлял губы невесте, хотя и было противно.

Борис играл на гармошке. Толстая, лет сорока пяти баба плясала и дергала за веревку спрятанную под юбкой палку и выкрикивала частушки похабного содержания. Потом какой-то парень, дружок Бориса, в косынке и переднике изображал невесту. Гости смеялись.

Мать Людмилы хлопотала у стола, следя, чтобы всем всего хватило и чтобы никто не взял ничего лишнего.

Потом Людмила плясала с Борисом, и на гармошке играл парень в косынке.

Рядом с Алтынником на месте Людмилы сидел пожилой человек в старом военном кителе без погон. Это был местный учитель, и его имя-отчество было Орфей Степанович.

— Я, Ваня, тоже служил в армии. — Он придвинулся к уху Алтынника. — До войны еще служил. Да. Людей расстреливали. Мне, правда, — он вздохнул, — не пришлось.

— А чего ж так? — удивился Алтынник.

— По здоровью не прошел, — Орфей Степанович развел руками. — А у меня, Ваня, дочь тоже замужем за майором. В Германии служит. Вот китель мне подарил. А с женой я развелся. Ушла она от меня, потому что я пьяница. Суд был, — сказал он уважительно.

— А трудно разводиться? — поинтересовался Алтынник.

— Ерунда, — сказал Орфей Степанович и уронил голову в тарелку с салатом.

Потом Алтынник каким-то образом очутился на огороде за баней, и его рвало на белом, как сахар, снегу. Черная облезлая собака тут же все подбирала, и Алтынник никак не мог понять, откуда взялась эта собака.

Потом появилась откуда-то Людмила. Протянув руку Алтынника через свое плечо, она пыталась его сдвинуть с места и ласково говорила, как маленькому:

— Тебе нехорошо, Ваня. Пойдем домой, постелим постельку, ляжешь спатки. Тебе завтра рано вставать.

— Уйди! — Он мотал головой и хватался за живот. Его еще мучили спазмы, но рвать уже было нечем, а собака, не зная этого, отбежав на два шага, виляла хвостом и голодными глазами с надеждой смотрела Алтыннику в рот.

— Пошла вон! — топнула ногой Людмила.

Собака отбежала еще на шаг и теперь виляла хвостом с безопасного расстояния.

Потом Людмила тащила его на себе через весь огород, а он вяло перебирал ногами. На крыльце он все-таки задержался. На улице вдоль забора стояли и смотрели на него, Алтынника, черные, похожие на ту собаку за баней старухи. Они заискивающе улыбались, надеясь, что если и не пригласят, то по крайности, может быть, вынесут угощение. Не потому, что были голодные, а ради праздника.

На крыльце Алтынник оттолкнул от себя Людмилу.

— Эй, бабки! — закричал он, делая руками какие-то непонятные круговые движения. — Валите все сюда! Гулять будем! Алтынник женится!

Он попытался изобразить что-то вроде ритуального индейского танца, но потерял равновесие и чуть не свалился с крыльца, спасибо, Людмила вовремя подхватила.

Старухи дружно загомонили и тут же повалили в калитку, словно прорвали запруду.

— Да куды ж вы, окаянные, лезете! — закричала Людмила, подпирая Алтынника плечом и подталкивая к двери. — Стыда на вас нету!

— Хозяин приглашает, — округляя «о» в слове «хозяин» и ставя ногу на крыльцо, упорствовала возглавлявшая шествие маленькая старуха с выдвинутым вперед подбородком.

— Хозяин, хозяин, — передразнила Людмила. — Хозяин-то вон на ногах не стоит, а вам лишь бы попить да пожрать на чужой счет, бессовестные!

Она втолкнула Алтынника в сени и захлопнула дверь перед самым носом маленькой старухи, и за дверью слышен был еще глухой недовольный гомон.

В комнату Алтынник вполз чуть ли не на карачках. Из круговорота множества лиц, сливающихся в одно, выплыл со стаканом в руке Орфей Степанович.

— Выпей, Ваня, винца, полегчает, — говорил он, тыча стаканом Алтынника в нос.

От одного только вида водки Алтынника перекосило всего, он зарычал по-звериному и отчаянно замотал головой.

— Уйди, ненормальный! Уйди! — закричала Людмила учителю и ткнула в лицо ему маленьким своим кулачком. Из носа Орфея Степановича хлынула кровь и потекла на китель. Орфей Степанович неестественно задрал голову вверх и пошел, как слепой, к столу, в вытянутой руке держа перед собой стакан.

Появились Борис и Вадик. Вдвоем подхватили они Алтынника под руки, втащили в соседнюю комнату. Людмила забежала вперед, сдернула с кровати одеяло, и Алтынник повалился в пуховую перину, как в преисподнюю. Последнее, что он помнил, это как кто-то стаскивал с него сапоги.

Не успел он заснуть, как его разбудили.

— Ваня, вставай. — Над ним стояла Людмила.

Под потолком горела лампочка без абажура. За окном было черно.

— Сейчас утро или вечер? — спросил Алтынник.

— Полвторого ночи, — сказала Людмила. — Скоро поезд.

Он послушно спустил ноги с кровати. Одеваться было трудно. Болела голова, жгло в груди и дрожали руки. А когда наклонился, чтобы намотать портянку, так замутило, что чуть не упал. Кое-как все же оделся и вышел в другую комнату. Старуха, босая и в нижней рубахе, хлопотала возле стола.

— Позавтракай, Ваня, — сказала она.

На столе стояла сковородка с яичницей, пироги, полбутылки водки.

Алтынника передернуло.

— Что ты, бабка, какой там завтрак.

Он встал под рукомойник и нажал затылком штырек. Вода медленно текла по ушам и за шиворот. Потом он отряхнулся, как собака, и вытер лицо поданным ему бабкой полотенцем. Выпил ковшик воды из ведра. Вода была теплая и пахла железом. И от нее как будто он снова слегка захмелел. Повесил ковшик на ведро и долго стоял, бессмысленно глядя на стену перед собой.

— Пойдем, Ваня, — тронула его за рукав Людмила.

Он надел шинель, нахлобучил пилотку, тронул рукой — звездочка оказалась сзади, но поправлять не хотелось, каждое движение давалось с трудом. Взял чемодан. Бабка сунула ему узелок из старой, но чистой косынки.

— Чего это? — спросил он.

— Пироги с грибами. — Бабка заискивающе улыбнулась.

— Ой, бабка, — скривился Алтынник, — на кой мне эти ваши пироги?

— Ничего, ничего, в дороге покушаешь, — сказала Людмила. Она взяла у бабки узел и отворила дверь.

Алтынник помотал головой, протянул бабке руку.

— До свидания, бабка. — И первым вышел на улицу.

На улице потеплело и стоял густой липкий туман. Иван шел впереди, ноги расползались в отмерзшей под снегом глине, он осторожно переставлял их, думая только о том, чтобы не упасть — потом не встанешь.

Людмила сзади старалась ступать след в след.

На станции Людмила едва успела сбегать к кассирше прокомпостировать билет — подошел поезд. Алтынник поднялся в тамбур, встал рядом с проводницей у открытой двери.

— Возьми пироги, — Людмила подала ему узел.

Он вздохнул, но взял.

Людмила стояла внизу, маленькая, жалкая и, держась за поручень, смотрела на Ивана преданными глазами. Он молчал, переминался с ноги на ногу, ожидая, когда дадут отправление.

Дежурный ударил в колокол. Зашипели тормоза, поезд тронулся. Людмила, держась за поручень, осторожно, боясь поскользнуться, пошла рядом.

— Уж ты, Ваня, не забывай, пиши почаще, — сказала она, — а то мы с мамой будем волноваться. А если что будет нужно из еды либо одежи, тоже пиши.

Алтынник поколебался — сказать, не сказать. Потом решил: была не была, наклонился и прокричал:

— Ты меня, Людмила, не жди! На том, что вы со мной сделали, я ставлю крест и больше к тебе не вернусь.

— Ах! — только успела раскрыть рот Людмила, но тут же ей пришлось отцепиться — поезд убыстрял ход.

14

Прошло, может быть, месяца три с тех пор, как Алтынник с тяжелой головой покинул станцию Кирзавод, выполнил свое командировочное задание и вернулся в родную часть. О том, что с ним за это время произошло, Алтынник никому не рассказывал, и никто не заметил в нем никаких перемен, кроме, пожалуй, Казика Иванова, который обратил внимание на то, что Алтынник совершенно перестал писать письма, но сам Казик никакого значения своему открытию не придал.

Письма от заочниц Алтыннику еще поступали. Некоторые он просматривал, другие выбрасывал не читая. Не писал он, конечно, и Людмиле, и она тоже молчала.

На октябрьские праздники демобилизовались последние однополчане, кому вышел срок в этом году. Теперь Алтынник стал самым старослужащим, вышел, как говорят, на последнюю прямую. Последний год стал он тяготиться службой, надоело, считал дни, а дней оставалось неизвестно сколько, могут отпустить пораньше, а могут и задержать. Работы на аэродроме последнее время он избегал, все время старался попасть в наряд дежурным по летной столовой, по штабу или в худшем случае по эскадрилье. Так и кантовался он — лишь бы день до вечера, сутки в наряде, сутки свободен и снова в наряд.

О женитьбе своей среди хлопот армейской жизни он иногда забывал, иногда она казалась ему просто кошмарным сном. Но убедиться в том, что это ему не приснилось, было совсем нетрудно, сто́ило только достать из кармана служебную книжку и открыть на странице «особые отметки».

Конечно, можно было протестовать против незаконного заключения брака, но Алтынник не верил, что жалобами можно чего-либо достичь. Как бы не было еще хуже, потому что он трижды и грубейшим образом нарушил армейские законы. Во-первых, сутки фактически пробыл в самоволке, а самовольная отлучка свыше двух часов считается дезертирством. Во-вторых, напился пьяный, что тоже запрещено. И в-третьих, женился без разрешения командира части.

Пытался он свести штамп вареным яйцом — не получилось, думал залить чернилами — побоялся, что посадят за подделку документов.

Осталось ему ждать, что рано или поздно обман раскроется или что доживет он как-нибудь до демобилизации, а там сменит служебную книжку на чистый паспорт — и прощайте, Людмила Ивановна.

15

Однажды, вскоре после Нового года, был он в наряде дежурным по эскадрилье. Был понедельник, вегетарианский день (солдаты называют его итальянский) и день политзанятий. После завтрака эскадрилью построили и увели в клуб смотреть тематический кинофильм «Защита от ядерного нападения». Двух дневальных после уборки старшина де Голль увел на склад ОВС получать белье для бани. Алтынник еще раз обошел все комнаты казармы, проверил заправку постелей, поправил сложенные треугольником полотенца и вышел в коридор. Дневальный Пидоненко возле входа в казарму сидел верхом на тумбочке и ковырял ее вынутым из ножен кинжалом.

— Пидоненко, — сказал ему Алтынник, — смотри, Ишты-Шмишты должен зайти, увидит, что сидишь, двое суток влепит без разговоров.

— Не бойсь, не влепит, — сказал Пидоненко. — Приказ командира дивизии — техсостав не сажать.

— Это летом, — возразил Алтынник, — когда много полетов. А сейчас полетов нет, кому ты нужен.

Однако настаивать он не стал, да и Пидоненко его не очень-то бы послушал. В авиации и офицеров не больно боятся, а о младшем сержанте и говорить нечего.

Алтынник ушел к себе в комнату и, расстегнув верхний крючок шинели, прилег на свою койку на нижнем ярусе, шапку сдвинул на лоб, а ноги в сапогах пристроил на табуретку. В казарме было жарко натоплено, клонило в сон. Но только он закрыл глаза, как в коридоре раздался зычный голос Пидоненко:

— Эскадрилья, встать! Смирно! Дежурный, на выход!

Трахнувшись головой о верхнюю койку, Алтынник вскочил, быстро поправил постель, шапку, застегнул крючок шинели и, опрокинув табуретку, выскочил в коридор.

Пидоненко по-прежнему сидел верхом на тумбочке, болтал ногами, и лицо его выражало полное удовлетворение, оттого что так ловко удалось провести дежурного.

— Дурак, и не лечишься, — сказал Алтынник и покрутил у виска пальцем. Он хотел вернуться в казарму, но Пидоненко его окликнул:

— Алтынник!

— Чего? — Алтынник смотрел на него подозрительно, ожидая подвоха.

— Тебе Казик письмо принес.

— Ну, давай заливай дальше.

— Не веришь, не надо. — Пидоненко вытащил из-под себя мятый конверт, стал вслух разбирать обратный адрес: — Станция... не пойму. Пивзавод, что ли?

— Дай сюда! — кинулся к нему Алтынник.

Если б он просто сказал, равнодушно, Пидоненко бы отдал. А тут ему захотелось подразнить дежурного, он соскочил с тумбочки, отбежал в сторону.

— Нет, нет, ты сперва спляши. Кто это? «Алтынник, — прочел он. — Л. И.». Жена, что ли?

— Дай, тебе говорят! — Расставив руки, Алтынник пошел на него. Началась беготня. Опрокинули тумбочку. В конце концов договорились, что Пидоненко отдаст письмо за четыре (по числу углов на конверте) удара по носу. С красным носом, выступившей слезой и конвертом в руках Алтынник вернулся в свою комнату и у окна дрожащими от волнения руками вскрыл письмо.

«Привет со станции Кирзавод!!! Здравствуй, дорогой и любимый супруг Ваня, с приветом к вам ваша супруга Людмила, добрый день или вечер!

Настоящим сообщаю, что мы живы и здоровы, чего и вам желаем в вашей молодой и цветущей жизни, а также в трудностях и лишениях воинской службы.

У нас, Ваня, все хорошо. Учитель Орфей Степанович, которого видели вы на нашей свадьбе, в нетрезвом виде попал под поезд, ввиду чего на похороны приезжала его дочь Валентина из Германской Демократической Республики. Она плакала и убивалась. На октябрьские зарезали кабана, так что теперь живем с салом и мясом, одно только горе, что вы живете не поблизости и ничего нам не пишете вот уже целых три месяца. Мама все спрашивает, когда конец вашей армейской службе, а Вадик мне говорит: мама, можно я дядю Ваню буду называть папа? А вы как думаете, а???! О себе кончаю.

Погоды у нас стоят холодные, много снега. Старики говорят, что урожай будет обильный. Борис вступил в партию КПСС, потому что перевели его на должность главным бухгалтером и работа очень ответственная.

К сему остаюсь с приветом
ваша любимая супруга Людмила.

P. S. Ваня, приезжайте скорее, мама на пекла пирогов с грибами, они вас дожидаются».

Не желая откладывать этого дела, Алтынник тут же примостился на тумбочке и составил ответ:

«Людмила, во первых строках моего маленького послания разрешите сообщить вам, что наш законный брак считаю я недействительным, потому что вы с вашим братом Борисом (а еще коммунист!) обманули меня по пьяному делу, ввиду чего я считаю брак недействительным и прошу больше меня не беспокоить.

С приветом не ваш Иван.

P. S. А насчет пирогов, кушайте их сами».

Фамилию адресата написал он не Алтынник, а Сырова.

Письмо это он отдал Казику Иванову, но попросил при этом отправить его через гражданскую почту доплатным.

После этого затаился и стал ждать возможных неприятностей. И через две недели получил новое письмо. Людмила писала так, как будто ничего не случилось:

«Ваня, ваше письмо по лучили, большое спасибо. У нас все по-старому. Мама немного болели верхним катаром дыхательных путей, теперь по правились. Соседа нашего Юрку Крынина ударило током, когда он починял телевизор. Наши мужики за копали его в землю, а надо было делать искусственное дыхание рот в рот, в результате чего летальный исход не избежен.

Ваня, я хочу сообщить вам огромную радость, которая переполняет всю мою душу и сердце. У нас будет... ребенок!!! Как вы на это смотрите, а???»

Алтынник на это посмотрел так, что в глазах у него потемнело. В своем ответе он написал:

«Людмила, вы эти свои шутки бросьте, потому что мы были с вами только один раз и то еще неизвестно. От чего вы должны были предохраняться, если на себя не надеялись. Тем более что с незнакомым мужчиной, с которым до этого не были лично знакомы, а знакомство было на основании взаимной переписки, куда вы подложили фото, где вы снимались до Революции. А если у вас будет ребенок, то он будет не мой, что может показать судебная экспертиза, вы являетесь медиком по здоровью населения и должны это хорошо себе знать и зарубить на своем носу. А от пирогов ваших меня давно тошнит, к чему и остаюсь не ваш Иван».

Это письмо он также отправил доплатным. Несмотря на это, она продолжала регулярно писать, аккуратно отделяя приставки от остальных частей слова и сообщая Алтыннику станционные новости, с кем что случилось. И даже когда Алтынник перестал отвечать на ее письма и перестал их читать и, не читая, вкладывал в конверт и отправлял доплатным, Людмила не отчаялась, не опустила руки, а продолжала писать с завидной настойчивостью. 23 февраля получил Алтынник от нее поздравительную телеграмму, а на 1 Мая пришла посылка, которую он получать отказался и не поинтересовался, что в ней находится, но думал, что там пироги с грибами, и, наверно, не ошибся.

16

Летом полк переехал в лагеря в деревню Граково.

Сезон начался с летних происшествий. Один летчик заблудился в воздухе, израсходовал керосин и сел в чистом поле за сорок километров от аэродрома с убранными шасси.

Самолет списали.

Другой летчик сломал на посадке переднюю ногу шасси, выворотил пушки, одна из которых пробила керосиновый бак. Когда взломали заклинивший фонарь кабины, летчик сидел по горло в керосине, хорошо, что еще не загорелся.

Для расследования происшествий приезжала высокая комиссия во главе с генералом. Целыми днями генерал в длинных синих трусах лазил с бреднем по местной речке Граковке, а по ночам играл в преферанс со старшими офицерами. Проиграл, говорят, четыре рубля.

Что касается происшествий, то по ним комиссия составила заключение, что виной всему слабая воинская дисциплина. За то, что летчики не умеют летать, досталось больше всего, конечно, срочной службе. Рядовой и сержантский состав лишили на месяц увольнений. Правда, ходить все равно было некуда: в деревне одни старухи, а несколько молодых девчонок, которые там еще оставались, все работали в части поварами и официантками в летней столовой. Официантки солдатами и сержантами пренебрегали, летом им хватало и офицеров.

Но километрах в трех от деревни была станция — тоже Граково, и совхоз «Граково». Там у Алтынника была знакомая девушка по имени Нина. Ей было семнадцать лет, и она училась в десятом классе. У Алтынника были на Нину серьезные виды, и он нетерпеливо ждал, когда кончится этот проклятый месяц и можно будет вырваться в увольнение.

И вот наконец этот день настал. В субботу после полетов семь человек выстроились на линейке перед палатками. Старшина де Голль, заложив руки за спину, прошел перед строем, проверяя чистоту подворотничков, блеск пуговиц и сапог. Остановился напротив Алтынника и долго его разглядывал. Алтынник весь напрягся: сейчас старшина к чему-нибудь придерется.

— Алтынник, — сказал старшина, — комэска тебя вызывает.

— Зачем? — удивился Алтынник.

— Раз вызывает, значит, нужно.

Майора Ишты-Шмишты нашел он в беседке напротив штаба, где у летчиков бывал разбор полетов, а у механиков политзанятия. На восьмигранном столике перед майором лежали шлемофон с очками, планшет и толстый журнал, куда майор, высунув от напряжения язык, записывал сведения о последнем летном дне.

Если бы Алтынник встретил майора на улице в гражданском костюме, он никогда не поверил бы, что этот тучный, обрюзгший, с бабьим лицом человек летает на реактивном истребителе и считается одним из лучших летчиков во всей дивизии. Впрочем, многие считали майора дураком, потому что он ездил на велосипеде, в отличие от других летчиков, имевших автомобили.

Отпечатав, как положено, три последних шага строевым, Алтынник вытянулся перед майором и кинул ладонь к пилотке:

— Товарищ майор, младший сержант Алтынник по вашему приказанию прибыл.

На секунду оторвавшись от журнала, майор поднял глаза на Алтынника и покачал головой.

— Ишь ты, шмиш ты, надраился, как самовар. В увольнение собираешься?

— Так точно, товарищ майор! — рявкнул Алтынник.

— Пьянствовать думаешь? — Майор склонился над журналом.

— Никак нет!

— А может быть, у тебя свидание с девушкой?

— Так точно! — Алтынник интимно улыбнулся в том смысле, что, дескать, мы, мужчины, можем понять друг друга. Но майор этой улыбки не видел, потому что писал.

— Так-так. — Майор перевернул страницу и стал строчить дальше. — А служебная книжка у тебя с собой?

— Так точно! — механически прокричал Алтынник и тут почувствовал, как сердце в груди заныло. Он понял, что то, чего он долго боялся, пришло.

— Положи сюда, — свободной левой рукой майор хлопнул по столу, показывая, куда именно Алтынник должен положить служебную книжку. При этом, не поднимая головы, он продолжал писать.

Алтынник расстегнул правый карман, нащупал твердую обложку документа, но вынимать медлил, как будто мог думать, что майор забудет.

— Давай, давай, — сказал майор и, не глядя на Алтынника, протянул руку.

Замирая от страха и от предчувствия беды, Алтынник положил книжку на край стола. Майор сгреб и пододвинул ее к себе. Продолжая что-то писать в журнале, он одновременно перелистывал страницы книжки и перебрасывал взгляд с одного на другое, так что Алтынник как ни был напуган предстоящим, а удивился: здорово это у него получается и тут и там успевает. Так, перелистывая служебную книжку, майор дошел до того места, где стоял злополучный штамп. Майор глянул на штамп, дописал еще какую-то фразу, поставил точку, отодвинул в сторону журнал вместе с планшетом и шлемофоном и придвинул к себе служебную книжку.

— Ишь ты, шмиш ты, — удивленно сказал он, разглядывая книжку как-то сбоку. — «Зарегистрирован брак с Сыровой Людмилой Ивановной». Что это такое? — он отодвинулся от книжки и тыкал пальцем в штамп с такой брезгливостью, словно это был какой-нибудь клоп или таракан.

Не зная, что сказать, Алтынник молчал.

— Я вас спрашиваю, что это такое? — майор грохнул кулаком по столу так, что планшет с шлемофоном подпрыгнули.

Алтынник не реагировал.

— Алтынник! — распалялся майор. — Я вас русским языком спрашиваю, где вы нашли эту Людмилу Сырову? Кто вам давал право жениться без разрешения командира полка?

И тут Алтынник почувствовал, как все, что у него накопилось за это время, подступило к горлу комком и вдруг вырвалось каким-то странным и диким звуком, похожим на овечье блеянье.

— Вы что — смеетесь? — удивился майор.

Но тут же он понял, что Алтынник совсем не смеется, а схватился за столб и колотится в истерике.

— Алтынник, ты что? Что с тобой?

Перепуганный майор подбежал к Алтыннику, схватил за плечи, заглянул в лицо. Алтыннику было стыдно за то, что он так воет, он хотел, но не мог сдержаться.

— Алтынник, — тихо, чуть ли не шепотом сказал майор, — ну перестань, пожалуйста. Я тебя очень прошу. Я не хотел тебя обижать. Ну встретил ты там какую-то женщину, полюбил, решили жениться, пожалуйста, никто тебе не мешает. Но ты хоть предупреди, хоть скажи, чтоб я знал. А то вдруг ни с того ни с сего получаю вот эту писульку. — Он достал из планшета лист из тетради в клеточку, и Алтынник, все еще всхлипывая, но уже гораздо спокойнее увидел знакомый почерк: «В виду не устойчивого морального облика моего мужа Алтынника Ивана, прошу не отпускать его в увольнение, что бы из бежать случайного знакомства с женщинами легкого по ведения и сохранить развал семьи, более, не желательные по следствия. К сему...» И какая-то закорючка, и в скобках печатными буквами: «Алтынник».

Дочитал Алтынник этот документ до конца, задержал взгляд на подписи и почувствовал, как губы его опять поползли в разные стороны, и он снова заплакал, да так безутешно, как не плакал, может быть, с самого детства.

17

В сентябре отпускали первую очередь демобилизованных. Оказалось их в эскадрилье всего восемь человек, в том числе и Алтынник. Накануне вечером Ишты-Шмишты произнес перед строем торжественную речь и каждому из восьми выдал по грамоте.

Пришел он и утром после завтрака, когда демобилизованные вышли на линейку с чемоданами. Явился в парадной форме, которую за два десятка лет службы носить так и не научился. Ремень на боку, фуражка на ушах. Алтынник, как старший по званию, скомандовал «смирно».

— Вольно, — сказал майор. Прошел перед строем. — Ишь ты, шмиш ты, собрались. Рады небось. Надоело. — Вороవato оглянувшись, он сказал шепотом: — Да мне, если честно сказать, самому надоело. Во! — ребром ладони провел он себе по горлу.

Демобилизованные засмеялись, и вместе со всеми Алтынник, и, может быть, первый раз за все время он понял, что Ишты-Шмишты, в сущности, неплохой мужик и что, как видно, ему, несмотря на то что он майор, летчик первого класса, получает кучу денег, здесь тоже несладко.

Майор пожал каждому руку, пожелал всего, чего желают в таких случаях. Алтынник скомандовал «налево» и «шагом марш», и демобилизованные пошли к проходной не строем, а так — кучей.

Машину им, конечно, не дали. Вчера, говорят, Ишты-Шмишты поругался из-за этого с командиром полка. А идти до станции предстояло километра три с вещами.

Уже подходя к КПП, встретили Казика Иванова с сумкой. Кинулись в последний раз к нему — нет ли писем.

— Тебе есть, — сказал Казик Алтыннику.

— От кого?

— Из Житомира.

— Возьми его себе, — махнул рукой Алтынник.

— Договорились, — засмеялся Казик и поманил Алтынника в сторону: — Слушай, там тебя на КПП баба какая-то дожидается.

— Какая баба? — насторожился Алтынник.

— Не знаю какая. С ребенком. Говорит: жена.

— Вот... твою мать. — У Алтынника руки опустились. — Ребята, вы идите! — крикнул он остальным. — Я сейчас догоню.

Подумав, он решил двинуться через дальнюю проходную, бывшую в другом конце городка. Но когда вышел за ворота, первый человек, которого он увидел, был Борис. В новом синем костюме, в белой рубашке с галстуком Борис разговаривал с часовым. Увидев Алтынника, Борис заулыбался приветливо и пошел навстречу. Алтынник опустил чемодан на землю.

— Ты чего здесь делаешь? — спросил он хмуро.

— Да это все Людка панику навела, — Борис засмеялся. — Пойди, говорит, там покарауль, а то он, может, не знает, что мы здесь стоим. — Он повернулся в сторону главной проходной и, приложив ко рту ладонь, закричал: — Людка! Давай сюда!

Алтынник растерялся. Что делать? Бежать? Да куда побежишь с чемоданом! Догонят.

А Людмила с белым свертком, перевязанным синей лентой, уже приближалась.

— Не плачь, не плачь, — бормотала она на бегу, встряхивая сверток, — вот он, наш папочка дорогой. Вот он нас ждет. Не плачь. — Она перехватила сверток в левую руку, а правую, не успел Алтынник опомниться, обвила вокруг его шеи и впилась в его губы своими. Не резко, но настойчиво отжал он Людмилу от себя, отошел в сторону и рукавом вытер губы.

— Чего это? — спросил он, кивая на сверток.

— «Чего», — хмуро передразнил Борис. — Не «чего», а «кто». Это человек.

— Это твой сынок, Ваня, — подтвердила Людмила. — Петр Иванович Алтынник.

Из свертка послышался какой-то писк, который, по всей вероятности, издал Петр Иванович. Людмила снова стала подбрасывать его и бормотать:

— Ну-ну, не плачь, Петенька, птенчик мой золотой. Твой папка тут, он тебя не бросит.

Алтынник прошелся вокруг чемодана.

— Вот что, Людмила, — сказал он негромко, — ты меня ребенком своим не шаржируй, потому что я не знаю, откуда он у тебя есть, и никакого к нему отношения не имею. Что касается всего остального, то я нашу женитьбу ни за что не считаю, потому что вы завлекли меня обманом в виде нетрезвого состояния.

Он взял свой чемодан и решительно направился в сторону дороги, ведущей на станцию.

— Ой, господи! Ой, несчастье! — запричитала и засеменила рядом Людмила. — Обманули! — закричала она неожиданно тонким и противным голосом. — Обманули!

Алтынник прибавил шагу.

— Петенька! — закричала Людмила свертку. — Сыночек! Обманул тебя папка! Бросил! Родной папка! Сиротинушка ты моя горемычная!

Алтынник не выдержал, остановился. Оглянулся на проходную, там уже высыпали и с любопытством смотрели свободные солдаты из караульного помещения.

— Людмила, — сказал он проникновенно. — Я тебя прошу, оставь меня в покое. Ты же знаешь, что я тут ни при чем.

— Да как же — ни при чем? — подошел Борис. — Ведь ребенок весь в тебя, как вылитый. У нас вся деревня, кому ни показывали, говорит: капля воды — Иван. Да ты сам погляди. Людка, не ори, дай-ка сюда ребенка.

Он взял у сестры сверток и развернул сверху. Алтынник невольно скосил глаза. Там лежало что-то красное, сморщенное, похожее скорее на недозрелый помидор, чем на него, Ивана Алтынника. Но что-то такое, что было выше его, шепнуло ему на ухо: «Твой». И сжалось в тоске и заныло сердце. Но сдаться для него сейчас — значило смириться и поставить крест на всем, к чему он стремился.

— Не мой, — сказал Алтынник и облизнул губы.

— Ах, не твой? — вскрикнула Людмила. — Вот тебе! — И Алтынник не успел глазом моргнуть, как сверток очутился в пыли у его ног. — Забери его, гад ненормальный! — закричала Людмила и побежала в сторону станции. — Борис! — позвала она уже издалека. — Пойдем отсюдова, чего там стоишь?

— Я сейчас, — сказал Борис виновато и сперва нерешительно, а потом бегом кинулся за Людмилой. Догнал ее, остановил, о чем-то они коротко между собой поспорили и пошли, не оглядываясь, дальше.

С чемоданом в руках и с раскрытым ртом Алтынник долго стоял и смотрел им вслед.

— Уа! — послышался у его ног слабый писк. — Уа!

Он поставил чемодан и опустился на колени над свертком. Отвернул угол одеяла. Маленькое красное существо, у которого не было ничего, кроме широко раскрытого рта, закатывалось от невыносимого горя. И казалось непонятным, откуда у него столько силы, чтоб так кричать.

— Эх ты, Петр Иваныч! — покачал головой Алтынник. — Ну чего орешь? Никто тебя не бросает. Вот возьму отвезу к матери, к бабке твоей. Ей делать нечего, пущай возится.

18

Солнце приближалось к зениту. Поезд, к которому торопился Алтынник, давно ушел, а он все еще был на полдороге. Жара стояла такая, как будто бы не сентябрь, а середина июля. Сняв ремень и расстегнув все пуговицы гимнастерки, спотыкаясь в пыли, Алтынник шел вперед и ничего не видел от слепящего солнца и пота, заливающего глаза. Все чаще он останавливался, чтобы передохнуть. Во рту было сухо, в груди горело. Чемодан оттягивал правую руку, а сверток левую. Ребенок давно уже выпростал из узла свои маленькие кривые ножки, сучил ими в воздухе и нещадно орал, норовя выскользнуть целиком. Алтынник подбрасывал его, поправляя, и шел дальше.

В какой-то момент он обратил внимание, что ребенок перестал кричать, посмотрел и увидел, что держит его за голову. «Задохнулся», — в ужасе подумал Алтынник, бросил чемодан, стал трясти ребенка двумя руками и приговаривать:

— А-а-а-а-а.

Ребенок очнулся, закричал, и тут же из него потекло, да так много, как будто лопнул большой пузырь. Алтынник и вовсе растерялся, брезгливо положил сверток на траву возле дороги, а сам отошел и сел на стоявший в стороне чемодан. Ребенок продолжал надрываться.

— Кричи, кричи, — сердито сказал Алтынник. — Кричи, хоть разорвись, не подойду.

Он отвернулся. Вокруг была голая степь, и уже далеко чернели искаженные маревом аэродромные постройки. Было пусто. Хоть бы одна машина показалась на пустынной дороге. Алтынник закурил, но в горле и без того першило, а теперь стало совсем противно. Он со злостью отшвырнул от себя папиросу. Вспомнил про ребенка, неохотно повернул к нему голову и обомлел. Большая грязная ворона мелкими шагами ходила вокруг свертка и заглядывала в него, скосив голову набок.

— Кыш ты, проклятая! — кинулся к ней Алтынник.

— Карр! — недовольным скрипучим голосом прокричала ворона и, тяжело взмахнув крыльями, поднялась и полетела к стоявшему вдалеке одинокому дереву.

Ребенок, перед этим притихший, снова заплакал. Алтынник неохотно приблизился, осторожно двумя пальцами развернул одеяло, потом пеленки: увидел, что несчастье больше, чем он ожидал.

Преодолевая брезгливость, стал вытирать ребенка сухим краем пеленки, потом отошел в сторону и бросил ее на траву. Достал из чемодана новые, не разрезанные еще байковые портянки, стал заворачивать в них Петра Ивановича.

— Алтынник! — услышал он сзади, вздрогнул и обернулся.

На дороге с велосипедом в руках стоял майор Ишты-Шмишты. Не отдавая себе отчета в том, что делает,

Алтынник вытянулся и встал так, чтобы загородить собой ребенка.

— Твой, что ли? — с сочувствием спросил майор. Положив велосипед на землю, он подошел, заглянул в сверток. — Ну до чего ж похож! — умилился он. — Просто вылитый.

Этим словам Алтынник одновременно и обрадовался, и огорчился. А майор уже, как заправская нянька, хлопотал над ребенком.

— Кто же так заворачивает? — сокрушался он. — Это хоть и портянка, но ведь не ногу завертываешь, а ребенка. Вот смотри, как надо. Сперва эту ручку отдельно, потом эту. Теперь ножки.

И действительно, майор, не умевший толком одеть сам себя, упаковал ребенка так плотно и так аккуратно, как будто всю жизнь только этим и занимался.

— Держи! — он протянул сверток Алтыннику, и тот принял его на растопыренные руки.

Так, с растопыренными руками, он стоял перед майором в нелепой позе.

— А где жена? — спросил майор, помолчав.

«Жена»! От этого слова Алтынника покоробило. Ему захотелось объяснить майору, что никакая она не жена, и рассказать, как его, пьяного, привели в поселковый совет и совершили над ним неслыханное мошенничество, но, не найдя в себе таких сил, он только повел головой в сторону станции и сказал:

— Там.

— Ну давай я тебе помогу.

Майор взял чемодан, повесил ручкой на руль, и они пошли рядом дальше.

И тут Алтыннику первый раз за этот несчастный день повезло. Сзади послышался шум мотора. Алтынник и майор оглянулись. По дороге, приближаясь к ним, пылил шестнадцатитонный заправщик. Майор встал посреди дороги и поднял руку. Заправщик остановился. Из кабины с любопытством высунулся солдат, к счастью, незнакомый Алтыннику.

— Браток! — кинулся к нему майор. — Будь друг, подвези товарища.

— Пожалуйста, товарищ майор. — Шофер распахнул дверцу.

— Ну вот, Алтынник, видишь, как хорошо, — обрадовался Ишты-Шмишты. — Давай-ка ребенка, я подержу, а ты полезай в кабину.

Когда Алтынник устроился, майор подал ему чемодан. Шофер выжал сцепление и включил скорость.

— Подожди! — махнул ему рукой майор и влез на подножку. — Алтынник, ты вот что... — Он вдруг замялся, подыскивая слова. — Если тебе первое время будет трудно, напиши, может, я смогу как-то помочь, деньжат немножко подкину, взаимообразно, конечно. Ты не стесняйся, я зарабатываю хорошо, мне тебе немножко помочь ничего не стоит. Так что пиши. Адрес и фамилию знаешь, а зовут меня Федор Ильич.

Алтынник хотел сказать «спасибо», но язык не повиновался, и опять, как тот раз в беседке, стали дергаться губы.

Майор соскочил с подножки и махнул рукой. Шофер тронул машину.

— Федор Ильич, — сказал он и засмеялся. — Твой командир, что ли? — он скосил глаза на Алтынника.

— Ага, — сказал Алтынник.

— Чудно́й какой. — Шофер покрутил головой и засмеялся: — Сразу видно, что чокнутый.

Алтынник ничего не ответил и высунулся в окно. Грузный майор сидел на таком хрупком для него велосипеде и старательно нажимал на педали. На Алтынника он не смотрел.

19

Шофер довез Алтынника до самой станции.

— Спасибо, друг, — проникновенно сказал Алтынник, выбираясь с ребенком из кабины.

— Ничего, не стоит. — Шофер подал ему чемодан, посмотрел и опять засмеялся: — Бывай здоров, папаша.

Хлопнул дверцей, поехал дальше.

Людмилу и Бориса Алтынник нашел без труда. Они сидели в привокзальном скверике на траве, закусывали разложенными на газете пирогами и по очереди отхлебывали из открытой бутылки крюшон. Алтынник молча сел рядом, а ребенка положил на колени. Брат и сестра встретили его так, как будто ничего не случилось.

— Скушай пирожка, Ваня, — предложил Борис.

— Не хочу, — отказался Иван.

— Кушай, ты же любишь с грибами, — ласково сказала Людмила.

От одного только напоминания про эти грибы он почувствовал легкую тошноту. Он сглотнул слюну и очень спокойно сказал:

— Вот что, Людмила, я решил так. Не хочешь брать ребенка, я оставляю его у себя. Отдам матери, она сейчас на пенсию вышла, пущай побалуется.

Людмила жевала пирог и ничего не ответила, только посмотрела на Бориса.

— Тоже выдумал — матери. — Борис отхлебнул крюшону, тыльной стороной ладони вытер губы и стряхнул с пиджака крошки. — Сколько твоей матери годов?

— А на что тебе ее года? — враждебно спросил Алтынник.

— Интересно, — сказал Борис. — Грудью она кормить его сможет?

Алтынник задумался. Насчет груди как-то он не подумал. Людмила, не сдержавшись, прыснула в кулак, и, видимо, крошка попала ей в дыхательное горло. Выпучив глаза, она покраснела, стала задыхаться и кашлять, а Борис колотил ее по спине ладонью. «Может, подавится», — с надеждой подумал Алтынник, но, к сожалению, все обошлось.

Разбуженный шумом, проснулся и заплакал ребенок.

— Дай сюда, — Людмила взяла сына к себе, положила на колени и вынула грудь. Грудь была белая, густо пронизана синими жилками. Вид ее подействовал на Алтынника точно так же, как пироги с грибами, — он отвернулся.

Посидел, помолчал. Потом встал, взял чемодан.

— Ну, ладно, — сказал он, не глядя на своих собеседников. — Не хотите, не надо, я пошел. — И не спеша направился к зданию вокзала.

Но, пройдя шагов десять, услышал он за спиной страшный нечеловеческий крик и оглянулся. С болтающейся снаружи грудью и зверским выражением на лице Людмила бежала к нему и выкрикивала какие-то слова, из которых он разобрал только три: «сволочь» и «гад несчастный». Алтынник побежал. Из боковой двери вокзала выскочил милиционер. Алтынник не успел увернуться, милиционер подставил ему ногу, оба растянулись в пыли. Чемодан от удара раскрылся, и из него вывалились на дорогу зимняя шапка, зубная щетка и мыло. Милиционер опомнился первым. Он насел на Алтынника и скрутил за спиной ему правую руку.

— Пусти! — рванулся Алтынник и тут же почувствовал невыносимую боль в локте.

— Не трепыхайся, — сказал милиционер, тяжело дыша. — Хуже будет. Вставай.

Алтынник поднялся и стал стряхивать свободной рукой пыль со щеки.

— Ага, попался! — злорадно закричала Людмила. — Заберите его, товарищ милиционер!

— Что он сделал? — строго спросил милиционер.

— Бросил! — Людмила спрятала грудь и завыла: — С маленьким ребеночком... с грудным...

— А-а, — разочарованно протянул милиционер, явно сожалея о том, что он зря участвовал в этой свалке. — Я-то думал... Это вы сами разбирайтесь.

Отпустив Алтынника, он отряхнул колени и пошел к себе.

Алтынник нагнулся над выпавшими из чемодана вещами.

С ребенком на руках подошел Борис. Нагнувшись, поднял зубную щетку.

— Помыть ее надо, — сказал он.

— Дай сюда! — Алтынник вырвал щетку и бросил в чемодан. Потом долго боролся с замком.

Людмила стояла рядом и тихонько подвывала точно так же, как она это делала у себя на станции в день женитьбы.

— Не вой, — с отвращением сказал Алтынник, — я с тобой все равно жить не буду, и не надейся.

— И правильно сделаешь, — неожиданно поддержал Борис.

Алтынник опешил и посмотрел на него. Людмила завыла сильнее.

— Сказано тебе — не вой, значит, не вой! — закричал на нее Борис. — Возьми ребенка и иди на свое место!

Людмила растерялась, сразу притихла и, взяв ребенка, пошла туда, где перед этим сидела.

— Ссука! — сказал, глядя ей вслед, Борис и смачно сплюнул. — Ваня, — повернулся он к Алтыннику, — давай с тобой поговорим как мужчина с мужчиной.

— Давай валяй, — хмуро сказал Алтынник.

— Ваня, я тебя очень прошу, — Борис приложил руку к груди, — поедем с нами.

— Еще чего! — возмутился Алтынник и взялся за чемодан. — Я думал, ты чего-нибудь новенькое скажешь.

— Нет, ты погоди, — сказал Борис, — ты сперва послушай.

— И слушать не хочу, — сказал Иван и пошел к вокзалу.

— Ну, я тебя прошу, послушай, — Борис забежал вперед. — От того, что я тебе скажу, ты ж ничего не теряешь. Ну, не согласишься — дело твое. Но я тебе как другу советую: ехай с нами. Людка, она ж, видишь, не при своих. Она тебя все равно не отпустит. Она тебе глаза выцарапает.

— Ну да, выцарапает, — усмехнулся Иван. — А вот видал, — он поднес кулак к носу Бориса. — Врежу раз — через голову перевернется.

— Что ты! — замахал руками Борис. — И не вздумай! Хай подымет такой, всю милицию соберет, всю жизнь будешь по тюрьмам скитаться. Я тебе советую, Ваня, от всей души: ехай с нами. Поживешь пару дней для вида, а потом ночью сядешь на поезд — сам тебе чемодан донесу, — только тебя и видели.

— Да брось ты дурочку пороть, — сказал Алтынник. — Куда это я поеду и зачем? У меня литер в другую сторону, меня мать ждет. У меня денег столько нет, чтобы тратиться на билеты туда-сюда.

— Насчет билета не беспокойся, — заверил Борис. — Туда тебе билет уже куплен, и оттуда — за мой счет, вот даю тебе честное партийное слово. А насчет матери, так что ж. Отобьешь ей телеграмму, два дня еще подождет. Больше ждала. Ведь Людка, я тебе скажу, баба очень хорошая. И грамотная, и чистая. И в обществе себя может держать. А сумасшедшая. Влюбилась в тебя прямо до смерти, и хоть ты ей что хошь, а она долбит свое: «Хочу жить с Иваном, и все». Уж, бывало, и я, и мать говорим ей: «Куда ж ты к нему набиваешься? Ведь не хочет он с тобой жить. Разве ж можно так жизнь начинать, если с самого начала никакой любви». — «Нет, — говорит, — я его все одно заставлю — полюбит». Поехали, Ваня. Погуляешь у нас пару деньков, отдохнешь и, как только она чуть-чуть успокоится, садись на поезд и рви обратно.

Алтынник задумался. Скандалить тут, когда могут появиться знакомые солдаты из части, ему не хотелось. Ехать к Людмиле, конечно, опасно, но ведь, в самом деле, удрать он всегда успеет. В крайнем случае бросит чемодан, там ничего особенно ценного нет.

— Ну ладно. — Он перебирал еще в уме варианты, и по всему выходило, что потом ему удрать будет легче, чем сейчас. — Значит, деньги на обратную дорогу точно даешь?

— Ну сколько ж я буду божиться! — даже несколько оскорбился Борис. — Как сказал, так и будет.

— Ну гляди, — на всякий случай пригрозил Алтынник, — если что, всех вас перережу, под расстрел пойду, а жить с Людкой не буду.

20

Года четыре назад, будучи в командировке, попал я случайно на станцию Кирзавод. Ожидая обещанной мне машины, чтобы ехать в район, сидел я на деревянном крылечке избушки на курьих ножках, которая именовалась вокзалом, курил сигареты «Новость» и думал: где я слышал это название — Кирзавод?

Маленькая площадь перед вокзалом была покрыта асфальтом, а все дороги, которые к ней подходили, — сплошная пыль. Посреди площади — железобетонный постамент памятника кому-то, кого не то недавно снесли, не то, наоборот, собирались поставить. В тени постамента копошилась рыжая клуша с цыплятами, пушистыми, как одуванчики, а вокруг катались на велосипедах двое мальчишек лет по двенадцати и молодой милиционер в брюках, заправленных в коричневые носки.

Улица, пересекавшая площадь, была пустынна. Один раз проехал по ней маленький экскаватор «Беларусь» с поднятым ковшом, потом пробежал теленок с привязанными к хвосту граблями, а за ним в туче пыли ватага ребят от старшего дошкольного до старшего школьного возраста. Мальчишки, которые катались по площади, устремились на велосипедах туда же, за ними поехал милиционер, но потом раздумал, вернулся на площадь и продолжал трудолюбиво выписывать на велосипеде круги и «восьмерки». Тут на ступеньку рядом со мной опустился какой-то человек, на которого я поначалу даже не посмотрел. Видимо, желая завязать разговор, он вздохнул, покашлял и сказал:

— Да-а, жара.

— Угу, — согласился я, подумав, что сейчас он попросит закурить. И действительно.

— Закурить не найдется? — спросил он, считая, что знакомство наше для этого достаточно упрочилось.

— Пожалуйста. — Наблюдая за милиционером, я протянул ему пачку.

— Ух ты, с фильтром! — удивился он. — А две можно?

— Можно.

— Спички я тоже дома забыл, — сказал он, сознавая, что дошел почти до предела. И потянулся ко мне прикурить. Тут я в первый раз взглянул на него и узнал:

— Алтынник!

И, конечно, сразу вспомнил, где я слышал это название — Кирзавод.

— Не узнаешь? — спросил я.

— Что-то не признаю, — пробормотал он, вглядываясь в мое лицо.

Я назвал себя.

— А-а. — Он успокоился, но никакого восторга не проявил. — Я у тебя еще сигаретку возьму. На вечер.

— Бери, — сказал я. — Бери все. У меня еще есть.

— А цельной пачки нет?

В чемодане нашлась и «цельная».

Потом мы стояли в чапке, маленьком магазине напротив вокзала. Толстая продавщица в грязном халате налила нам по сто пятьдесят и по кружке пива. Я свою водку выпил отдельно, а Алтынник смешал. Мы стояли возле окна, привокзальная площадь была перед моими глазами, и пропустить машину я не боялся.

Толковали о том о сем. Вспоминали свою службу, майора Ишты-Шмишты, старшину де Голля и прочих.

О теперешней его жизни я Алтынника особенно не расспрашивал, но кое-что все же узнал.

Приехав на станцию вместе с Людмилой и Борисом, он задерживаться и не думал, а собирался усыпить бдительность Людмилы и удрать, как наметил, но Людмила была начеку. Днем устраивала такие скандалы, что нечего было даже и пытаться, а ночью просыпалась от каждого шороха. Он все выбирал момент, выбирал, пока она снова не забеременела. Пробовал заставить ее сделать аборт — куда там. И податься теперь вроде бы некуда. Кто возьмет мужика, у которого треть зарплаты на алименты высчитывают? Да и к первому ребенку за это время привык.

— А сколько у тебя всего? — не удержался я и спросил.

— Трое, — застеснялся Алтынник. — Не считая, конечно, Вадика.

— А Вадик вместе с вами живет?

— Нет, в Ленинграде. Институт кончает железнодорожный, — сказал он не без гордости.

— А кем ты работаешь?

— Кем работаю? — Он помедлил, не хотелось ему говорить. А потом бухнул, даже как будто с вызовом: — Сторожем работаю. На переезде. Поезд идет — шлагбаум открываю, ушел — закрываю. Возьми еще по кружке пива, если не жалко.

Только мы сменили на подоконнике кружки, дверь в магазин распахнулась и на пороге появилась женщина в красном сарафане. Живот под сарафаном у нее выпирал, как футбольный мяч, на лице были характерные пятна, глаза блестели.

— А, вот ты где! — закричала она на Алтынника. — Я так и знала, что ты здесь, гад несчастный, детишкам обуться не во что, а он тут последние копейки пропивает!

Алтынник весь как-то съежился, как будто стал меньше ростом.

— Да ты что, Людмила, — попробовал он возразить. — Я ж вот товарища встретил. В армии вместе служили. Познакомься.

— Ну да, еще чего не хватало, знакомиться с каждым пьяницей.

— Ну брось ты позориться, Людмила, — упрашивал Алтынник. — Это ж он меня угощает.

— Так я тебе и поверила, — не отступала Людмила. — Да во всем Советском Союзе, окромя тебя, таких дурачков нет, чтоб чужих людей угощали.

— Людмила, правда он платил, — бесстрастно подтвердила толстая продавщица.

— Ты еще тут будешь, сука противная, — повернулась Людмила к ней. — Сама только и знаешь, что на чужих мужьев глаза свои грязные таращишь.

И не успела продавщица ответить, а я опомниться, как Людмила выволокла мужа на улицу, и уже оттуда слышался ее противный и дикий визг на всю станцию.

Когда я вышел наружу, они были уже далеко. Алтынник, пригнув голову, шел впереди, Людмила левой рукой держала его за шиворот, а маленьким кулачком правой изо всей силы била по голове. По другой стороне улицы на велосипеде медленно ехал милиционер в брюках, заправленных в коричневые носки, и с любопытством наблюдал происходящее.

1969

Расстояние в полкилометра

1

От Климашевки до кладбища — полкилометра. Чтобы покрыть такое расстояние, нормальному пешеходу понадобится не больше семи минут.

В воскресенье произошло небольшое событие — умер Очкин. Возле дома покойника стояла Филипповна и, удивленно разводя руками, говорила:

— Тильки сьогодни бачила його. Пишла я до Лаврусенчихи ситечко свое забрать... Хороше в мене таке ситечко, тильки з краю трохи продрано. А Лаврусенчиха давно вже взяла його, каже: «Завтра принесу». Тай не несе. Иду я, значить, тут по стежечке, колы дывлюсь: навустричь Очкин. Веселый и начи тверезый. Ще спытав: «Де идешь?» — «Та ось, кажу, до Лаврусенчихи иду ситечко свое забрать». А вин ще каже: «Ну иди». А тут бачь — помер.

2

Еще сегодня утром Афанасий Очкин был совершенно здоров. Он встал, оделся, умылся подогретой водой и, пока жена его Катя готовила завтрак, пошел в сельмаг за солью. В сельмаге была крупная соль, поэтому Очкин, поговорив с продавщицей, пошел через все село в другой магазин, или, как его называли, чапок. В чапке мелкой соли тоже не оказалось, но зато был вермут в толстых пыльных бутылках. Очкин отдал продавщице Шуре все деньги, и та налила ему стакан вермута, правда, неполный, потому что у Афанасия до полного стакана не хватило двух копеек. Очкин поговорил с Шурой, потом из пивной кружки насыпал в кулечек две ложки крупной сырой соли и собрался уже совсем идти домой, да увидел двух дружков — плотника Николая Мерзликина и счетовода Тимофея Конькова, которые тоже пришли в чапок выпить. Очкин знал, что дружки ему не поднесут, но на всякий случай стал изучать взглядом консервные банки, выставленные на прилавке.

Он терпеливо рассматривал эти банки, пока Николай с Тимофеем покупали вино и закуску. Они взяли бутылку вермута, кильки в томате и сто граммов соевых конфет. Потом вышли и, расстелив на пыльной траве газету, сели в холодок под деревом. Афанасий следил за ними в окно. Он подождал, пока они распечатают выпивку и закуску, и только после этого подошел к ним.

— Приятного аппетита, — вежливо сказал он и присел рядом.

Дружки неприязненно покосились на него и, молча чокнувшись, выпили. Тимофей складным ножиком полез в банку за килькой, а Николай сплюнул.

— Вода, — сказал Очкин. — Зеленого вина сейчас не найдешь. Моя позавчера в Макинку ездила, там тоже нет. Запрет на нашего брата накладывают.

Потом он взял в руки бутылку с остатками вина и повертел ее в руках.

— Тут на двоих, считай, ничего не осталось, — сказал он и с надеждой посмотрел на Николая.

— Не твое дело, — грубо сказал Николай, забирая бутылку. — Ты тридцать копеек когда отдашь?

Кроме плотницкого дела Николай знал еще парикмахерское и этим изредка подрабатывал на дому, так как парикмахерской в селе не было. Очкина он подстриг два дня назад в долг.

— Да вот Катя на той неделе повезет в город сметану, тогда и отдам, — пообещал Очкин, с грустью наблюдая за тем, как Николай аккуратно разделил вино на два стакана. — Ну ладно, — нехотя приподнялся Очкин. — Надо жене кой-чего подсобить по хозяйству. До свидания вам.

Его никто не задерживал. По дороге домой он и встретил Филипповну. И Филипповна была последней из тех, кто видел Очкина живым.

Вернувшись домой, Очкин поругался с женой из-за потраченных на вино денег и разнервничался. Жена тоже разнервничалась. Она налила ему супу, а сама пошла в огород докапывать картошку.

Вернувшись, она увидела, что муж сидит за столом, уткнувшись в тарелку, и рыжие волосы его мокнут в гороховом супе.

Фельдшерица Нонна, осмотрев покойника, велела с похоронами обождать и пошла звонить в город, чтобы вызвать врача для установления причины смерти Очкина. Тем временем возле хаты покойника народу скоплялось все больше и больше. Высказывались различные предположения и догадки. Филипповна, например, сказала, что Очкин, должно быть, отравился, иначе отчего бы ему ни с того ни с сего помереть.

— Будет болтать-то, — хмуро возразила только что подошедшая Лаврусенчиха. — Нам, бабам, чего ни случись — лишь бы языками помолоть. Я вот сама прошлый год чуть не померла. Помнишь?

— Не помню, — сказала Филипповна.

— А я помню. А как все случилось? Торговала я в городе молочком. Стою себе за прилавком, когда подходит она. «Почем, слышь, молоко?» — «Да как у всех, — говорю, — по три рубля». — «Чтой-то больно дорого», — говорит. «Куда уж, — говорю, — дорого. Ты бы, слышь, сама походила бы за коровой, да поубирала бы за ней, да сена бы на зиму припасла, а потом, может, и задаром отдашь молочко». А она в этот момент на меня как глянет: «Неужто Марья Лаврусенкова?» — «Я самая», — говорю. «А меня неужто не признаешь? Я ж прошлый год у вас в Климашевке, почитай, целый месяц жила. Давненько не виделись». — «Давненько», — говорю. А сама про себя думаю: «А тебя и сейчас бы не видела, кабы ты не пришла». А она меня давай нахваливать: «Уж ты, слышь, и справная стала, и гладкая, и на личность вся розовая, прямо кровь с молоком». А сама как зыркнет на меня своими глазищами, как зыркнет. Мне сначала будто и ни к чему. А потом я подумала: «Баатюшки, так она ж меня сглазит!» И сразу в сердце у меня будто что оборвалось. Схватила я свои бидоны и, даром что за место было уплочено, кинулась на автобус. Да насилушки до дому добралась. Да потом цельну неделю пролежала. Спасибо, люди добрые бабку из Мостов призвали, и она меня заговором да студеной водой выходила. Вот как бывает, — заключила Лаврусенчиха и снисходительно посмотрела на Филипповну.

Потом она склонила голову набок и прислушалась. За окнами очкинской хаты голосила вдова.

— Густо орет, — строго сказала Лаврусенчиха, — густо. Помню, матушка моя, как брат ейный, дядя мой значит, в крушение попали, так она уж так убивалась, так кричала. Тонко да с надрывом. Аж сердце холонуло. Ну ладно, — сказала она, помолчав. — Пойду спрошу у Кати, может, чего подмогнуть надо.

3

Солнце передвинулось к зениту, тень ушла, а Николай и Тимофей сидели на старом месте и спорили о том, сколько колонн у Большого театра. Тема спора была старая. Когда-то они оба в разное время побывали в Москве и с тех пор никак не могли решить этот вопрос и даже заспорили на бутылку водки. И не то чтобы делать им было нечего. Просто оба любили поспорить, а помочь им никто не мог. Остальные жители или вовсе не бывали в Москве, или бывали, да не считали колонны.

Тимофей однажды написал письмо во Всесоюзное радио в редакцию передач «Отвечаем на ваши вопросы». Но на вопрос Тимофея радио ничего не ответило. Вопрос оставался открытым. Сейчас, сидя возле чапка за четвертой бутылкой вермута, дружки пытались решить его путем косвенных доказательств.

— Значит, ты говоришь — шесть? — переспросил Николай.

— Шесть, — убежденно ответил Тимофей.

— Тупой ты, Тимоша, — сочувственно вздохнул Николай. — Подумал бы своей головой: как же может быть шесть, когда в нашем Доме культуры шесть колонн. Дом культуры-то районного значения, а Большой театр, считай, на весь Советский Союз один.

Довод был убедительный. Пока Тимофей придумывал довод еще убедительней, подошла Марья Лаврусенкова и, посмотрев на них, укоризненно покачала головой:

— Баламуты вы, одно слово — баламуты. Картошка-то в огороде еще небось не копана, а они с утра пораньше водку жрут. Пошел бы лучше покойнику домовиночку справил, — повернулась она к Николаю.

— Какому еще покойнику? — Николай недоуменно пошевелил густыми бровями.

— Да какому же? Очкину, царство ему небесное.

— Очкину? Ай помер? — удивился Николай.

— А ты только узнал? — в свою очередь, удивилась Лаврусенкова.

— Да он же только что вот на этом месте сидел. Еще тридцать копеек за стрижку обещался принесть. Скажи, Тимоша.

— Шесть, — бездоказательно буркнул Тимофей, который думал все время о колоннах, но так и не нашел убедительный довод.

4

Перед вечером из города приехала санитарная машина. Покойника положили в крытый кузов для того, чтобы отвезти на экспертизу. Шофер достал из-за кабины измятое ведерко и пошел к колодцу за водой для радиатора. В ожидании его девушка-врач села в кабину и развернула какую-то книжку. Книжка, видимо, была интересная. Читая ее, девушка то хмурилась, то улыбалась, и Николай с любопытством следил за ней сквозь полуоткрытую дверцу кабины. Потом он обратил внимание на саквояж, который лежал на коленях у девушки. Красивый желтый саквояж с металлическими застежками. Жена Николая собиралась отмечать свой день рождения, и Николай подумал, что неплохо было бы подарить ей такую красивую сумку. Но где ее взять, Николай не знал и решился спросить об этом у девушки.

— Не знаю, — ответила девушка, отрываясь от книжки. — Я ее в Москве купила.

— В Москве? — с уважением переспросил Николай. — А сами, случаем, не московская будете?

— Московская.

— Да ну! — удивился Николай и, недоверчиво посмотрев на нее, решил уточнить: — Из самой Москвы или, может, поблизости?

— Из самой Москвы, — сказала девушка и улыбнулась. Должно быть, своим московским происхождением она немного гордилась.

— Тогда у меня к вам вопрос будет, — решительно сказал Николай. — Тут у нас с одним товарищем, климашевским, спор вышел. Насчет колонн у Большого театра. Я ему — восемь, а он мне — шесть. Как говорится, ты ему плюнь в глаза, а он говорит — божья роса. А спросить в точности не у кого. Народ у нас тут такой — ничего не знает. Зря хвалиться не буду, сам тупой, но уж чего-чего, а посчитать что хочешь посчитаю. Я ведь тут плотником работаю. Меня все знают. Спроси вот такого пацана: «Где тут плотник Николай живет?» — и он тебе в любой момент покажет. Вот он мой дом под железной крышей. Сам прошлый год накрыл. Железа-то не было. Пришлось бочки из-под солярки покупать... Раскатал их — и гляди как ладно получилось. Я думаю, не хуже, чем у людей. Придете, чайку попьем, поговорим. Жена у меня городская, официанткой в ресторане работала. Я ее из города и взял. Здесь, конечно, ресторанов нет, и специальность пропадает. А я ее работать много и не заставляю, сам хорошо зарабатываю. Кому пол перестелить, кому дверь навесить — все за мной бегут. Сейчас вот директор говорит, рамы надо новые в конторе поставить. А я всегда пожалуйста. Потому и живем хорошо. Дочка Верунька в четвертый класс пошла. А у этого, — Николай показал на кузов, в котором лежал Очкин, — детей не было. Детей-то ведь кормить надо. А на что кормить? Работать-то он не любил. Все норовил на чужом горбу в рай...

Начав говорить, Николай уже не мог остановиться и, прислушиваясь к собственному голосу, с удовлетворением замечал, как сладко у него все получается. Он смог бы так говорить до самого вечера, но ему помешал шофер, который, залив в радиатор воду, сел рядом с докторшей и включил зажигание.

— Уже едете? — спохватился Николай. — Счастливый путь. Значит, восемь?

— Что — восемь?

— Колонн у Большого театра, — терпеливо напомнил Николай.

— Кажется, восемь, — вспоминая, сказала девушка. — А может быть, и шесть. Знаете что, я дома постараюсь выяснить этот вопрос и в следующий раз скажу вам точно. Идет?

— Идет, — уж не веря ей, уныло согласился Николай. И, проводив машину глазами, повернулся к Филипповне: — А говорит, из самой Москвы.

Ни в Климашевке, ни в Мостах, ни даже в Долгове не было плотника лучше, чем Николай. Может, лучше плотника не было и во всей области, но этого никто не мог сказать с полной уверенностью.

Во всяком случае, не зря в прошлом году, когда надо было отделывать районный Дом культуры, приезжали не за кем-нибудь, а именно за Николаем. Он там узорный паркет стелил и стены в танцевальном зале дубовыми да буковыми планочками выложил — короче говоря, такие вещи делал, что не каждому краснодеревщику под силу.

Архитектор, который руководил строительством, сказал, что, если бы Николаю дать красное дерево, он смог бы сделать что-нибудь необыкновенное.

Но красное дерево ни в Климашевке, ни поблизости не росло, поэтому, вернувшись из района, Николай занимался тем, чем занимался и раньше: рубил избы, стелил полы, делал люльки для новорожденных. А когда случалось, делал и гробы — кто ж еще их будет делать?

На другой день после смерти Очкина Николай поднялся на рассвете и вышел на улицу. На улице стоял густой туман. Он был настолько густой, что соседняя хата была видна только наполовину — та ее часть, что не была побелена. В другой части виднелось только окно, даже не окно, а желтое, расплывающееся в тумане пятно электрического света. На железном засове сарая и на ржавом замке застыли мелкие капли. «Должно быть, это от атома туманы такие», — подумал Николай, снимая замок, который на ключ не запирался и висел просто так, для блезиру. Он вошел в сарай и, подсвечивая себе спичками, вытащил из угла на середину четыре половых доски, промерил их складным деревянным метром и провел красным карандашом под угольник четыре риски, которые видны были даже в полумгле. Потом покурил и, пока совсем не развиднелось, стал наводить инструмент на оселках — сначала на крупном, потом на мелком. Когда стало светло, он оттесал топором края прошпунтованных досок и принялся за работу.

Работая, он думал о том, как странно устроена жизнь. Еще вчера Очкин сидел рядом с ним возле чапка и надеялся, что Николай поднесет ему стопочку, а сегодня Николай ладит ему гроб. А три дня назад Николай еще подстригал Очкина под полубокс, как тот просил. И хотя Очкин умер, так и не отдав ему тридцать копеек за стрижку, хотя при жизни Николай относился к нему пренебрежительно, сейчас он испытывал перед покойником непонятное чувство вины, какое часто испытывают живые перед мертвыми. Он чувствовал себя виноватым и в том, что не дал человеку перед смертью вина, и в том, что требовал у него эти самые тридцать копеек. Не такие большие деньги, чтобы обижать человека. А еще виноват был Николай перед покойником в том, что потешался над ним и один раз за чекушку водки заставил катать себя в тачке по всей деревне. Вся деревня тогда вышла на улицу и хохотала в покатыши, а Николай спокойно сидел в этой тачке и смотрел на народ без всякого выражения.

Вспомнив все это, Николай решил искупить свою вину перед Афанасием и сделать ему такой гроб, каких еще никому не делывал.

Закрепив в верстаке доски, он обстругал их кромки сначала рубанком, потом фуганком с двойной железкой, и сделал это так хорошо, что доски смыкались краями без всякого зазора.

Потом он позавтракал, сходил в контору и, взяв отгул за позапрошлое воскресенье, работал без перекура до двух часов. В два часа в сарай вошла его жена Наташа и позвала обедать.

— Успеется, — сказал Николай, вытаскивая из кармана измятую пачку «Прибоя». — Погляди лучше, чего сделал, — он небрежно кивнул в сторону готового гроба.

— Чего на него глядеть? — возразила Наташа. — Гроб, он и есть гроб. Ящик.

— Эх ты, ящик, — обиделся Николай. — Не пойму я тебя, Наташка. Живешь с плотником вот уж почитай пятнадцать лет, а никакого интересу к его работе не имеешь. Да, может, этот ящик («И слово-то какое нашла», — подумал он про себя) на шипах «ласточкин хвост» связан. Да разве ты в этом что понимаешь? Тебе все равно, что «ласточкин хвост», что прямой шип, что на мездровом клею, что на клейстере.

У Николая была одна странность. Любимым предметам собственного изготовления он давал человеческие имена и разговаривал с ними. Имена выбирал в созвучии с названиями изделий. Например, стол, который стоял на кухне, он звал Степой, а резную полочку возле рукомойника Полей. Гроб по ассоциации со словом «ящик» он назвал Яшей.

— Ты, Яша, не обижайся, — сказал он, когда жена ушла. — Баба, она, известно, дура. У ней нет понимания, что ты, может, как Большой театр — один на весь Советский Союз. Ну ничего. Вот мы тебя еще лаком покроем, хоть ты и сосновый. Будет на что поглядеть. Конечно, ежели кто понимает.

Потом он взялся за крест, но делал его без особой охоты. На глаз отрезал крестовинки, связал их вполдерева и склеил полуостывшим мездровым клеем. Крест, на всякий случай, он назвал Костей, но разговаривать с ним не стал.

5

В этот же день утром фельдшерица Нонна звонила в город, чтобы узнать, отчего умер Очкин. То, что она узнала, Нонна рассказала Кате Очкиной, но та никак не могла запомнить название болезни. Тогда Нонна написала ей название на бумажке. Болезнь называлась инфаркт миокарда. Многие удивлялись, Лаврусенкова, прочтя написанное на бумажке, прямо сказала:

— Отродясь такого не слыхивала. Раньше, старики сказывали, люди помирали от холеры, от чумы. Ваську-аккордеониста прошлый год ангина задушила. А такого... — она посмотрела на бумажку, — у нас еще не бывало. Видно, жил он не по-людски, потому и болезнь ему нелюдская вышла.

После обеда снова приехала санитарная машина. Два мужика внесли покойника в нетопленую избу и положили на стол, покрытый старой клеенкой. Девушка-врач дала Кате подписать какую-то бумажку и нетерпеливо ждала, пока Катя, всхлипывая и утираясь, дрожащими пальцами медленно выводила свою корявую подпись. Потом девушка взяла бумажку и пошла к машине. Когда она открыла дверцу и встала на подножку, ее остановил Николай, принесший только что новый, покрытый красным нитролаком гроб.

— Девушка, а как насчет моего дела? — робко осведомился он. — Вы не забыли?

— Не забыла. — Девушка порылась в своем красивом саквояже и, вынув из него измятую открытку, протянула ее Николаю: — Вот, нашла у себя в альбоме.

Николай не успел поблагодарить ее, потому что, пока он дважды пересчитал колонны, шофер включил скорость и машина уехала, оставив за собой шлейф пыли.

Николай был прав. Колонн оказалось восемь. Он шел, не разбирая дороги, и заранее торжествовал, представляя себе в лицах, как будет ошеломлен его противник. «Сейчас приду, — думал Николай, — перво-наперво: «Беги, Тимоша, за пол-литрой». А он мне: «С какой это радости мне за пол-литрой бечь?» А я ему: «Сколько колонн у Большого театра?» А он мне, как обыкновенно: «Шесть!» А я ему: «Плохо, видно, ты считал. Пальцев, мол, не хватило для счету». Тут Тимофей обидится, полезет в бутылку. «Ты, мол, мои пальцы не считай, они, мол, на фронте потеряны. Мы, мол, не то что другие, мы кровь свою проливали». А я ему: «И мы, мол, не Ташкент обороняли...»

Размышляя таким образом, он неожиданно столкнулся с Марьей Ивановной, учительницей дочери. Марья Ивановна по обыкновению стала говорить ему, что Верунька и этот учебный год начала плохо. Не слушает, что говорят на уроке, и не выполняет домашние задания.

Николай терпеливо выслушал учительницу, а потом бухнул ни с того ни с сего:

— Слышь, Марь Иванна, а Тимофей-то мне проспорил пол-литру.

— Какие пол-литра? — удивилась учительница.

— Да какие ж? Обыкновенные...

Николай хотел рассказать ей всю эпопею с колоннами и показать открытку, неожиданно разрешавшую спор в его пользу, но вдруг увидел на ногах учительницы красивые танкетки из белой простроченной кожи и вспомнил, что подарок жене он так и не купил.

Учительница, заметив, что Николай внимательно разглядывает ее ноги, смутилась и отступила на полшага назад.

— Где брала? — в упор спросил Николай.

— Чего? — испугалась учительница.

— Да танкетки ж, — нетерпеливо сказал Николай.

— А, танкетки, — учительница облегченно вздохнула. — Это мне брат из Москвы прислал.

— Тьфу ты! — рассердился Николай. — Сумки в Москве, танкетки в Москве, братья в Москве...

— А в чем дело? — удивилась учительница.

— Ни в чем.

Николай махнул рукой и пошел дальше. Но после встречи с учительницей ход его мыслей принял совершенно иное направление. Он подумал, что надо будет на день рождения жены созвать всех соседей, свою бригаду и хорошо бы кой-кого из начальства. Директор Андриолли, может, и откажется, но пригласить надо. Прораба Позднякова тоже. А чтобы не скучно было, можно пригласить Тимофея, будет хоть с кем поговорить и поспорить. И тут Николай остановился. О чем же он будет спорить, если сегодня покажет Тимофею открытку? Он растерянно поглядел на открытку и еще раз машинально пересчитал колонны.

«Пол-литру выпить, конечно, можно, — размышлял Николай, — особенно если под хорошую закусочку. Огурчики у Тимохи в погребе больно хороши. Ну и сало, конечно, есть, поросеночка заколол на прошлой неделе. Только ведь пол-литру я и сам могу поставить. Не обедняю. А поговорить на дне рождения не про что будет...»

Он и сам не заметил, как оторвал от открытки один угол, потом второй... А когда заметил, изорвал ее всю и, вернувшись домой, выбросил клочья в уборную.

6

К вечеру небо заволокло тучами. Задул сырой ветер. Катя Очкина быстро управилась по хозяйству и, как только стемнело, не зажигая огня, забралась на высокую постель под ватное одеяло. Она лежала и слушала, как дребезжат от ветра, задувавшего сбоку, оконные стекла, как разбиваются о стекло первые капли дождя.

«Надо промазать стекла, — нехотя подумала Катя. — И подтесать дверь. Разбухла, не закрывается».

Вообще это была мужская работа, но к мужской работе Катя давно привыкла. Этот дом построил ее отец в тридцать девятом году и оставил его дочери, когда умирал. Умер он в районной больнице после того, как его, сонного, переехал в борозде трактор. Катя одна осталась хозяйкой в новом доме. Перед самой войной она привела в этот дом своего мужа Афанасия. Ей тогда было восемнадцать лет, а ему девятнадцать. Они собирались жить долго и счастливо, но тут началась война, и Афанасию через несколько дней принесли повестку.

Афанасий тогда работал на скотном дворе. Он пошел к себе на работу, чтобы поднять колхозного бугая и нажить грыжу. Бугая он поднял, но грыжи не получилось. Тогда Афанасий наточил топор, точно рассчитанным ударом отрубил себе указательный палец на правой руке и таким образом лишил себя возможности нажимать на спусковой крючок. На суде прокурор требовал расстрелять дезертира, но судьи были помягче — они дали ему десять лет. Десять лет Очкин сидеть не стал — его выпустили в сорок пятом году по амнистии в честь нашей победы. В тот день вечером, когда они легли на эту самую постель, Очкин долго расспрашивал жену о своих односельчанах, и она долго рассказывала ему о них. Рассказывала о том, как мыкались они все во время войны, особенно те, у которых были детишки. Рассказывала о том, как наехали сюда эвакуированные с Украины и из Белоруссии. Им не хватало жилья, и их расселяли по избам. У Кати было две семьи, они вечно ссорились, но Катя привыкла к ним и потом, когда они уезжали домой, очень не хотела с ними расставаться. Из мужиков почти всех забрали на фронт, и многие не вернулись. Тимофею Конькову на войне оторвало три пальца.

— Вроде как у меня, — усмехнулся Очкин и спросил у Кати насчет дружка Федора Коркина. Им тогда вместе принесли повестки.

— Небось вся грудь в орденах? — спросил Очкин.

— Не вернулся он, — тихо пояснила Катя.

— Убили на фронте?

— Нет, не доехал до фронта. Поезд их разбомбило по дороге.

Афанасий долго молчал, а потом вспомнил:

— Когда меня забирали, Федька говорил — дурак. А теперь он, умный, в земле лежит, а я еще хожу по ней.

После лагеря на работу он не спешил, все присматривался. И присмотрел карточки в совхозной кассе. Ночью его поймал с этими карточками сторож, и Афанасий уехал в тюремном вагоне восстанавливать Днепрогэс. Восстанавливать Днепрогэс он не стал. Вернувшись после амнистии 1953 года, он рассказывал Кате, что умному человеку и в лагере жить неплохо. Летом он спасался от жары в холодке под штабелем досок или под конторкой старшего оцепления, а зимой брал железную бочку, пробивал в ней много-много дыр и, наполнив ее дровами и кусками толя — того и другого на стройках всегда хватает, — устраивал «маленький Ташкент». У этого «Ташкента» был тот недостаток, что грел он неравномерно и к нему надо было поворачиваться то спиной, то грудью, но это было лучше, чем тюкать на ветру топором или возить тачку с раствором, который тут же покрывался ледяной коркой.

Кормили их в лагере не очень жирно, но зато бесплатно, а на воле за такую еду надо еще поработать. Кроме того, у них была своя баня, клуб, где три раза в неделю показывали кино и устраивали концерты.

В общем, судя по рассказам Афанасия, такая жизнь его вполне устраивала. Может, потому, что такая жизнь его устраивала, он разбил витрину в сельмаге и опять поехал в тюремном вагоне, на этот раз на великие сибирские стройки. Последний раз вернулся он этой весной и на зиму опять собирался на великие стройки, да не успел, помер.

Может быть, все это вспоминала Катя Очкина, когда лежала одна в темной нетопленой комнате. А может быть, она ничего не вспоминала и просто лежала, прислушиваясь к завыванию осеннего ветра.

Ветер переменился. Теперь он дул прямо в окна, и в комнате становилось все холоднее. Тогда Катя встала, сняла с гвоздя свой старый рабочий тулупчик и, не отдавая себе отчета в том, что делает, накрыла тулупчиком покойника.

7

Дождь принимался идти несколько раз, но тут же переставал и разошелся только к утру. Директор совхоза Матвей Матвеевич Андриолли сидел в брезентовом плаще за своим столом и занимался делами, какие обычно начинаются во время дождей.

Первым пришел прораб Поздняков. Он принес на подпись наряды наемных строителей, которые по случаю окончания сезона собрались домой. Директор бегло просмотрел наряды, заметил, что Поздняков слишком уж щедро платит этим шабашникам, но подпись свою поставил, так как наряды были оформлены в строгом соответствии с имеющимися расценками.

Потом пришла Филипповна и, сообщив, что она уезжает на родину, спросила, не купит ли совхоз ее хату. Директор посмотрел на Позднякова, и тот сказал, что он эту хату знает, брать ее нет никакого смысла, так как она уже разваливается.

— Разве что на дрова, — сказал Поздняков.

— На дрова мы брать не будем, — сказал Матвей Матвеевич, — потому что дров у нас своих достаточно. И дорого мы заплатить не можем, максимум сто рублей.

— Ну як хочете, — сказала Филипповна. — Я тоди продам Миколе-плотнику, вин мени даст сто пятьдесят.

— А где плотник? — спросил Андриолли у Позднякова. — Он сегодня собирался рамы вставлять.

— Я ему отгул дал, — сказал Поздняков. — Гроб он делает Очкину.

О смерти Очкина директор как-то забыл и теперь вспомнил, что хотел сходить к вдове и хоть как-то утешить ее. Он знал Катю еще девочкой. Она еще в детстве работала на огороде, а потом дояркой на ферме. И работала очень хорошо, пожалуй, лучше всех. Ее фотографию вот уже много лет не снимали с Доски почета. А своих лучших работниц Андриолли умел ценить и считал своей обязанностью проявлять к ним внимание. Тем более что, как правило, они попусту не беспокоили его ненужными просьбами. И он, конечно, сходил бы к вдове еще вчера, но как ее утешить, не знал. Обычно в таких случаях о покойнике говорят, что он сделал то-то и то-то и память о нем будет жить во веки веков.

Андриолли стал вспоминать, что сделал Очкин, но ничего хорошего вспомнить не мог. Потом все-таки вспомнил. В этом году, когда проводили праздник доярок, надо было написать лозунг, а комсорг, который всегда занимался этими делами, как на грех заболел. Тогда неожиданно для всех вызвался Очкин. Он расстелил в конторе красное полотно и всю ночь ползал перед ним на коленях. К утру он написал лозунг, да, пожалуй, почище, чем это делал комсорг. Может, у него и талант к этому делу был. Но потом он снова ничего не делал, хотя ему и предлагали разные работы. Пока директор вспоминал, что еще делал Очкин, в дверь просунулась голова шофера Лехи Прохорова. Увидев, что Андриолли на месте, он медленно стащил с головы измятую кепкувосьмиклинку и, оставив на полу мокрые следы, прошел к столу.

— Вот заявление вам принес, — сказал он, доставая из кармана сложенный вчетверо листок бумаги. — Насчет отпуска без содержания.

— Зачем тебе отпуск? — спросил Андриолли.

— К матери надо съездить, крышу покрыть. Пишет: текет крыша-то. На недельку, Матвей Матвеич. В тот понедельник как штык на работе буду, — заверил он в слабой надежде.

Но директор неожиданно легко согласился.

— Ну что ж, валяй, — сказал он. — Только сначала съезди к Кате Очкиной, покойника на кладбище отвези.

— Мы его мигом! С ветерком! — обрадовался Леха и побежал к дверям.

— Погоди, — остановил его Андриолли. — Ты, Прохоров, не дури. С ветерком будешь пшено возить, да и то не очень. А это покойник, — сказал он значительно.

— Покойник покойнику рознь, — возразил Леха.

— Покойники все одинаковы, — настоял на своем Андриолли, хотя и не был уверен в своей правоте.

8

Дождь не усиливался, не слабел, все так же монотонно шелестел по стеклам, по соломенным крышам, по облысевшим кронам деревьев. Бабы, накрывшись кто чем, толпились с кошелками возле сельмага: сегодня был день приема посуды.

Леха Прохоров забрался в кабину своего «ГАЗ-63» и включил скорость. Машина забуксовала. Пришлось включить передний мост.

Кое-как машина дотащилась до очкинского дома. Леха остановил ее возле самого крыльца и прошел в хату, в которой собралось уже много народу. Вдова, прикладывая к сухим глазам чистый платок, стояла у изголовья гроба. Леха отозвал ее в сторону.

— Тетя Катя, — сказал он почтительным шепотом, — давай закругляться. Везть уж пора, а то дорога такая, того и гляди на оба моста сядешь.

— Успеешь, — хмуро ответила вдова и вернулась на свое место.

Леха, расстроенный этой волынкой, вышел на улицу и стал под навес возле крыльца. Дело было, конечно, не в дороге. Его «ГАЗ-63» и не по таким дорогам ходил. Просто Лехе надо было поспеть за три километра на станцию на пятичасовой поезд, а времени было уже около четырех. Нетерпеливо поглядывая на часы, он стоял под навесом, курил и злился, глядя на людей, которые все шли и шли к дому покойника. «В такой чепуховой деревне столько народу — конца не видать, — думал он, раздражаясь все больше и больше. — И куда их несет? Будто тот покойник медом намазанный».

— Куда прешь? — сказал он толстой старухе, поднимавшейся на крыльцо. — Покойников, что ль, не видала? Вот погоди, скоро на тебя придем поглядеть.

Старуха ничего не ответила и, обиженно поджав губы, пошла внутрь. Леха пошел за ней.

В горнице шли разговоры о том, что покойник никому ничего плохого не сделал. А если сделал, то не так уж много. Правда, хорошего от него было еще меньше. А потом вполголоса стали разговаривать о своих делах.

Филипповна рассказывала Лаврусенковой, что у ее дочери, которая живет на Украине, родился ребенок и теперь ей надо ехать нянчить внука. Леха извинялся перед толстой старухой, объясняя ей, что обидеть он ее не хотел, а сказал так, потому что торопился. Тимофей, который слыл в деревне книгочеем, пересказывал Николаю содержание рассказа Чехова «Каштанка». Рассказ Николаю понравился, и он сказал:

— Значит, Чехов правда хороший писатель?

— Это на чей вкус, — сказал Тимофей. — Вот Толстой Лев Николаевич его не любил.

— А чего это он о нем такое мнение имел?

— Да кто его знает. «Плохо, — говорит, — пишешь. Шекспир, — говорит, — плохо писал, а ты того хуже». Шекспир — это английский писатель был.

— А чего, он плохо писал?

— Да не то чтобы плохо — неграмотно. На нашем языке его поправили, а в своем он слабоват был...

Все поднялись и пошли выносить гроб.

Дождь перестал. Тучи уже не сплошь закрывали небо: среди них намечался какой-то просвет.

Леха откинул борта, и мужики втолкнули в кузов открытый гроб. У изголовья кто-то поставил крашеную табуретку. Катя устроилась на табуретке поудобней и снова завыла, но уже без тоски, без горя, а так — для приличия.

Леха сел в кабину и посмотрел на часы. Пять часов. Сейчас бы он уже сидел в вагоне. А через три часа сидел бы дома за столом, и мать суетилась бы, подавая ему закуску. Теперь придется ждать целые сутки, а отпуск идет. Надо будет сходить к директору, чтоб он этот день не считал. Лаврусенкова стукнула ему в кабину. Леха понял знак и медленно тронул машину.

Перед машиной шли Николай с Тимофеем. Они несли крышку гроба. Николай шел сзади и старался развернуть крышку то влево, то вправо, в зависимости от того, откуда подходил народ. Делал он это для того, чтоб люди могли посмотреть настоящую работу, а если надо, то и поучиться. Единственное, о чем сейчас жалел Николай, это о том, что работу его, которую по-настоящему надо бы поставить в музее на всеобщее обозрение, сейчас зароют в землю и в скором времени ее источат черви и съедят грибки, и, может быть, через год от этой его работы останутся только трухлявые доски, а через несколько лет и этого не останется.

Когда подъехали к кладбищу и сняли гроб с машины, снова заморосил мелкий дождик. Поэтому Николай поспешно надел на гроб крышку и приколотил ее гвоздями. Гроб на двух веревках опустили в могилу и засыпали размокшей, налипающей на лопаты глиной. Сверху Николай воткнул крест.

Андриолли, который подошел в это время к месту похорон, заметил на кресте потеки мездрового клея и подумал, что надо будет сказать Николаю, чтобы наружные рамы для конторы он ставил на казеиновом клею, он меньше боится сырости.

И еще подумал Андриолли, что этот крест теперь сравнял Очкина со всеми, кто лежит здесь с ним рядом. Потом он понял, что был не прав. Ведь память о человеке определяется не местом, где он лежит, а тем, что он сделал при жизни. Те, с кем лежал теперь Очкин, по-разному жили, по-разному работали, и разные расстояния лежали между днями их рождения и днями, когда их положили сюда. А Очкин, родившись в полукилометре от своей могилы, много поездил и много повидал и все-таки прошел только эти полкилометра, прошел за сорок лет расстояние, на которое нормальному пешеходу достаточно семи минут.

1961

Шапка

Когда Ефима Семеновича Рахлина спрашивали, о чем будет его следующая книга, он скромно потуплял глаза, застенчиво улыбался и отвечал:

— Я всегда пишу о хороших людях.

И всем своим видом давал понять, что пишет о хороших людях потому, что сам хороший и в жизни замечает только хорошее, а плохого совсем не видит.

Хорошими его героями были представители так называемых мужественных профессий: геологи, гляциологи, спелеологи, вулканологи, полярники и альпинисты, которые борются со стихией, то есть силой, не имеющей никакой идеологической направленности. Это давало Ефиму возможность описывать борьбу почти без участия в ней парткомов, райкомов, обкомов (чем он очень гордился) и тем не менее проталкивать свои книги по мере написания, примерно по штуке в год, без особых столкновений с цензурой или редакторами. Потом многие книги перекраивались в пьесы и киносценарии, по ним делались теле- и радиопостановки, что самым положительным образом отражалось на благосостоянии автора. Его трехкомнатная квартира была забита импортом: румынский гарнитур, арабская кровать, чехословацкое пианино, японский телевизор «Сони» и финский холодильник «Розенлев». Квартиру, кроме того, украшала коллекция диковинных предметов, привезенных хозяином из многих экспедиций. Предметы были развешаны по стенам, расстелены на полу, расставлены на подоконниках, на книжных полках, на специальных подставках: оленьи рога, моржовый клык, чучело пингвина, шкура белого медведя, панцирь гигантской черепахи, скелеты глубоководных рыб, высушенные морские ежи и звезды, нанайские тапочки, бурятские или монгольские глиняные фигурки и еще всякая всячина. Показывая мне коллекцию, Ефим почтительно комментировал: «Это мне подарили нефтяники. Это мне подарили картографы. Это — спелеологи».

В печати сочинения Рахлина оценивались обычно очень благожелательно. Правда, писали о них в основном не критики, а те же самые спелеолухи (так всех мужественных людей независимо от их реальных профессий именовал друг Ефима Костя Баранов). Отзывы эти (я подозреваю, что Ефим сам их и сочинял) были похожи один на другой и назывались «Нужная книга», «Полезное чтение», «Это надо знать всем» или как-нибудь в этом духе. Они содержали обычно утверждения, что автор хорошо знаком с трудом и бытом изображаемых героев и достоверно описывает романтику их опасной и нелегкой работы.

Во всех его рассказах (раньше Ефим писал рассказы), повестях (потом стал писать повести) и романах (теперь он пишет только романы) действуют люди как на подбор хорошие, прекрасные, один лучше другого.

Ефим меня уверял, что описываемые им персонажи и в жизни такие. Будучи скептиком, я в этом глубоко сомневался. Я знал, что люди везде одинаковы, что и на дрейфующей льдине среди советского коллектива есть и партийные карьеристы, и стукачи, и хоть один кадровый работник госбезопасности тоже имеется. Потому что в условиях изоляции и долговременного отрыва от родины у некоторых людей даже очень большого мужества может появиться желание выразить какую-нибудь идейно незрелую мысль или рассказать сомнительный в политическом отношении анекдот. Не говоря уж о том, что эта самая льдина может придрейфовать куда угодно и нет никакой гарантии, что ни у кого из хороших людей не хватит мужества остаться на чужом берегу.

Когда я высказывал Ефиму это свое циничное мнение, он даже позволял себе сердиться и горячо уверял меня, что я ошибаюсь, в суровых условиях действуют другие законы и мужественных людей судить по обычным меркам нельзя. «В каком смысле нельзя? — спрашивал я. — В том смысле, что не найдется среди них ни одного, который сбежит? Не найдется ни одного, который погонится за сбежавшим? А если найдутся и тот, и тот — кто из них хороший, а кто плохой?»

В конце концов Ефим просто замолкал и поджимал губы, показывая, что спорить со мной бесполезно, для того чтобы понимать высокие устремления, надо самому обладать ими.

Во всех его романах непременно случалось какое-нибудь центральное драматическое происшествие: пожар, буран, землетрясение, наводнение со всякими к тому же медицинскими последствиями вроде ожогов, обморожений, откачки утопленников, после чего хорошие люди бегут, летят, плывут, ползут на помощь и охотно делятся своей кровью, кожей, лишними почками и костным мозгом или проявляют свое мужество каким-то иным, опасным для здоровья способом.

Сам Ефим был мужественным, но не храбрым. Он мог тонуть в полынье, валиться с какой-нибудь памирской скалы, гореть при тушении пожара на нефтяной скважине, но при этом всегда боялся тринадцатых чисел, черных кошек, вирусов, змей, собак и начальников. Начальниками он считал всех, от кого зависело дать ему что-то или отказать, поэтому в число начальников входили редакторы журналов, секретари Союза писателей, милиционеры, вахтеры, билетные кассиры, продавцы и домоуправы.

Обращаясь к начальникам с большой или маленькой просьбой, он при этом делал такое жалкое лицо, что отказать ему мог только совершеннейший истукан.

Он всегда просил, вернее, выпрашивал все, начиная от действительно важных вещей, например переиздания книги, до самых ничтожных вроде подписки на журнал «Наука и жизнь». А уж как он хлопотал о том, чтобы «Литературка» отметила его пятидесятилетие юбилейной заметкой с фотографией, как боролся за то, чтобы ему дали хоть какой-нибудь орден, — об этом можно написать целый рассказ или даже повесть. Я писать ни того ни другого не буду, скажу только, что битву свою Ефим выиграл лишь отчасти: заметка появилась без фотографии и без всяких оценочных эпитетов, а вместо ордена ему в порядке общей очереди была вручена Почетная грамота ВЦСПС.

Впрочем, замечу к слову, кое-какие металлические знаки отличия у Ефима все же имелись. В конце войны, прибавив себе в документах пару лет, Ефим (он уже тогда был мужественным) попал в армию, но до фронта не добрался, был ранен во время бомбежки эшелона. Это его неудачное участие в войне было отмечено медалью «За победу над Германией». Двадцать или тридцать лет спустя ему за то же самое дали юбилейную медаль, в семидесятом году он получил медаль в честь столетия Ленина, а в семьдесят первом — медаль «За освоение нефтегазовых месторождений Западной Сибири». Эту награду Ефиму выдал нефтегазовый министр в обмен на экземпляр романа «Скважина», посвященного, между прочим, не западносибирским, а бакинским нефтяникам. Упомянутые медали украшали ефимовскую анкету и в биографических данных позволяли ему со скромным достоинством отмечать: «Имею правительственные награды». А иной раз он писал не «правительственные», а «боевые», так звучало эффектней.

Меня Ефим посещал обычно по четвергам, когда ему как ветерану войны в магазине напротив моего дома выдавали польскую курицу, пачку гречки, рыбные палочки, банку растворимого кофе и слипшийся, засахаренный мармелад «Лимонные дольки». Все это он носил в большом портфеле, в котором помещались и другие закупленные по дороге продукты, а также пара экземпляров только что вышедшего романа для подарков случайно встреченным нужным хорошим людям. Там же, конечно, была и новая рукопись, с которой он спешил ознакомить своих друзей, в число которых включал и меня. Я до сих пор хорошо помню толстую желтую папку с коричневыми завязками и надписью «Дело».

Поставив портфель на стул, Ефим осторожно вытаскивал папку и вручал мне, одновременно как бы и смущаясь, и оказывая честь, которой он не каждого удостаивал (не каждый, правда, спешил удостоиться).

— Знаешь, — говорил он, отводя при этом глаза, — мне очень важно знать твое мнение.

Иногда я пытался как-нибудь отбрыкаться:

— Ну зачем тебе мое мнение? Ты же знаешь, что от критики я отошел, потому что всерьез заниматься критикой не дают, а не всерьез ею заниматься не стоит. Я работаю в институте, получаю зарплату. А о текущей литературе писать не собираюсь. Ни о твоих книгах, ни о других.

Он в таких случаях пугался, смущался и пытался меня уверить, что ни на какую печатную критику и не надеется, ему достаточно только моего высокоавторитетного устного мнения.

И, конечно, я всегда давал слабину.

Однажды, впрочем, я сильно на Ефима рассердился и сказал не ему, а своей жене:

— Вот придет, и я ему скажу, что я его книгу не читал и читать не буду. Я не хочу читать про хороших людей. Я хочу читать про всяких негодяев, неудачников и проходимцев. Про Чичикова, Акакия Акакиевича, про Раскольникова, который убивает старух, про человека в футляре или про Остапа Бендера. А мой любимый герой — дезертир, торгующий крадеными собаками.

— Подожди, не горячись, — попыталась меня утихомирить жена. — Посмотри хотя бы первые страницы, может быть, в них все-таки что-то есть.

— И смотреть не желаю! В них ничего нет и быть не может. Глупо ожидать от вороны, что она вдруг запоет соловьем.

— Но ты хоть полистай.

— И листать нечего! — Я швырнул рукопись, и она разлетелась по всей комнате.

Жена вышла, а я, поостыв, стал собирать листки, заглядывая в них и возмущаясь каждой строкой. В конце концов я пролистал всю рукопись, прочел несколько страниц в начале, заглянул в середину и в конец.

Роман назывался «Перелом». Один из участников геологической экспедиции сломал ногу (и вначале даже мужественно пытался это скрыть), а врача поблизости нет, он находится в поселке за сто пятьдесят километров, и имеющийся у экспедиции вездеход, на беду, сломался. И вот хорошие люди несут своего мужественного товарища на руках в дождь и снег, через топи и хляби, переживая неимоверные трудности. Больной хотя и мужественный, но немного отсталый. По-хорошему отсталый. Он просит друзей оставить его на месте, потому что они уже нашли конец нужной жилы, которая очень нужна государству. А раз нужна государству, то и для него она дороже собственной жизни. (Хорошие люди тем особенно и хороши, что своей жизнью особо не дорожат.) Герой просит его оставить и получает, разумеется, выговор от хороших своих товарищей за оскорбление. За высказанное им предположение, что они могут покинуть его в беде. И хотя у них кончились все припасы — и еда, и курево — и ударили морозы, они все-таки донесли товарища до места, не бросили, не пристрелили, не съели.

Все было ясно. На листке бумаги я набросал некоторые заметки и ждал Ефима, чтобы сказать ему правду.

В четверг, как всегда, он явился нагруженный своим раздутым портфелем, из которого и мне досталась банка болгарской кабачковой икры.

Мы поговорили о том о сем, о последней передаче «Голоса Америки», о наших домашних, о его сыне Тишке, который учился в аспирантуре, о дочке Наташе, жившей в Израиле, обсудили одну очень смелую статью в «Литературной газете» и оценили шансы консерваторов и лейбористов на предстоящих выборах в Англии. Почему-то отношения консерваторов и лейбористов Ефима всегда волновали, он регулярно и заинтересованно пересказывал мне, что Нил Киннок сказал Маргарет Тэтчер и что Тэтчер ответила Кинноку.

Наконец я понял, что уклоняться дальше некуда, и сказал, что рукопись я прочел.

— А, очень хорошо! — Он засуетился, немедленно извлек из портфеля средних размеров блокнот с Юрием Долгоруким на обложке, а из кармана ручку «Паркер» (подарили океанологи) и выжидательно уставился на меня.

Я посмотрел на него и покашлял. Начинать прямо с разгрома было неловко. Я решил подсластить пилюлю и сказать для разгона что-нибудь позитивное.

— Мне понравилось... — начал я, и Ефим, подведя под блокнот колено, застрочил что-то быстро, прилежно, не пропуская деталей. — Но мне кажется...

Паркеровское перо отдалилось от блокнота, на лице Ефимовом появилось выражение скуки, глаза смотрели на меня, но уши не слышали. Это была не осознанная тактика, а феномен такого сознания, обладатели которого видят, слышат и помнят только то, что приятно.

— Ты меня не слушаешь, — заметил я, желая хотя бы частично пробиться со своей критикой.

— Нет-нет, почему же! — Слегка смутясь, он приблизил перо к бумаге, но записывать не спешил.

— Понимаешь, — сказал я, — мне кажется, что, сломав ногу, человек, даже если он очень мужественный и очень хороший, во всяком случае в первый момент, думает о ноге, а не о том, что государству нужна какая-то руда.

— Кобальтовая руда, — уточнил Ефим, — она государству нужна позарез.

— А, ну да, это я понимаю. Кобальтовая руда, она, конечно, нужна. Но она там лежала миллионы лет и несколько дней, наверное, может еще полежать, каши не просит. А нога в это время болит...

Ефим поморщился. Ему было жаль меня, чуждого высоких порывов, но спорить, он понимал, бесполезно. Если уж в человеке чего-то нет, так нет. Поэтому он ограничил нашу дискуссию пределами, доступными моему пониманию, и спросил, что я думаю об общем построении романа, о том, как это написано.

Написано это было, как всегда, из рук вон плохо, но я увидел в глазах его такое отчаянное желание услышать хорошее, что сердце мое дрогнуло.

— Ну, написано это... — Я немного помялся. — Ну, ничего. — Посмотрел на него и поправился: — Написано довольно хорошо.

Он просиял:

— Да, мне кажется, что стилистически...

За такой стиль, конечно, надо убивать, но, глядя на Ефима, я промямлил, что по части стиля у него все в порядке, хотя есть некоторые шероховатости...

Тут он полез в карман, то ли за платком, то ли за валидолом, и я понял, что даже некоторых шероховатостей достаточно для небольшого сердечного приступа.

— Маленькие шероховатости, — поспешил я поправиться. — Совсем небольшие. А впрочем, может быть, это мое субъективное мнение. Ты знаешь, меня и раньше всегда ругали за субъективизм. А объективно это вообще хорошо, здорово.

— А как тебе понравилось, когда Егоров лежит и смотрит на Большую Медведицу?

Егоровым, кажется, звали главного героя. А вот где он лежит и на что смотрит, этого я припомнить не мог и вынужденно похвалил Егорова и Большую Медведицу.

— А сцена в кабинете начальника главка? — посмотрел на меня Ефим, поощряя к нарастающему восторгу.

О боже! Какого еще главка! Я был уверен, что там все действие происходит только на лоне недружелюбной природы.

— Да-да-да, — сказал я, — в главке это вообще, это да. И название очень удачное, — добавил я, чтобы подальше уйти от деталей.

— Да, — загорелся Ефим. — Название мне удалось. Понимаешь, речь же идет не просто о переломе конечности. Это было бы слишком плоско и примитивно. Одновременно происходит перелом в отношении к человеку, перелом в душе, перелом в сознании... Там, ты помнишь, они понесли его к больнице и видят за замерзшим окном расплывшийся силуэт...

Разумеется, и этого я не помнил, но о силуэте отозвался самым одобрительным образом и, чтоб избежать дальнейших подробностей, вскочил и, пряча глаза, поздравил Ефима с удачей.

Моя жена вылетела на кухню, и я слышал, как она там давилась от смеха, а он, пользуясь ее отсутствием, кинулся ко мне с рукопожатием.

— Я рад, что тебе понравилось, — сказал он взволнованно.

Покинув меня, он, как и следовало ожидать, тут же разнес по всей Москве весть о моем восторженном отзыве, сообщил о нем, кроме прочих, Баранову, который немедленно позвонил мне и, шепелявя больше обычного, стал допытываться, действительно ли мне понравился этот роман.

— А в чем дело? — спросил я настороженно.

— А в том дело, — сердито сказал Баранов, — что своими беспринципными похвалами вы только укрепляете Ефима в ложном мнении, будто он в самом деле писатель.

Этот Баранов, будучи ближайшим другом Рахлина, никогда его не щадил, считал своим долгом говорить ему самую горькую правду, иногда даже настолько горькую, что я удивлялся, как Ефим ее терпит.

Ефим жил на шестом этаже писательского дома у метро «Аэропорт» — исключительно удобное место. Внизу поликлиника, напротив (одна минута ходьбы) — производственный комбинат Литературного фонда, налево (две минуты) — метро, направо (три минуты) — продовольственный магазин «Комсомолец». А еще чуть дальше, в пределах, как американцы говорят, прогулочной дистанции, — кинотеатр «Баку», Ленинградский рынок и 12-е отделение милиции.

Квартира была просторная, а стала еще просторнее после того, как семья Ефима сократилась ровно на четверть. Это случилось после того, как дочь Наташа уехала на историческую родину, а точнее сказать, в Тель-Авив. Уехала, между прочим, с большим скандалом.

Чтобы понять причину скандала, надо знать, что жена у Ефима была русская — Кукушкина Зина, родом из Таганрога. Кукуша (так ее ласково звал Ефим) была полная, дебелая, похотливая и глупая дама с большими амбициями. Она курила длинные иностранные сигареты, которые доставала по блату, гуляла, как говорится, «налево», пила водку, пела похабные частушки и вообще материлась, как сапожник. Она работала на телевидении старшим редактором отдела патриотического воспитания и выпускала программу «Никто не забыт, ничто не забыто». Кроме того, была секретарем партбюро, депутатом райсовета и членом общества «Знание», а под лифчиком носила крест, верила в мумие, телепатию, экстрасенсов и наложение рук, словом, была вполне современной представительницей интеллектуальной элиты. Она сохранила девичью фамилию, чтобы не портить себе карьеру, и по той же причине сделала Кукушкиными и записала русскими своих детей. Ее стратегия долго себя оправдывала. Она сама делала карьеру и литературным успехам мужа способствовала чем могла.

Ей уже было сильно за сорок, а у нее все еще были любовники, чаще военные, а из них самый важный — дважды Герой Советского Союза, генерал армии Побратимов. Они познакомились в ту давнюю пору, когда, еще будучи заместителем министра обороны, он увидел Кукушу по телевизору. Она так привлекла генерала, что он взялся курировать передачу «Никто не забыт, ничто не забыто». Мне рассказывали, что во времена, когда Ефим отправлялся с мужественными людьми в дальние командировки или, по выражению Баранова, искать приключений на свою ж... Побратимов присылал, бывало, за Кукушей длинную черную машину с адъютантом — маленького роста брюхатым полковником по имени Иван Федосеевич. Случалось это обычно днем, в самое что ни на есть рабочее время. Иван Федосеевич, в форме, с полным набором орденских планок, являлся в редакцию, по-штатски здоровался со всеми Кукушиными сослуживцами, широко улыбался всеми своими золотыми коронками и важно сообщал:

— Зинаида Ивановна, вас ждут в Генеральном штабе с материалом.

Кукуша складывала в папку какие-то бумаги и удалялась, а кто и что судачил там за спиной, ее не очень-то волновало.

А когда генерал сам навещал Кукушу, то сначала перед домом появлялся милиционер-регулировщик, потом на двух «Волгах» прибывали и рассредоточивались вокруг дома какие-то люди, похожие на слесарей. В таких случаях, несмотря даже на капризы погоды, на лавке перед подъездом устраивалась парочка влюбленных. Они или пили из одной бутылки вино, или обнимались, причем он (так изображал мне дело Баранов) оттягивал ее кофточку и бормотал что-то в пазуху, где, вероятно, прятался микрофон. Затем появлялось такси, которое, высадив гражданина в темных очках и надвинутой на очки серой шляпе, немедленно укатывало. Наблюдательные соседи заметили, что шофером такси был все тот же переодетый Иван Федосеевич, ну а кем был пассажир, об этом стоит ли говорить?

Из всех Кукушиных любовников генерал Побратимов был самым щедрым и благодарным. Хотя в последнее время он мало чем мог быть полезным. Не угодив высшему начальству, он был смещен за «бонапартизм» и с прилепленными в утешение маршальскими звездами услан командовать отдаленным военным округом. Но и уезжая, он своих друзей не забывал: Тишке Кукушкину помог освободиться от армии, а Ивана Федосеевича устроил военным комиссаром Москвы и способствовал присвоению ему генеральского звания.

Кукушкина Наташа в свое время работала переводчицей в Интуристе и тоже готовилась в аспирантуру, пока не встретила молодого научного сотрудника НИИ мясо-молочной промышленности Семена Циммермана, которому родила сына, названного по настоянию отца Ариэлем в честь (подумать только!) министра обороны Израиля. Кукуша боролась против этого имени как могла, обещала, что никогда внука с таким именем не признает, потом все-таки признала, но называла его Артемом. Коварный Циммерман, однако, подготовил Кукуше еще более страшный удар. Явившись однажды домой, Наташа сообщила, что она и Сеня (Циммерман) решили переселиться на историческую родину и ей нужна справка от родителей об отсутствии у них материальных претензий. Это известие повергло Кукушу в ужас. Она умоляла Наташу опомниться, бросить этого проклятого Циммермана, подумать о своем ребенке. Она попрекала ее своими материнскими заботами, скормленными ей в детстве манной кашей и рыбьим жиром, напоминала о советской власти, давшей Наташе образование, о комсомоле, воспитавшем ее, пугала капитализмом, арабами и пустынным ветром хамсином, плакала, пила валерьянку, становилась перед дочерью на колени и грозила ей самыми страшными проклятиями. Справку она, конечно, не дала и запретила это делать Ефиму. Больше того, она написала в Интурист, в НИИ мясо-молочной промышленности, в ОВИР и в собственную парторганизацию заявления с просьбой спасти ее дочь, по незрелости попавшую в сионистские сети. Но сионисты проникли, видимо, и в ОВИР, потому что в конце концов Наташе разрешили уехать без справки.

Ни на прощальный вечер, ни в аэропорт Кукуша не явилась, а Ефим простился с дочерью втайне от жены и теперь скрывал, что, преодолевая постоянный страх, время от времени получает из Израиля письма, посылаемые ему до востребования на Центральный почтамт.

Наташа и ее муж устроились очень хорошо. Сеня (он теперь назывался Шимоном) определился на какой-то военный завод и получал приличное жалованье, а она работала в библиотеке. Одно только было разочарование, что Ариэль, считавшийся в СССР евреем и бывший им на три четверти, в Израиле оказался русским, поскольку был рожден от русской матери (да и сама мать, всю жизнь скрывавшая свое еврейство, теперь тоже считалась гойкой по той же причине).

Вопреки ожиданиям, отъезд дочери на положении Ефима и Кукуши никак не сказался. Издательство «Молодая гвардия» по-прежнему регулярно издавало его романы о хороших людях, Кукуша продолжала работать над передачей «Никто не забыт...», руководила парткомом и носила крест, а Тишка успешно заканчивал аспирантуру.

Жизнь шла своим чередом.

Утром Ефим просыпается от легкого стука. Это упала газета «Известия», просунутая лифтершей в дверную щель. Щель эта делалась для почтового ящика, который должен был висеть изнутри. Но ящика нет. Ефим хотел заказать этот ящик еще до рождения Тишки, да все откладывал, а теперь и не нужно. Отличный естественный будильник для чутко спящего человека.

Ефим встает и, обернув свое щуплое мохнатое тело зеленым махровым халатом, шлепает в коридор, подбирает газету и с газетой — в уборную. Затем, ополоснувши лицо, на кухню — готовить завтрак для Тишки. Пока жарится яичница, варится кофе, ставятся на стол хлеб, масло, в комнате Тишки при помощи таймера включается магнитофон «Панасоник», подарок родителей. Звуки рок-музыки звучат сперва приглушенно. Затем резкое усиление звука: Тишка, идя в уборную, дверь свою оставил открытой. Звук стихает: Тишка опять закрылся, делает зарядку с гантелями. Музыка опять гремит на всю квартиру: Тишка пошел в душ, все двери открыты. Наконец музыка неожиданно глохнет, и Тишка появляется на кухне умытый, причесанный, аккуратно одетый: джинсы «Ранглер», синяя полуспортивная финская курточка, белая рубашка, темно-красный галстук.

— Здорово, папан!

— Доброе утро!

Тишка садится завтракать. Ефим с удовольствием смотрит на сына: высокий, светловолосый, глаза серые, Кукушины. С сыном Ефиму повезло. Учится отлично, не пьет, не курит, занимается спортом (теннис и карате). Всегда занят: аспирант, член студенческого научного общества, член институтского бюро комсомола, председатель совета народной дружины.

Ест яичницу, прихлебывает кофе, без интереса скользит глазами по газете. Прием в Кремле. В Туркмении идет посевная. Честь и совесть партийного руководителя. Напряженность в Персидском заливе. Спорт, спорт, спорт...

— Ты сегодня поздно придешь? — спрашивает отец.

— Поздно. У нас сегодня вечером эстрадный концерт, а потом дежурство в дружине.

— Значит, к ужину тебя не ждать?

— Нет.

Вот и весь разговор. Тишка уходит, а Ефим опять варит кофе и жарит яичницу, теперь уже себе и Кукуше. А как только Кукуша ушла, посуду помыл — и к столу, чтобы написать за день свои четыре страницы, такая у него в среднем дневная норма.

Сейчас он только что приступил к работе над новым романом. Вернее, даже не приступил, а вложил в машинку чистый лист финской бумаги (ее недавно выдавали в Литфонде), написал вверху «Ефим Рахлин», написал посередине название «Операция» и задумался над первой фразой, которая ему всегда давалась с большим трудом. Хотя сюжет был обдуман полностью.

Сюжет (опять медицинский) развивался где-то посреди Тихого океана на исследовательском судне «Галактика». У одного из членов экипажа приступ аппендицита. Больной нуждается в немедленной операции, а делать ее некому, кроме судового врача. Но все дело в том, что именно он-то и заболел. Конечно, узнав о случившемся, хорошие люди во Владивостоке и в Москве обмениваются радиограммами, связываются с капитанами судов, те, естественно, тут же меняют курс и идут на помощь, но им, как во всех романах Рахлина, противостоят силы природы: шторм, туман, дождь и обледенение. Короче говоря, больной доктор принимает единственно возможное решение. Взяв ассистентом штурмана, который держит зеркало, доктор сам делает себе операцию. Но хорошие люди в это время тоже не сидят сложа руки. Как раз к концу операции к борту «Галактики» подходит флагман китобойной флотилии «Слава». Врач флагмана, рискуя жизнью, добирается до «Галактики», поднимается со своим чемоданчиком по веревочной лестнице, однако операция уже позади.

«Ну что ж, коллега, — осмотрев шов, говорит прибывший, — операция проведена по всем правилам нашего древнего искусства, и мне остается вас только поздравить».

«Тсс!» — приложив палец к обескровленным губам, шепчет прооперированный и включает стоящий на тумбочке рядом транзисторный приемник «Романтика».

Дело в том, что у него как раз сегодня день рождения и радиостанция «Океан» по просьбе его жены передает любимый романс доктора «Я встретил вас, и все былое...».

Написав название романа «Операция», Ефим задумался и попытался себе представить, как будет выглядеть это слово, если его изобразить по вертикали. Дело в том, что названия всех его романов последнего времени всегда состояли из одного слова. И не случайно.

Ефим давно заметил, что популяризации литературных произведений весьма способствует включение их названий в кроссворды. Составители кроссвордов являются добровольными рекламными агентами, которых иные авторы недооценили, называя свои сочинения многословно вроде «Война и мир», «Горе от ума» или «Преступление и наказание». В других случаях авторы оказались дальновиднее, пустив в оборот название «Полтава», «Обломов», «Недоросль» или «Ревизор».

Ефим втайне гордился тем, что сам, без посторонней подсказки открыл такой нехитрый способ пропаганды своих сочинений. И время от времени пожинал плоды, находя в кроссвордах, печатавшихся в «Вечерке», «Московской правде», а то и в «Огоньке», заветный вопрос: «Роман Е. Рахлина». И тут же, подсчитав количество букв, радостно вписывал: «Лавина». Или «Скважина». Или (было у него и такое название) «Противовес». Слово из восьми букв «Операция» тоже для этой цели весьма годилось. А кроме того, подходило и для своеобразной шарады, которая только что пришла ему в голову. У него даже дух захватило, и он сначала записал шараду на отдельном листе бумаги, а потом позвонил Кукуше на работу:

— У тебя пара минут найдется?

— А что? — спросила она.

— Слушай, я придумал шараду. Первые пять букв — крупное музыкальное произведение, вторые пять букв — переносная радиостанция, а все вместе будущий роман Рахлина из восьми букв.

— Лысик, не морочь мне голову, у меня через пять минут запись.

— Ну хорошо, хорошо, — заторопился он. — Я тебе не мешаю. Я тебе только скажу, первая часть — опера...

— Лысик, — завопила Кукуша, — иди ты в жопу со своей оперой. — К указанному адресу Кукуша добавила несколько заковыристых выражений.

Она всегда так высказывалась, и Ефиму это нравилось, хотя сам он подобных слов избегал.

Он положил трубку и посмотрел на часы. Было четверть десятого, и Баранов, если вчера не перепил, может, уже проснулся. Он позвонил Баранову.

К телефону долго не подходили. Он намерился положить трубку, но тут в ней щелкнуло.

— Але! — услышал он недовольный голос.

— Привет, — сказал Ефим. — Я тебя не разбудил?

— Конечно, разбудил, — сказал Баранов.

— Ну, тогда извини, я тебе просто хотел загадать шараду.

— Шараду?

— Очень интересную. Первая половина слова из пяти букв — крупное музыкальное произведение, вторая половина из пяти букв — переносная радиостанция, а все вместе — хирургическое вмешательство из восьми букв.

— Слушай, старик, я вчера в Доме литераторов слегка перебрал, но ты ведь не пил. Ты арифметику давно проходил? Пять и пять сколько будет?

Улыбаясь в трубку, Ефим стал объяснять, что его шарада усложненная и состоит из двух частей, как бы налезающих друг на друга.

— Понимаешь, первая часть — опера, вторая часть — рация, последний слог первого слова является первым слогом второго слова, а все вместе — мой новый роман.

— Ты опять пишешь новый роман? — удивился Баранов.

— Пишу, — самодовольно признался Ефим.

— Молодец! — похвалил Баранов, громко зевая. — Работаешь без простоев. Пишешь быстрее, чем я читаю.

— Кстати, — напомнил Ефим, — ты «Лавину» прочитал?

— «Лавину»? — переспросил Баранов. — Что еще за «Лавина»?

— Мой роман. Который я тебе подарил на прошлой неделе.

— А, ну да, — сказал Баранов. — Помню. А зачем ты спрашиваешь?

— Ну, просто мне интересно знать твое мнение.

— Ты же знаешь, мнение мое крайне отрицательное.

— А ты прочел?

— Конечно, нет.

— Как же ты можешь судить?

— Старик, если мне дают кусок тухлого мяса, мне достаточно его укусить, но необязательно дожевывать до конца.

Разговор в таком духе они вели не первый раз, и сейчас, как всегда, Ефим обиделся и стал кричать на Баранова, что он хам, ничего не понимает в литературе и не знает, сколько у него, Ефима, читателей и сколько ему приходит писем. Кстати, только вчера пришло письмо от одной женщины, которая написала, что они «Лавину» читали всей семьей, а она даже плакала.

— Вот слушай, что она пишет. — Ефим придвинул к себе письмо, которое лежало перед ним на виду: — «Ваша книга своим гуманистическим пафосом и романтическим настроением выгодно отличается от того потока, может быть, и правдоподобного, но скучного описания жизни, с бескрылыми персонажами, их приземленными мечтами и мелкими заботами. Она знакомит нас с настоящими героями, с которых хочется брать пример. Спасибо вам, дорогой товарищ Рахлин, за то, что вы такой, какой вы есть».

— О боже! — застонал в трубку Баранов. — Надо же, сколько еще дураков-то на свете! И кто же она такая? Пенсионерка небось. Член КПСС с какого года?

Баранов попал в самую точку. Читательница действительно подписалась Н. Круглова, персональная пенсионерка, член КПСС с 1927 года. Но Ефим этого Баранову не сказал.

— Ну ладно, — сказал он, — с тобой говорить бесполезно. Не поймешь. — И бросил трубку.

Настроение испортилось. Писать уже не хотелось. Столь легко сложившийся замысел «Операции» больше не радовал. Хотя последний эпизод, где прооперированный доктор слушает любимый романс, по-прежнему казался удачным.

— Дурак, — сказал Ефим, воображая перед собою Баранова. — Нахал! Чья б корова мычала. Я написал одиннадцать книг, а ты сколько?

На этот вопрос ответить было нетрудно, потому что за всю жизнь Баранов написал всего одну повесть, был за нее принят в Союз писателей, трижды ее переиздавал, но ничего больше родить не мог и зарабатывал на жизнь внутренними рецензиями в Воениздате и короткометражными сценариями на Студии научно-популярных фильмов (в просторечии «Научной»).

Впрочем, Ефим злился не только на Баранова, но и на себя самого. Он сам не понимал, почему позволял Баранову так с собой обращаться, почему терпел от него все обиды и оскорбления. Но факт, что позволял, факт, что терпел. Иногда Ефим вступал в долгие споры о ценности своего творчества, и тогда Баранов предлагал ему или посмотреть в зеркало, или сравнить свои писания с книгами Чехова. Насчет зеркала Баранов был, ничего не скажешь, прав. Иногда Ефим и в самом деле подходил к стоявшему в коридоре большому трюмо, пристально вглядывался в свое отражение и видел перед собой жалкое, лопоухое, сморщенное лицо с мелкими чертами и голым теменем, по которому рассыпалась одна растущая посередине и закручивающаяся мелким бесом прядь. И видел большие, выпученные еврейские глаза, в которых не было ничего, кроме бессмысленной какой-то печали.

Но что касается Чехова, Ефим читал его часто и внимательно. И ничего не мог понять. Читая Чехова, он — нет, он, конечно, никому и никогда бы в этом не признался, — но, читая Чехова, он каждый раз приходил к мысли, что ничего особенного в чеховских писаниях нет и он, Рахлин, пишет не хуже, а может быть, даже немного лучше.

Ефим нервно ходил по комнате. Злясь на Баранова и на себя самого, он размахивал руками, бормотал что-то бессвязное, корчил рожи, а иногда даже по-старомодному, как лейб-гвардии офицер (неизвестно, откуда в нем проснулся этот не соответствующий его происхождению атавизм), вытягивался в струнку, щелкал пятками (никак не каблуками, потому что был в мягких шлепанцах), делал резкий кивок, сквозь зубы произносил: «Нет уж, увольте!» — и несколько раз даже плюнул в лицо воображаемого оппонента, то есть Баранова.

Умом Ефим сознавал, что в его дружбе с Барановым нет никакого смысла. Он был согласен с Кукушей, которая не понимала, что его связывает с Барановым. «Он меня любит», — отвечал ей Ефим, хотя сам в это не верил. Верил не верил, но что-то такое между ним и Барановым было. Если не любовь, то привязанность. Да такая привязанность, что оба, обмениваясь взаимными оскорблениями и попреками, одного дня не могли обойтись друг без друга, а может быть, и без самих этих попреков и оскорблений.

Не понимая этого до конца, Ефим решил прекратить с Барановым всякие отношения. Он решил это совершенно твердо (так же твердо, как решал это тысячу раз) и почувствовал (в тысячу первый раз) облегчение и успокоенность. В конце концов, он не один, у него есть любимая жена, есть любимый сын, есть блудная дочь, тоже, впрочем, любимая. Да, она уехала, но их отношения сохранились, она пишет, он пишет, и они все еще близки. И кроме того, у него есть неистощимый источник муки и радости — его работа. Вот он сейчас опять сядет за машинку, ему надо только придумать первую фразу, а там дальше дело пойдет само по себе. Пусть про него говорят, что он не очень хороший писатель. А где критерии, кто хороший, а кто не хороший? Нет критериев. Во всяком случае, самому Ефиму нравилось, как он пишет, и он хорошо знал, что, если бы его не печатали и не платили денег, он все равно писал бы для себя самого. Но его печатают довольно внушительными тиражами и платят такие деньги, каких он не имел никогда. В свое время, будучи рядовым сотрудником журнала «Геология и минералогия», он за зарплату, во много раз меньшую, вынужден был ежедневно ходить на работу, выслушивать нарекания начальства, когда опаздывал (что, правда, случалось редко), и отпрашиваться в поликлинику или в магазин.

Сейчас он сочинит первую фразу, а там все пойдет своим чередом. Появятся описания природы, появятся люди, они вступят между собой в какие-то взаимоотношения, и начнется тот тайный, необъяснимый и не каждому подвластный процесс, который называется творчеством.

Пересилив себя, Ефим сел за машинку, и само собой написалось так:

«Штормило. Капитан Коломийцев стоял на мостике и тоскливо озирал взбесившееся («Именно взбесившееся», — подумал Ефим) пространство. Огромные волны громоздились одна за другой и бросались под могучую грудь корабля с самоотверженностью отчаянных камикадзе...» Сравнение волн с камикадзе понравилось Ефиму, но он вдруг засомневался, как правильно пишется это слово — «ками-» или «комикадзе». Он придвинул к себе телефон и механически стал набирать номер Баранова, но тут же вспомнил о своем бесповоротном решении.

Не успел опустить трубку, как его собственный телефон зазвонил. Ефим всегда утверждал, что по характеру звонка можно догадаться, кто звонит. Начальственный звонок обычно резок и обрывист, просительский — переливчат и вкрадчив. Сейчас звонок был расхлябанный, наглый.

— Ну что тебе еще? — спросил Ефим, схватив трубку.

— Слушай, слушай, — зашепелявил Баранов, — я тебе совсем забыл сказать, что писателям шапки дают.

— Понятно, — сказал Ефим и бросил трубку. Но бросил не для того, чтобы нагрубить Баранову, а по другой причине.

Надо сказать, что Ефим и Баранов, живя на порядочном расстоянии друг от друга, чаще всего общались по телефону. По телефону обсуждали все волнующие их проблемы и события, которых бывало всегда в изобилии. Сплетни о тех или иных своих коллегах, об очередном заседании в секции прозы, о том, кто где проворовался, к кому от кого ушла жена и о многих политических событиях. Они критиковали колхозную систему, цензуру, книгу первого секретаря Союза писателей, обсуждали все события на Ближнем Востоке, побег на Запад очередного кагэбэшника, заявление новой диссидентской группы, передавали друг другу новости, услышанные по Би-би-си. А для того, чтобы их никто не подслушал или, подслушав, не понял, они разработали (отчасти стихийно) сложнейшую систему иносказаний и намеков, что-то вроде особого кода, в соответствии с которым все имена, названия и основные направления их размышлений были искажены до неузнаваемости. Сами же они понимали друг друга с полуслова. И если, например, Ефим сообщал Баранову, что, по словам бабуси, в Лондоне наметился большой урожай грибов, то Баранов, заменив в уме «грибы» «шампиньонами», а шампиньоны — шпионами, понимая, что под «бабусей» имеется в виду Би-би-си, делал вывод, что, по сообщению этой радиостанции, из Лондона высылается большая группа советских шпионов. Разумеется, такой высылке оба радовались, как радовались в жизни всем другим неудачам и неприятностям государства, того самого, ради которого книжные герои Ефима охотно рисковали и жертвовали отдельными частями своего тела и всем телом целиком. А когда, например, Баранов позвонил Ефиму и сказал, что может угостить свежей телятиной, тот немедленно выскочил из дому, схватил такси и поперся к Баранову к черту на кулички в Беляево-Богородское вовсе не в расчете на отбивную или ростбиф, а приехав, получил на очень короткое время то, ради чего и ехал, — книгу Солженицына «Бодался теленок с дубом».

Итак, Баранов позвонил и сказал, что писателям дают шапки. Ефим сказал: «Понятно» — и бросил трубку, чтобы не привлекать внимания тех, кто подслушивает. И стал думать, что мог Баранов иметь в виду под словом «писатели» и под словом «шапки».

Естественно, ему пришло в голову, что речь идет о группе экономистов, которые недавно написали открытое письмо о необходимости более смелого расширения частного сектора. Это письмо попало на Запад, его передавали Би-би-си, «Голос Америки», «Немецкая волна», «Свобода» и канадское радио. Теперь, вероятно, этим «писателям» дали «по шапке». Ефиму хотелось узнать подробности, и он взглянул на часы. Было еще слишком рано. Все радиостанции, которые он слушал, вещали только по вечерам, а работавшую круглосуточно «Свободу» в его районе не было слышно.

До вечера ждать было слишком долго, и он, забыв о своем прежнем решении, позвонил Баранову.

— Я насчет этих шапок, — сказал он взволнованно. — Их уже выдали или только собираются?

— Их не выдают, а шьют, — объяснил Баранов.

— Что ты говоришь! — вскричал Ефим, поняв, что «писателям» «шьют дело», то есть собираются посадить.

— А что тебя удивляет? — не понял Баранов. — Ты разве не слышал, что на последнем собрании Лукин говорил, что о писателях будут заботиться еще больше, чем раньше. Что в Сочи строят новый Дом творчества, в поликлинике ввели курс лечебной гимнастики, а в Литфонде принимают заказы на шапки. Я вчера там, кстати, был и заказал себе ушаночку из серого кролика.

— Так ты мне говоришь про обыкновенные зимние шапки? — осторожно уточнил Ефим.

— Если хочешь, то можешь сшить себе летнюю.

Ефим ни с того ни с сего разозлился.

— Что ты мне звонишь, голову с утра морочишь! — закричал он визгливо. — Ты знаешь, что утром у меня золотое время, что я утром работаю!

Он бросил трубку, но через минуту поднял ее снова.

— Извини, я погорячился, — сказал он Баранову.

— Бывает, — сказал тот великодушно. — Кстати, в поликлинике работает новый психиатр. Кандидат медицинских наук Беркович.

Ефим пропустил подковырку мимо ушей и спросил, что именно Баранову известно о шапках. Тот охотно объяснил, что по решению правления Литфонда писателям будут шить шапки соответственно рангу. Выдающимся писателям — пыжиковые, известным — ондатровые, видным — из сурка...

— Ты понимаешь, — сказал Баранов, — что выдающиеся писатели — это секретари Союза писателей СССР, известные — секретари Союза писателей РСФСР, видные — это Московская писательская орга-

низация. К видным могут быть причислены некоторые
не секретари, а просто писатели.

— Вроде нас с тобой, — подсказал Ефим и улыбнулся в трубку.

— Ну что ты, — охладил его тут же Баранов. — Ну
какие ж мы с тобой писатели! Мы с тобой члены Союза
писателей. А писатели — это совсем другие люди. Им,
может быть, дадут что-нибудь вроде лисы или куницы,
я в мехах, правда, не разбираюсь. А нам с тобой кролик
как раз по чину.

Ефим сознавал, что именно таким образом выглядела
иерархия в Союзе писателей, но Баранов все же зарывался, сравнивая Ефима с собой, о чем ему следовало
напомнить. Ефим, однако, сдержался и ничего не сказал, потому что Баранов был, в общем-то, прав. Написав
одиннадцать книг, Ефим хорошо знал, что, даже если он
напишет сто одиннадцать, начальство все равно будет
ставить его на самое последнее место, ему все равно будут давать худшие комнаты в Домах творчества, никогда
не подпишут на журнал «Америка», никогда не напечатают фотографию к юбилею, ну и шапку дадут, конечно, самую захудалую. В таком положении были и свои
(другим, может быть, незаметные, но Ефиму очевидные)
преимущества: ему никто не завидовал, никто не зарился на его место, а он втихомолку продолжал тискать романы о хороших людях.

Поэтому и сейчас он не стал спорить с Барановым
и сказал, пусть, мол, за шапки борются те, кому нечего
делать, а у него есть своя шапка, волчья, ему в прошлом
году подарили оленеводы.

Положив трубку, он вынес телефонный аппарат
в другую комнату и накрыл его подушкой, чтоб не мешал. Вернулся к машинке и, впав в некий раж, стал
быстро-быстро стучать по клавишам, не соображая,
что пишет. А писал он вот что: «В Литфонде писателям

дают шапки. Может быть, это даже хорошие шапки, но мне они не нужны. Потому что у меня есть своя шапка. У меня есть очень хорошая шапка. У меня есть волчья шапка. Она теплая, она мягкая, и никакая другая шапка мне не нужна. Пусть другие борются за шапки.

Пусть за шапки борются те, кому делать нечего. А мне есть что делать, и шапка у меня тоже есть. У меня есть совсем новая волчья шапка. Она мягкая, она теплая, она хорошая. А ваша шапка мне не нужна, можете оставить ее себе, можете ее скушать, можете ею подавиться, если не сможете ее прожевать».

На этом месте он сам себя остановил, перечитал написанное и удивился. С ним и раньше бывало, что он писал, находясь как бы не в себе, но обычно это все-таки имело какое-то отношение к разрабатываемому сюжету. А тут получилась какая-то чепуха. Выкривив обе губы в выражении, означающем крайнюю озадаченность, Ефим покачал головой и сунул лист под кипу лежавших справа от машинки старых черновиков. Именно этот текст даст впоследствии повод критику Сорокину сказать, что талант Рахлина не был оценен по достоинству. Но надо сказать, что и сам Ефим свое сочинение тоже не оценил. Поэтому, вставив новый лист, он опять принялся сочинять что-то про капитана Коломийцева, который стоял на штормовом ветру и придерживал рукой шапку, чтоб не слетела.

Он заметил, что опять написал слово «шапка» неосознанно. Разозлился на себя, шапку вычеркнул и вписал фуражку с выцветшим «крабом».

«Капитан Коломийцев стоял на штормовом ветру и придерживал рукой форменную фуражку с выцветшим «крабом».

Это было значительно лучше. Но одного капитана Ефиму было мало, надо было сразу же вводить в действие главного героя, который проходил как раз (зачем

проходил, Ефим еще не придумал) мимо капитана Коломийцева.

— Доктор! — окликнул его капитан.

— К вашим услугам, сэр! — весело откликнулся
доктор и по привычке старого интеллигента приподнял
шапку».

«Тьфу!» — сплюнул Ефим и в досаде хлопнул себя по
колену. Да что ему дались эти шапки!

Он вынул и этот лист и собирался заправить следующий, когда раздался телефонный звонок.

— Слушай, — сказал Баранов, — я твою «Лавину»
прочел, это гениально.

Такого Баранов еще никогда не говорил, Ефим просто опешил и не знал, что сказать. Впрочем, он тут же
заподозрил, что в оценке содержится какой-то подвох,
и переспросил Баранова, что он имеет в виду.

— Я имею в виду твой роман «Лавина», — повторил
Баранов.

— Но ведь ты же двадцать минут назад сказал, что
ты роман не читал.

— Двадцать минут назад я его не читал, а теперь прочел.

— Баранов, — застонал Ефим, — оставь меня в покое. Ты же знаешь, что я по утрам работаю. («В отличие
от некоторых», — хотел добавить он, но не добавил.)

— Ну, смотри, как хочешь, — сказал Баранов. —
Я хотел тебе высказать свое мнение... Дело в том, что
роман талантливый...

Все-таки произнесенный эпитет звучал так заман-
чиво, что, даже предчувствуя каверзу, Ефим трубку не
положил.

— Роман гениальный, но сильно затянут, — гнул
свою линию Баранов.

— Почему же это затянут? — насторожился Ефим.

— Ну вот давай разберем. Возьмем самое начало:
«День был жаркий. Савелий Моргунов сидел за столом

и смотрел, как жирная муха бьется в стекло». Потрясающе!

— Ну да, это у меня неплохо получилось, — застеснявшись, признал Ефим.

— Не неплохо, — стоял на своем Баранов, — а потрясающе! Великолепно! Но слишком мрачно.

— Мрачно?

— Очень мрачно!

Эта оценка была приятна Ефиму, потому что в глубине души он всегда хотел написать что-нибудь мрачное, а может быть, даже непроходимое.

— Ужас как мрачно, — повторил Баранов. — Но на этом надо и кончать. И так все понятно. Лето в разгаре, солнце в зените, жара невыносимая, а окна закрыты. Савелий сидит, муха бьется в стекло, пробиться не может. Савелию жарко. Он изнывает. Он смотрит на муху и думает, что он вот так же, как эта муха, бессмысленно бьется в стекло. И ничего не выходит. А к тому же жара. Он сидит, потеет, а муха бьется в стекло. Кстати, он кто, этот Савелий?

— Прораб, — осторожно сказал Ефим.

— Так я и думал. Тем более все ясно. Жара стоит, муха бьется, прораб потеет. Материалов не хватает, рабочие перепились, начальство кроет матом, план горит, премии не будет. Прораб потеет, настроение мрачное, муха бьется в стекло. Он понимает, что жизнь не удалась, работа не клеится, начальство хамит, жена скандалит, сын колется, дочь проститутка.

— Что ты за глупости говоришь! — завизжал Ефим тонким от оскорбления голосом. — Кто колется? Кто проститутка? У меня нет никаких проституток.

— Да что ты расшумелся, — сказал Баранов. — Какая разница, кто у тебя есть, кого нет. Я так додумал, довообразил. Ты должен читателю доверять, оставить ему простор для фантазии. Зачем же ты пишешь шестьсот страниц, когда все ясно с первой строки?

— Ничего тебе не ясно! — закричал Ефим еще более тонко. — У меня вообще не бывает никаких наркоманов и никаких проституток. Я пишу только о хороших людях, а о плохих не пишу, они меня не интересуют. А прораб у меня вообще старый холостяк.

— А-а, педераст! — обрадовался Баранов. — Тогда другое дело. Тогда все приобретает другое значение. Он сидит, он потеет, муха бьется в стекло...

Ефим не выдержал, бросил трубку.

Он хотел опять вынести аппарат, но тот зазвонил у него в руках.

— Лысик, — зажурчала трубка Кукушиным голосом, — совсем забыла сказать, чтобы ты до обеда никуда не уходил. Из прачечной должны привезти белье.

— Хорошо, — сказал Ефим и стал ждать сигналов отбоя.

Его краткий ответ Кукушу удивил.

— Квитанция на столике перед зеркалом, — сказала она, чтобы услышать опять его голос и понять, что с ним.

— Хорошо.

— Лысик, — встревожилась Кукуша, — ты чем-то расстроен?

— Нет.

— Лысик, не свисти, — сказала Кукуша. — Я же слышу по твоему голосу, что ты не в себе. Что случилось?

Ефим всегда разговаривал с женой исключительно вежливо и даже заискивающе, но тут, возбужденный Барановым, разозлился.

— Ну что ты ко мне привязалась? — закричал он плачущим голосом. — Я тебе говорю — ничего не случилось. Все хорошо, все прекрасно. Савелий летает, муха потеет, в Литфонде шапки дают.

— Что? — удивилась Кукуша. — Лысик, ты, случаем, не чокнулся?

— Возможно. — Ефим так же быстро пришел в себя, как и вспылил: — Извини, это меня Баранов довел.

— Я так и думала. И что ж он тебе такого сказал?

— Да ничего, ничего, даже рассказывать неохота. Говорит, в Литфонде писателям будут шить шапки.

Кукуша заинтересовалась, и Ефим, уже успокоившись и улыбаясь, повторил то, что услышал от Баранова, — о распределении шапок по чинам: выдающимся — пыжиковые, известным — ондатровые, видным — из сурка...

— А мне, — сказал он, — из кролика.

— Почему это тебе из кролика? — строго спросила Кукуша.

Он опять, повторяя Баранова, сказал почему.

— Это глупости, — сказала Кукуша. — Баранову можно вообще ничего не давать, потому что он бездельник и алкаш. А ты — писатель работающий. Ты в командировки ездишь, тебе приходится встречаться с важными людьми, ты не можешь ходить в шапке из кролика.

— Да что ты разволновалась! Я и не хожу в кролике, ты знаешь, у меня есть хорошая шапка. Волчья.

Кукуша замолчала. Она всегда так делала, когда выражала недовольство.

— Ну, Кукушенька, ты чего? — залебезил Ефим. — Ну, если хочешь, я схожу, запишусь. Но они же мне не дадут. Ты же знаешь, я не секретарь Союза писателей, не член партии и с пятым пунктом у меня не все в порядке.

— Ну, если ты сам так ощущаешь, что ты неполноценный, то и ходить нечего. Ты хуже всех, и тебе ничего не нужно. У тебя есть своя шапка. Какое им дело, что у тебя есть! У тебя, между прочим, еще семья есть и взрослый сын. У него шапка вытерлась, он ее уже два года носит. Да что с тобой говорить! Ты же у нас вежливый, ты добрый, тебе ничего не нужно, ты всем улыбаешься, всем кланяешься, у тебя все хорошие, и ты тоже хороший, и ты хуже всех.

Послышались частые гудки — Кукуша прервала разговор.

— Сумасшедшая баба, — кладя трубку, сам себе улыбнулся Ефим. — Надо же, хороший — и хуже всех. Женская логика.

Несмотря на то что Кукуша на него накричала, ему было приятно все, что было ею о нем сказано. Приятно сознавать, что ты такой добрый, хороший, бескорыстный и скромный. Но при этом он стал думать, что, может быть, она права. Он хороший, но не слишком ли? Он ведет себя скромно, а почему? Он опять вспомнил свой писательский стаж, количество написанных книг и отзыв пенсионерки Кругловой.

Он вынул из машинки лист с незаконченным описанием капитана Коломийцева и со вздохом (видать, сегодня он уже свою норму не выполнит) быстро сочинил заявление, в котором, прежде чем изложить суть, перечислил восемнадцать лет, одиннадцать книг, правительственные награды, к чему прибавил, что часто приходится ездить в дальние командировки, включая районы Крайнего Севера (то есть шапка должна быть теплая), а также встречаться с людьми мужественных профессий и местными руководителями (то есть шапка должна быть достойной столичного писателя). На всякий случай упомянул он о своей неутомимой общественной деятельности — член совета по приключенческой литературе.

Заявление получилось на целую страницу и заканчивалось просьбой «принять заказ на пошив головного убора из...», тут он задумался, название меха для выдающихся и известных писателей назвать не посмел, сурком ограничивать возможности начальства не захотел и потому написал неопределенно: «... из хорошего меха».

Перед тем как Ефим отправился в кабинет Литфонда, его посетил сказочник Соломон Евсеевич Фишкин, живший двумя этажами ниже. Он поднялся в пижаме и шлепанцах попросить сигарету, поделиться сюжетом сказки и новыми сведениями о страданиях Васьки Трешкина, поэта и защитника русской природы от химии и евреев. Васька был человек высокий, худой, дерганый и очень мрачного вида. Мрак проистекал оттого, что Васька себя считал (да так оно и было) со всех сторон стесненным представителями неприятной ему национальности. Над ним жил Рахлин, под ним Фишкин, слева литературовед Аксельрод, справа профессор Блок. Напрягая усталый мозг, Васька много раз считал, думал и не мог понять, как же это получается, что евреев в Советском Союзе (так говорил ему его друг Черпаков) по отношению ко всему населению не то шесть, не то семь десятых процента, а здесь, в писательском доме, он, русский, один обложен сразу четырьмя евреями, если считать только тех, кто вплотную к нему расположен. Получалось, что в этом кооперативном доме и, очевидно, во всем Союзе писателей евреев никак не меньше, чем восемьдесят процентов. Эта статистика волновала Трешкина и повергала его в уныние. Считая себя обязанным уберечь Россию от всеобщей, как он выражался устно, евреизации, а письменно — сионизации, Васька бил в набат, писал письма в ЦК КПСС, в Президиум Верховного Совета СССР, в Союз писателей, в Академию наук и в газеты. Время от времени он получал уклончивые ответы, иногда его куда-то вызывали, беседовали, выражали сочувствие, но при этом обращали внимание на принятые в нашей стране принципы братского интернационализма и терпимого отношения даже к зловредным нациям. Терпимость, однако, по мнению Васьки, давно уже перешла все границы. Евреи (они же сионисты) с помощью сочувствующих им жидомасонов давно уже (так говорил Черпаков) захватили ключевые позиции во всем мире и в нашей стране, выбирают евреев президентами и премьер-министрами, а руководителям иного национального происхождения подсовывают в жены евреек. Ежедневно и ежечасно они оплетают весь мир паутиной всеобщего заговора. Признаки этого заговора Васька находил повсюду. Вечерами, глядя в небо, он видел, как звезды перемещаются в пространстве, складываются в сионистские кабалистические фигуры и перемигиваются друг с другом. Он видел тайные сионистские символы в конструкциях зданий, расположении улиц и природных явлениях. Листая газеты или журналы, он находил в них как бы случайно поставленные шестиконечные звездочки, а глядя «на просвет», различал тайные водяные знаки или словесное вредительство. С одной, например, стороны напечатано «Праздник русской песни», а с другой — заголовок международной статьи «Никогда не допустим» (вместе получается: «Праздник русской песни никогда не допустим»). Сообщая об этом по инстанциям, Васька понимал, на какой опасный путь он вступил, и чувствовал, что сионисты, пытаясь от него избавиться, травят его не имеющими запаха газами и невидимыми лучами, отчего жена его заболела раком, а сам он страдает от головных болей и преждевременной импотенции. Пытаясь уберечься, он всегда принюхивался к пище, воду кипятил, а в кальсоны вкладывал свинцовую фольгу, чтобы защитить свой половой механизм от радиации. Недавно он сообщил в ЦК КПСС, в КГБ и в Союз писателей о загадочном исчезновении своей кошки, которая была или украдена, или отравлена сионистами. Ответа он не получил.

Дверь в квартиру Рахлиных была приоткрыта, и, войдя в нее, Фишкин застал Ефима перед зеркалом в дубленке и держащим над головой в правой руке джинсовую кепку, а в левой — волчью шапку.

— Ефим, — удивился сосед, — что с вами? Может быть, вам кажется, что у вас две головы?

Недоумение сказочника было, однако, тут же рассеяно; Ефим, сообщив о своих намерениях, сказал Фишкину, что не знает, как быть. В кепке он выглядит несолидно, и ему могут отказать как несолидному, а если придет в шапке, ему могут отказать как уже имеющему шапку.

— Люди совсем посходили с ума, — покачал головой Соломон Евсеевич. — Мне уже двадцать человек звонили про эти шапки. Все волнуются и атакуют Литфонд. Кстати, вот вам мой совет — идите совсем без шапки. В вашей дубленке вы выглядите солидно. В таком виде никто не может подумать, что у вас нет шапки, и никто не посмеет сказать, что вам не нужна шапка. Впрочем, — сказал он, подумав, — вам все равно не дадут ничего, кроме какой-нибудь дряни.

— Ну почему же не дадут? — раздраженно спросил Ефим. — Вам дадут, а мне не дадут.

— Ну что вы, Ефим, они поступят гораздо более справедливо: они и вам не дадут, и мне не дадут. И знаете почему? Потому что мы оба для них гадкие утята. Между прочим, на эту тему я придумал новую сказку. Хотите послушать?

Ефим, конечно, не хотел (кто ж хочет слушать чужие сказки?), но отказывать старику было неудобно.

— Давайте, только быстро, а то я не успею.

— Я уверен, что вам понравится, — пообещал Фишкин. — Сказка так и называется — «Возвращение гадкого утенка». Здорово, а?

— Не очень, — сказал Ефим. — Хорошее название всегда состоит из одного слова.

— Допустим, — легко согласился Фишкин. — Назовем ее просто «Возвращение». Вот слушайте. Гадкий

Утенок, затравленный своими собратьями, ушел от них, жил на маленьком и пустынном озере и там вырос в Настоящего Прекрасного Лебедя. Обнаружив это, он обрадовался и захотел вернуться к своим, показать им, что он не то чтобы лучше всех, но, по крайней мере, не так уж плох. Он даже готов великодушно простить им прошлые обиды. Но они встречают его еще враждебней, чем раньше. Дело в том, что, пока его не было, они сами себя стали называть лебедями. Причем у них есть своя иерархия, а в ней место Прекрасного Лебедя занимает Селезень, который думает, что он большой, хотя на самом деле он просто жирный. А еще есть два Гордых Лебедя, четыре Славных и шестнадцать Стремительных. «А кто же остальные?» — спрашивает их пришедший. Ему отвечают, что остальные — это просто лебеди.

— Это вы про Союз писателей? — перебил Ефим.

— Да при чем тут ваш вонючий союз? — возмутился Фишкин, как будто он сам в этом союзе не состоял. — Это вообще про людей. Слушайте дальше. Услышав такой ответ, Прекрасный Лебедь говорит: «Хорошо. Я ни на что особенное не претендую. Я хочу быть таким, как все. Пусть я буду тоже просто лебедем». Тут все утки переполошились, некоторые стали смеяться, а другие разгневались. Надо же, говорят, какое нахальство, мы в лебеди всю жизнь пробивались, а он хочет это звание получить просто так. А другие стали говорить, что он просто тронутый, у него мания величия. Ну а потом все же подумали, пожалели (все-таки свой брат, лапчатый) и решили предоставить ему место Гадкого Утенка...

— С испытательным сроком! — радостно подсказал Ефим.

— Точно, — улыбнулся Фишкин.

— И он согласился?

— А этого я еще не додумал, — сказал Фишкин. — Пожалуй, все же не согласился. Обиделся, вернулся на свое озеро, плавает там, смотрит на свое отражение и говорит сам себе, но не очень уверенно: «Нет, все-таки мне кажется, что я больше похож на лебедя, чем они».

— А утки что о нем говорят?

— В том-то и дело, что они о нем не говорят ничего. Они хотят о нем забыть и делают вид, что его вообще нет. Потому что, если помнить, что он существует, им надо называть себя не лебедями, а как-то иначе.

Рассказав затем о пропавшей трешкинской кошке, Фишкин стрельнул две сигареты (одну про запас) и прошлепал к себе вниз, а в скором времени на лестнице появился Ефим в дубленке и красном шарфе, с непокрытой головой. Слегка перекашиваясь под тяжестью туго набитого портфеля, он нажал кнопку. Ожидая лифт, он думал о только что услышанной сказке и сам воображал себя непонятым Прекрасным Лебедем.

Лифт со стуком и скрежетом подошел. Проехав два этажа, Ефим вспомнил, что забыл квитанцию на белье.

Он расстроился, потому что был суеверен и верил, что, если что-то забыл, пути не будет. Остановил лифт и вернулся. Взял квитанцию и, прежде чем опять выйти, посмотрел в зеркало — так требовала примета. В зеркале он увидел не Прекрасного Лебедя, а Немолодого Грустного Человека Еврейской Наружности и к тому же беззубого — оказывается, он забыл еще и вставные челюсти. Пока он насаживал челюсти и долго перед зеркалом щелкал ими, лифт угнали, он решил не дожидаться, пошел пешком.

Когда он проходил мимо квартиры Трешкина, дверь, обитая коричневым дерматином, приотворилась, и поэт выставил в проем пол-лица с горящим подозрительным глазом. «Куда это он, интересно, идет и почему без шапки?» — думал Трешкин. Увидев соседа, Ефим не хотел с ним здороваться, понимая, что тот ни за что не ответит. Но, подчиняясь врожденной воспитанности, сказал «здрасте» и дернул рукой, чтобы дотронуться, как обычно, до шапки, но коснулся голого лба, сжался, сконфузился и улыбнулся поэту. Тот, понятно, ни на улыбку, ни на приветствие никак не ответил, втянул лицо внутрь и со стуком захлопнул дверь.

Он удалился к себе в кабинет и в специальной тетради с клеенчатой обложкой сделал следующую запись:

«Сегодня в 11.45 вниз по лестнице пешком (несмотря на исправность лифта!!!) проследовал сионист Рахлин с большим портфелем, без шапки».

Обычно лифтерша сидела со своим вязаньем внизу у казенного телефона, но сейчас ее на месте не оказалось.

Ефим встретил ее во дворе, она бегала очень взволнованная.

— Надо ж, какое нахальство! — кричала она на весь двор, обращаясь неизвестно к кому. — Бесстыжие! Милиции на вас нету!

— Варвара Григорьевна, что случилось? — поинтересовался Ефим.

— Да как же что случилось? Зла не хватает, честное слово! Вонищу развели! Пьянь рваная. Идут от магазина к метро, и каждый норовит завернуть под арку. Я ему говорю: «Гражданин, чтой-то вы такое делаете и куды ж вы ссыте? Здесь же вам все ж таки не туалет. Здесь такие люди живут, писатели, а вы поливаете. Вон же ж он, туалет, через дорогу...» И милиция, главное, на это дело ноль внимания. Я участковому сколько раз говорила: неудобно, все ж таки здесь писатели живут, не то что мы с вами, говорю, а он... Ой, батюшки, Ефим Семеныч, да чтой-то с вами? — перебила она сама себя. — Чтой-то вы в такой мороз да без шапочки? Головку-то застудите, а головка-то ваша не то что у нас, нам-то нашими головами хоть гвозди заколачивай, а ваша-то головенка для дела нужна, а вы ее так вот прямо непокрытую носите.

— А ничего, Варвара Григорьевна, надо ж и закаляться, — бодро ответил Ефим и, отдав лифтерше квитанцию, пошел дальше. Мороз на самом деле был небольшой, но задувал ветер, и лысина с непривычки мерзла.

Выйдя из подворотни, Ефим сразу попал в круговорот беспорядочного движения людей и машин, уминавших серый, перемешанный с солью снег. Около всех киосков, расположенных против дома и у метро, топтались и дышали паром терпеливые темные очереди: в одном — за пломбиром в пачках по сорок восемь копеек, в другом — за венгерским горошком в стеклянных банках, в третьем — за болгарскими сигаретами «Трезор». Четвертая очередь образовала кривую линию на остановке маршрутного микроавтобуса, связывавшего метро «Аэропорт» с Ленинградским рынком.

В холле производственного комбината было шумнее обычного. Несколько человек толкались у столика усатой брюнетки Серафимы Борисовны, принимавшей заказ на копирку и гэдээровские ленты для пишущих машинок. Поэт-песенник Самарин демонстрировал своей молодой и полной жене новый костюм. Широко расставив ноги, он стоял посреди холла в пиджаке, утыканном иголками, и огромная лисья шапка копной выгоревшего сена неуверенно держалась на голове. Между ног его туда-сюда озабоченно ползал здоровый и краснолицый закройщик Саня Зарубин с клеенчатым сантиметром на шее. Со всех сторон слышны были негромкие разговоры, заглушаемые время от времени доносящимся из подвала ужасным визгом. Это механик по швейным машинкам Аркаша Глотов, овладев смежной профессией, обтачивал фарфоровые зубные протезы, которые делал, конечно, «налево».

Будучи полностью обеспечен и копиркой, и лентами для машинок, и даже финской бумагой, Ефим тем не менее протолкался к Серафиме Борисовне и вручил ей извлеченную из портфеля плитку шоколада «Гвардейский». От нее же он узнал, что заказы на шапки оформляет лично директор Андрей Андреевич Щупов, человек новый, строгий и очень принципиальный. Определение «строгий и принципиальный» означало, что не берет взяток или берет не со всех, в отличие от старого директора, который на том и погорел, что брал без разбору. Погорел, впрочем, не так уж и сильно — его перевели директором подмосковного Дома творчества, где он тоже жил не только на зарплату. Очередь к директору начиналась здесь, в холле, и уходила в коридор к черной директорской двери.

— Кто последний за пыжиком? — шутя спросил Ефим.

Последним был юморист Ерофеев, мрачный пожилой человек со шрамом на левой щеке.

— За пыжиком, милейший, в очереди не стоят, — назидательно объяснил он Ефиму. — Пыжика приносят на дом, говорят «спасибо» и кланяются. Стоят за мехом попроще.

Ефим обратил внимание, что составлявшие очередь писатели тоже о своих головных уборах подумали. Некоторые были, как он, без ничего, другие в кепках и шляпах, а Ерофеев мял в руке милицейскую шапку со следом от звездочки. Ратиновое пальто на Ерофееве было расстегнуто и открывало длинный темный пиджак с двумя рядами орденов и медалей. «Вот дурак-то!» — подумал про себя Ефим, ему следовало не писать о своих наградах, а нацепить их. Хоть и невысокого достоинства, а впечатление производят.

Он стал за юмористом и, не теряя время даром, достал из портфеля экземпляр «Лавины», развернул на колене и на титульном листе размашисто начертал:

«Андрею Андреевичу Щупову в знак глубокого уважения. Е. Рахлин».

— Какое сегодня число? — спросил он у Ерофеева и, проставляя дату, услышал:

— Фима!

Оглянулся и увидел сидевшего за журнальным столиком у окна своего бывшего однокашника по Литинституту прозаика Анатолия Мыльникова в тяжелой нараспашку шубе. Лицо у него было красное, как из бани, виски блестели от пота, седоватая прядь волос закрутилась и слиплась на лбу.

— А я тебя не заметил, — сказал Ефим виновато. — Ты тоже за шапкой?

— Нет, — поморщился Мыльников. — У меня своя, вот. — Он показал на шапку, которую держал на коленях. — Это барсук. Мне тут один алкаш обещал импортные краны для ванной, вот я и жду. Садись, пока место есть.

— А я думал, ты за шапкой, — сказал Ефим, присаживаясь, и почему-то вздохнул. — У меня, честно говоря, тоже есть шапка. Волчья. Мне ее подарили оленеводы. Но если дают, почему же не взять?

— А, ты эти шапки, которые здесь шьют, имеешь в виду! Так эту я давно уже, месяца два тому назад, получил и отдал племяннику. Он как увидел ондатру, так чуть с ума не сошел.

— Тебе дали ондатровую шапку? — удивился Ефим.

— Да, — рассеянно подтвердил Мыльников, — ондатровую. А что?

— А ничего, — скромно сказал Ефим. — Баранову, например, дали из кролика. Ну, ты же у нас, — Ефим льстиво улыбнулся, — живой классик.

Карьера Мыльникова по непонятным Ефиму причинам сложилась более успешно, чем его собственная, хотя Мыльников писал не только о хороших людях, писал не так много и печать его больше ругала, чем хвалила. Но обруганные книги Мыльникова привлекли внимание, были переведены на несколько языков, и начальству приходилось с этим считаться. Мыльникова, несмотря на ругань, продолжали печатать и даже выпускали за границу в составе разных делегаций и отдельно. Наблюдая за карьерой Мыльникова, Ефим видел, что для большого успеха гораздо выгоднее время от времени вызывать недовольство начальства, но при этом уметь балансировать, и что одни только хвалебные отзывы критиков на самом деле ничего не значат: тебя одновременно и хвалят, и презирают.

На свои заграничные гонорары Мыльников купил себе экспортную «Волгу» (другие писатели в лучшем случае ездили на «Жигулях»), видеомагнитофон, а дома угощал гостей виски и джином.

Сейчас он рассказывал Ефиму о своей недавней поездке в Лондон, где прочел пару лекций, давал интервью, видел последний порношедевр и даже выступал по Би-би-си. По его словам, он имел в Лондоне бурный успех.

— В «Таймс» обо мне писали, что я современный Чехов, — говорил Мыльников вполголоса. — В «Гардиан» была очень положительная рецензия...

Он начал было пересказывать эту рецензию, но тут подошла Ефимова очередь, и его позвали к директору.

Войдя в директорский кабинет, Ефим увидел за тяжелым столом под плакатом с портретами членов Политбюро угрюмого человека с деревянным лицом, не имеющим выражения.

— Здравствуйте, Андрей Андреевич! — бодро поздоровался Ефим и тряхнул головой. Он попытался изобразить легкую, открытую и естественную приветливость, но под тяжелым взглядом директора съежился, ощущая, как лицо само по себе сморщивается в угодливую, несчастную и ничтожную вроде улыбку.

Директор ничего не ответил.

Перегибаясь под тяжестью портфеля на одну сторону и чувствуя во всем теле жалкую суетливость, Ефим продвинулся к столу, на ходу нелепо улыбаясь и кланяясь.

— Рахлин Ефим Семенович, — назвал он себя и посмотрел на директора, надеясь, что тот тоже представится. Но Андрей Андреевич продолжал смотреть на Ефима недружелюбно и прямо, не ответил, не встал, не подал руки, не предложил даже сесть.

Обычно руководители мелких обслуживающих организаций были с писателями вежливей.

Не дождавшись приглашения, Ефим сам придвинул стул, сел, поставил портфель на колени и, почти овладев собой, умильно посмотрел на Андрея Андреевича:

— Значит, вы теперь у нас будете директором?

— Не буду, а есть, — поправил Андрей Андреевич, и это были первые слова, которые от него услышал Ефим.

— Ну да, да, да, — закивал Ефим торопливо. — Конечно, не будете, а есть, это я неправильно выразился. Вы к нам, вероятно, из торговой сети пришли?

Андрей Андреевич посмотрел на Ефима внимательно, помолчал, разглядывая, а потом сказал просто:

— Нет, я из органов.

На этот ответ внутренние органы Ефима отреагировали рефлекторным похолоданием и некоторым опусканием в низ живота. Нет, он не испугался (бояться не было причины), но неестественно дернулся и сначала опустил, а затем поднял голову. Он устремил свой взгляд на директора, давая ему понять, что ему нечего, совершенно нечего скрывать от органов, он перед ними как стеклышко чист. Но, встретившись с тяжелым взглядом директора, смутился, потупился, взгляда не выдержал. И тем самым выдал себя с головой. Кто совершенно чист, тому незачем прятать глаза.

— Из органов! — повторил он, пытаясь взбодрить самого себя. — Очень приятно! — Всей своей фигурой и лицом он изображал почтение к прежней деятельности директора, но глаза его предательски бегали. — Значит, вас прислали сюда на укрепление?

— Да, — разжал губы Андрей Андреевич, — на укрепление. А вам что угодно?

Смущаясь, робея, уже и не пытаясь поднять глаза, Ефим торопливо стал объяснять, что он слышал, что в Литфонде можно сшить шапку, причем ему нужна хорошая шапка, потому что он часто бывает в экспедициях весьма важного государственного и научного назначения, где он изучает жизнь наших мужественных современников.

Андрей Андреевич выслушал Ефима и спросил, член ли он Союза писателей. Ефим объяснил, что уже восемнадцать лет член, что билет ему в свое время вручил лично Константин Федин, что он, Рахлин, ветеран войны, имеет правительственные награды, написал одиннадцать книг и активно участвует в комиссии по приключенческой литературе. И выложил на стол заявление.

Директор проскользил глазами по тексту, открыл ящик стола и долго в него смотрел, шевеля губами. Затем ящик с грохотом был задвинут, а на заявлении Ефима красным карандашом изображена наискосок длинная резолюция. Ефим схватил заявление, вскочил на ноги, похлопал по карманам, достал очки, нацепил их и прочитал: «Принять заказ на головной убор из меха «Кот домашний средней пушистости».

— Кот домашний, — повторил Ефим неуверенно. — Это что такое «кот домашний»?

— Вы что, никогда кошек не видели? — Наконец директор, кажется, удивился.

— Нет, почему же, — возразил Ефим. — Кошек я, в общем, видел, у моего соседа кошка недавно пропала.

Но чтобы из кошек шили шапки, этого я, признаться, не знал. А, извините за некомпетентность, кошка считается лучше кролика или хуже?

— Я думаю, хуже, — предположил директор лениво. — Кроликов разводить надо, а кошки сами растут.

Он замолчал и устремил взгляд в пространство, ожидая, когда посетитель выйдет.

Посетитель, однако, не уходил. Он стоял потрясенный. Он пришел бороться за шапку лучше кролика, а ему предлагают хуже кролика. Теперь ему надо бороться даже за кролика, хотя даже кролик его никак устроить не может.

— Но позвольте... — начал Ефим, сильно волнуясь. — Я, собственно, не совсем понимаю. Если кошка хуже, чем кролик, то почему же мне из кошки? Я все-таки ветеран. Имею боевые награды. Восемнадцать лет в Союзе писателей. Написал одиннадцать книг.

— Очень хорошо, что написали, — сказал директор и замолчал.

— Но вот вчера у вас был Константин Баранов. Он тоже член Союза писателей, но написал только одну книгу, а я одиннадцать. Но вы даже ему подписали из кролика. Почему же Баранову из кролика, а мне из кота?

— Я не знаю, кто такой Баранов и что я ему подписал. У меня есть три списка писателей, а вас ни в одном из них нет. А для идущих вне списка у меня остались только кошки. Ничего больше предложить не могу.

Ефим пытался бороться. Пытался убедить директора, что в списках его фамилия отсутствует по недоразумению, продолжал напирать на стаж, на количество изданных книг, на свое боевое прошлое, но Андрей Андреевич сложил руки на груди и просто ждал, когда посетитель выговорится и уйдет.

Видя его непрошибаемость, Ефим сделал еще более жалкое лицо, отказался взять заявление и, бормоча ничего не значащие слова, что будет жаловаться, пошел было к дверям, но, взявшись за ручку, кое-что вспомнил и сообразил, что допустил большую оплошность, которую надо немедля исправить.

Он повернулся и пошел назад, к директорскому столу, на ходу меняя выражение с жалкого на доброе и даже великодушное, но печать жалкости все же никуда не сошла и держалась на лице Ефима, когда он вынимал из портфеля и клал на стол перед директором экземпляр «Лавины» в ледериновом переплете.

— Совсем забыл, — сказал он, улыбаясь и кивая, словно кланяясь. — Это вам.

— Что это? — Андрей Андреевич, слегка отстранившись, смотрел на книгу отчужденно и с недоумением, как будто на никогда не виданный прежде предмет.

— Это вам, — еще активней заулыбался Ефим, пододвигая книгу к директору. — Это моя книга.

— Это не надо, — сказал директор и осторожно отодвинул книгу двумя руками, как предмет тяжелый, а может быть, даже и взрывоопасный. — У меня есть свои книги.

— Нет, вы меня не так поняли, — стал объяснять Ефим, словно ребенку. — Дело в том, что это не какая-то книга, это моя книга, это я ее написал.

— Я понимаю, но не надо, — сказал директор.

— Но как же, как же, — разволновался Ефим. — Это знак искреннего уважения и расположения. Тем более я вам все равно подписал, так что этот экземпляр в любом случае уже как бы испорчен.

— Мне, — продолжал упираться директор, — не нужны чужие вещи, ни хорошие, ни испорченные.

— Но это же вовсе даже не вещь! — закричал уже почти что истерически Рахлин. — Это книга, это духовная ценность. И тем более если с автографом автора. От этого никто не отказывается. Я даже министру одному подарил...

— Меня не интересует, что вы кому дарили, — повысил голос директор. Он встал и, перегнувшись через стол, сунул книгу в раскрытый портфель Ефима. — Заберите это и не мешайте работать.

Униженный, оскорбленный, оплеванный Ефим вышел из кабинета.

— Ну как дела? — спросила его Серафима Борисовна.

— Очень хорошо, — жалко улыбаясь, ответил Ефим и вышел на улицу.

Похолодало. Сыпал редкий сухой снег. Ефим шел походкой старого, больного человека, перегибаясь под тяжестью портфеля, набитого его собственными никому не нужными книгами о хороших людях.

— Фима! Фима! — услышал он сзади взволнованный голос и обернулся.

В расстегнутой шубе, с шапкой в руках за ним тяжело бежал Мыльников. По лицу его было видно, что он несет важное известие. У Ефима мелькнула глупая, совершенно дикая и нереалистичная мысль, что, может быть, это директор комбината просил догнать, остановить, вернуть...

Что и говорить, предположение было абсурдно. Директор промкомбината, будь он трижды из органов, не мог послать всемирно известного Мыльникова гоняться за малоизвестным писателем Рахлиным, но Ефим остановился и застыл в предвкушении чуда.

— Слушай, — переводя дыхание, махал своей барсучьей шапкой Мыльников, — совсем забыл. Еще в этой... ну как ее... в «Йоркшир пост» была обо мне статья почти что на всю страницу. С портретом... Там было написано, что я современный Кафка.

Вечером у Ефима были гости: два полярника с женами, а потом и Тишка привел свою новую подругу, которая представилась Дашей. Дашин отец работал где-то за границей в представительстве Аэрофлота, что по Дашиным нарядам было очень заметно.

Общение поначалу не клеилось. Полярники вели себя скромно, их смущало писательское звание хозяина. Девица была здесь первый раз и тоже держалась скованно, время от времени бросая быстрый и цепкий взгляд то на Ефима, то на Кукушу (возможно, примеривалась). Впрочем, молодые сидели недолго. После ужина протомились еще с полчаса и церемонно откланялись. Тишка вызвал отца в коридор, стрельнул пятерку на такси и ушел провожать Дашу, она жила в районе Речного вокзала.

После их ухода полярники, к тому времени уже слегка подвыпив, постепенно расковались и, хохоча и перебивая друг друга, стали рассказывать смешные случаи из их практики. Все истории были похожи одна на другую: один полярник провалился под лед и вместо «спасите» кричал почему-то «полундра», другой ночью украл на кухне банку консервированных кабачков, а потом мучился от поноса. Но самая любимая их байка была о начальнике экспедиции, который вышел утром «до ветру» и, сидя за сугробом, почувствовал, что кто-то лизнул его сзади. Случай этот, если действительно был, превратился в легенду, согласно которой начальник, думая, что это завхоз, спросил: «Это ты, Прохоров?» Оглянулся, увидел белого медведя и кинулся бежать, потеряв по дороге штаны. Общение мужественных людей обычно к рассказыванию подобных побасенок и сводилось. Ефим знал все эти истории назубок и сам, желая быть среди мужественных приятелей своим человеком, смеялся обычно громче всех, но сейчас ничто его не смешило, обида, нанесенная в Литфонде, не выходила из головы, и он только из вежливости подхихикивал, как ему самому казалось, фальшиво.

Но после нескольких рюмок армянского коньяка общее настроение передалось и ему, он сел за пианино и аккомпанировал Кукуше, которая спела для гостей несколько матерных частушек. Гости сначала смутились, но потом оказалось, что одна из пар умеет на два голоса исполнять вологодские припевки такой похабности, до какой Кукушиным частушкам было далековато. Короче говоря, вечер прошел хорошо. Гости ушли в первом часу и еще что-то долго кричали с улицы, а Ефим, стоя на заснеженном балконе, тоже кричал и махал руками. Потом он отправил Кукушу спать (ей утром опять на работу), а сам перетаскал на кухню и там долго мыл посуду, ожидая возвращения Тишки и обдумывая дальнейшие сюжетные ходы «Операции». Ни о шапке, ни об Андрее Андреевиче он ни разу не вспомнил.

Тишка пришел после двух и, отказавшись от чаю, ушел к себе. Без четверти три Ефим залез под одеяло к Кукуше, сладко спавшей лицом к стене. Ефим привалился к ее спине, и у него возникло желание. Несмотря на возраст и гипертонию, Ефим был еще сильный мужчина и терзал Кукушу чаще, чем ей хотелось. Он не решился будить жену слишком грубо и начал ее оглаживать, постепенно продвигаясь от верхних эрогенных зон к нижним, следуя схеме, изученной им по распространяемой в самиздате ксерокопии американского руководства для супружеских пар. (Эту ксерокопию Ефим нашел однажды в нижнем ящике Тишкиного стола, проштудировал со словарем и в закодированном виде переписал себе в блокнот основные принципы.)

Дойдя до источника своего вожделения и употребив строго по инструкции палец, он достиг того, что Кукуша, еще не проснувшись, задышала прерывисто, а когда она со вздохом перевернулась на спину, он тут же овладел положением и принялся за работу, равномерно потряхивая лысой своей головой.

Прожив с Кукушей около трех десятков лет, он все еще любил ее физически. Прежняя страсть прошла, но не

бесследно, а заменилась неизменно возникающим и медленно растущим чувством тягучего наслаждения, когда наступает общее обалдение и ощущение, что ты куда-то плывешь. Сейчас Ефиму тоже казалось, что он плывет, что он капитан Коломийцев; широко расставив ноги, стоит он на мостике, старый морской волк с седыми висками и пристальным взглядом серых прищуренных глаз. А вокруг бурное море и пенные буруны, низко летящие рваные облака сбились в кучу, превратились в белых лебедей, замедлили движение, плавно заскользили над головой, и он к ним поднялся и заскользил вместе с ними.

— Так что тебе сказали насчет шапки? — вдруг спросила Кукуша, спросила громко, резко, не к месту, враз разрушив обретенное им ощущение, словно подстрелила его на лету.

— Что? — спросил он, и хотя не прекратил своего дела, но сбился с ритма, затрепыхался, как птица с перебитым крылом.

— Я тебя спрашиваю, — строго повторила Кукуша, — что тебе сказали в комбинате?

Конечно, так разговаривали они не впервые. Именно в такой позиции Кукуше чаще всего приходило на ум обсудить разные бытовые проблемы вроде перестановки мебели, покупки нового холодильника и приобретения абонемента в плавательный бассейн. И всегда это Ефиму не очень-то нравилось, но сейчас резануло особенно, а в затылке появилась неприятная ломота.

— Мне сказали, что о Мыльникове писала лондонская «Таймс», а я ничего, кроме кота пушистого, не заслужил.

— Пушистого кого?

— Кота. Так у них называется домашняя кошка. Они даже Баранову дали кролика, а мне кошку.

Он пытался продолжить начатое, но что-то не ладилось.

— А ты что сделал?

— Я расстроился и ушел, — сказал Ефим.

— И это все?

— И это все.

— Молодец! — Кукуша неожиданно выскользнула из-под него и повернулась к стене.

Она не первый раз таким образом проявляла недовольство, и всегда в подобных случаях он воспринимал это как унижение и оскорбление его мужского достоинства, но при этом не скандалил, а канючил, чтобы она выражала свои настроения как-то иначе и позволила ему доехать до завершения.

На этот раз он канючить не стал, сам отвернулся, но заснуть уже не мог, переживая обиду. Несколько раз он вставал, уходил на кухню, курил, прикладывал к затылку холодную грелку, возвращался, опять ложился спиной к Кукуше.

Утром он накормил Тишку завтраком, сам выпил кофе и ушел к себе в кабинет. Он слышал, как Кукуша встала, ходила по квартире, как, привлекая его внимание, громко хлопала дверьми и что-то роняла. Все же не выдержала и заглянула к нему уже в шубе.

— В конце концов, дело не в шапке, а в том, что ты вахлак и никогда не можешь за себя постоять. До чего ты низко пал в глазах своего начальства, если даже кролика тебе не дают.

Ефим молча смотрел в окно, за которым видны были только грязное небо, заиндевелые верхушки деревьев и крыша кооперативного дома киношников; там человек, привязанный веревкой к трубе, возился с телевизионной антенной.

— Я бы на твоем месте позвонила Каретникову.

С этим наставлением Кукуша ушла, оставив Ефима в смешанных чувствах. Он сначала решил ее совет игнорировать. Но потом мысли его стали развиваться в нуж-

ШАПКА   **221**

ном направлении. Он стал думать, что, может быть, в самом деле живет неправильно, занимает примиренческую позицию, проявляет излишнюю уступчивость и пассивность. И, конечно, дело не в шапке, а в том, что он, Рахлин, тихий, робкий, вежливый человек. Рахлина можно ставить всегда на самое последнее, на самое ничтожное место, Рахлин стерпит, Рахлин смолчит.

— Вот вам Рахлин смолчит! — вдруг вскрикнул он и перед чучелом пингвина изобразил весьма неприличный жест. — Нет, — продолжал он самому себе бормотать, — я этого так не оставлю, я позвоню, я пойду к Каретникову, ему ничего не стоит, ему стоит только снять трубку, и вы лично, Андрей Андреевич, несмотря на то что вы работали в органах... А интересно, кстати, за что вас оттуда попёрли?.. Вы лично, и не кота пушистого, и не кролика, а вот ондатру принесёте мне лично в зубах. Да, в зубах! — злорадно прокричал он прямо в морду пингвиньего чучела.

Пожалуй, возможности своего покровителя Ефим не переоценивал. Василий Степанович Каретников был выдающийся советский писатель, государственный и общественный деятель. Герой Социалистического Труда, депутат Верховного Совета СССР, член ЦК КПСС, лауреат Ленинской премии, лауреат Государственной премии, лауреат премии имени Горького, член Международного комитета борьбы за мир, вице-президент Общества афро-азиатской дружбы, член совета ветеранов, секретарь Союза писателей СССР и главный редактор толстого журнала, в котором Ефим иногда печатался. Время от времени, откликаясь на просьбы Ефима, Каретников и в самом деле кому-то звонил или писал письма на своем депутатском бланке, и надо сказать, что отказа на его звонки или письма, как правило, не бывало.

Однако дома Каретникова не оказалось, жена его Лариса Евгеньевна сказала, что тот отправился в поездку по странам Африки, а потом прямо из Африки поедет в Париж на заседание какой-то комиссии ЮНЕСКО. Так что вернется недели через три. Ждать так долго не было смысла, потому что за это время все заказы уже будут приняты и даже всех кроликов уже раскроят.

Но, настроив себя определенным образом, Ефим уже не мог думать ни о чем, кроме как о шапке. И решил сходить к Лукину.

Московское отделение Союза писателей вместе с Центральным домом литераторов занимали два соединенных вместе здания и имели два выхода — один с улицы Воровского, а другой, главный, с улицы Герцена — с большими двойными дверьми из резного дуба и с толстыми стеклами. Здесь располагались и кабинеты писательских начальников, и залы для публичных выступлений, концертов и киносеансов, ресторан, бильярдная, парикмахерская и еще всякие мелкие заведения для разнообразного обслуживания писателей. Ефим прошел через главный вход и в просторном вестибюле был встречен двумя вечными служительницами Розалией Моисеевной и Екатериной Ивановной.

Здесь он часто бывал, вестибюльным дамам время от времени, а к женскому дню всегда, дарил духи, шоколад и свои романы, поэтому обе приветствовали его очень радушно:

— Здравствуйте, Ефим Семенович!

— Здравствуйте, Ефим Семенович! Давненько вы у нас не были.

— Да, давненько, давненько, — снимая с Ефима дубленку, отозвался гардеробщик Владимир Ильич.

Принимая от гардеробщика номерок, Ефим увидел сидевших в дальнем углу за шахматным столиком двух дружков — своего нижнего соседа Василия Трешкина и одного из секретарей Союза писателей Виктора Черпакова. Они в шахматы не играли, они о чем-то между собой толковали, тихо и напряженно. Они тоже заметили Ефима и в ответ на его кивок сами кивнули недружелюбно.

Ефим положил номерок в боковой карман пиджака, подхватил портфель и направился к лестнице, ведущей на второй этаж.

— Вот, — сказал Трешкин, проводив Ефима долгим тяжелым взглядом. — У меня кот пропал, а ему шапку дают из кота. Как же это понять?

— Если мы будем ушами хлопать, они и из нас шапок наделают, — сказал Черпаков.

Это было продолжение темы, которую они начали еще в ресторане, а теперь продолжили здесь, в уголке.

Черпаков не только не рассеял опасений Трешкина насчет евреизации, но утверждал, что тот не преувеличивает, а преуменьшает степень повсеместного засилия евреев. По его словам, евреи уже распространились везде, захватили в свои руки командные посты не только в Америке и других западных странах, но фактически заправляют в Генеральном штабе, в КГБ и даже в Политбюро.

— Ну, насчет Политбюро ты уж слишком, — усомнился Трешкин. — Там сионистов нет.

— Сионистов нет, а масоны есть. А масоны управляются сионистами.

— Какое же от них спасение? — в ужасе спросил Трешкин.

— Никакого, — ответил Черпаков. — Только что разве травить их по одному.

— По одному всех разве перетравишь! — вздохнул Трешкин.

— Всех не перетравишь, но хотя б некоторых.

— Фимка, скажи честно, неужели ты своей Кукуше ни разу не изменял?

Они сидели в узком коридоре перед обитой темнозеленым дерматином дверью Лукина. Ефим пришел по своему делу, а поэтесса Наталья Кныш надеялась получить характеристику для поездки в Португалию. Кныш была дамочка пухлая, сексапильная, говорила прокуренным голосом:

— Ты знаешь, что сказал Чехов о Короленко? Он сказал, что Короленко слишком хороший человек, чтобы быть хорошим писателем. Он сказал, что Короленко писал бы намного лучше, если б хоть раз изменил жене.

Ефим вежливо улыбался, но кокетничать был не настроен. Он думал, с какой стороны лучше подойти к Лукину, на что напирать, как добиться положительного разрешения дела.

Петр Николаевич Лукин был (и это значилось на вывеске — серебряные буквы на черном фоне) секретарем Московского отделения Союза писателей по организационным вопросам и относился к той породе людей, которая у нас уже вывелась. Где-то она еще существует и у нас тоже когда-нибудь возродится (я в этом, к сожалению, не сомневаюсь), но пока что, слава богу, практически вымерла.

В Союз писателей Петр Николаевич, как Андрей Андреевич Щупов, как многие другие, был передвинут из органов, где прошел путь от рядового надзирателя до генерала. Органы были его семьей, его домом, его школой, религией и идеологией. Всю свою жизнь и все здоровье он отдал органам. Он служил в органах, сажал от их имени, сам был ими посажен и ими же реабилитирован. После чего опять служил им верой и правдой, за что получил орден Дружбы народов, нагрудный знак «Почетный чекист» и звание Заслуженный работник культуры, которое остряки, конечно, сократили и превратили в неприличную аббревиатуру ЗАСРАК.

И хотя сейчас он служил как будто по другому ведомству, он знал, что вся его жизнь, каждая клетка его тела, каждая частичка его души принадлежит только органам и еще, пожалуй, партии, впрочем, эти два понятия для него всегда сливались в одно.

Память у него была своеобразной, вернее, в голове его умещались две памяти: одна, полицейская, для текущих дел, а другая, генеральная, для охвата больших периодов и осмысления общего течения жизни. В молодости Петр Николаевич был романтиком, отчасти им и остался, его генеральная память была романтической. В ней сохранилась только смутная общая картина беспрерывного и жертвенного служения, а такие детали, как, например, то, что он сам лично, ради торжества высоких идеалов выбивал кому-то зубы и даже что ему самому выбивали зубы с той же целью, ушли на задворки сознания и растворились в помутневших красках общего фона. Дело было не в том, кому чего выбивал, а в том, что при всех поворотах судьбы он никогда, ни разу, ни на минуту не усомнился в партии и органах, не усомнился в правоте «нашего общего дела». Теперь, по ночам страдая от мучившей его бессонницы, он вспоминал свою жизнь, все страдания и унижения, падения и возвышения и со слезами умиления думал о том, что он никогда, никогда...

Партия оценила его преданность, органы тоже о нем пеклись, они устроили его на работу к писателям, и он, трудясь здесь в сложной, несходной с прежним опытом обстановке, рассматривал свою миссию как засылку во вражеский тыл.

Роста он был высокого, худощавый, подслеповатый, с лошадиным лицом и улыбкой, делавшей его похожим на французского актера Фернанделя. Улыбка не сходила с лица, потому что органы, вставляя ему казенные зубы, сделали их чуть длиннее, чем они должны были быть. Волосы у него были светлые с рыжиной, поредевшие, но до лысины не дошло, тронутые (но лишь слегка) сединой.

Отстраненный от оперативной работы, он нашел свое призвание здесь. Оно состояло в составлении казенных бумаг и оформлении их наиболее желательным образом. По существу, в этих бумагах он никогда не писал неправду, но правду искажал до неузнаваемости. Он мог легко истолковать любое высказывание, или действие, или движение души как попытку подорвать основы нашего строя и изобразить это так, что уже можно зачитывать приговор. А в другом случае мог те же самые факты использовать для представления к ордену или записи в жилищный кооператив. Писатели его ценили за то, что он, умея составлять бумаги, сам не лез в писатели, а мог бы, потому что в своем жанре равных себе не знал и вообще был почти что гений.

Сидя перед глухой дверью, Ефим и подумать не мог, что там, внутри, уже идет некая работа, связанная с его появлением. Из железного сейфа вынута толстая папка на букву Р. А из нее извлечена тоненькая папочка с шифром 14/6. А в этой папочке всего несколько листков, и что ни листок, то — золото. Конечно, Петр Николаевич мог затребовать досье любого писателя в отделе творческих кадров, но ему это было не нужно. У него были свои записи, короткие, деловитые, основанные на доступных данных, донесениях собственных осведомителей и на личных наблюдениях тоже.

Всегда, прежде чем принять человека, Петр Николаевич заглядывал в свои записи и сейчас сделал то же. И вот что прочел:

«Рахлин Ефим Семенович (Шмулевич) 23.7.27, ж. Кукушкина Зин. Иван. (д. пр. Кукуша), с. Тимофей — аспрнт. д. Наталья — Изр. др. № 2/13, е.у. в., 5 мед. 11 кн. 2 с. 1 п. мел. пуб. ЛТЦНП. пум. женеув. порнанеул. скрмн. скртн. бзврд. Инт. шхмт. пол (пас) СВР (бдв). мстенук. бнвпрст».

Если расшифровать указанные сокращения, то они означали:

ж. — жена,

д. пр. — домашнее прозвище,

с. — сын,

аспрнт. — аспирант,

д. — дочь,

Изр. — Израиль,

др. — друг,

№ 2/14 — под этим номером числился у него в картотеке Баранов,

е. — еврей,

у. в. — участник войны,

5 мед. 11 кн. 2 с. 1 п. — 5 медалей, 11 книг, 2 сценария, 1 пьеса,

мел. пуб. — мелкие публикации,

ЛТЦНП — литературное творчество ценности не представляет,

пум. — пьет умеренно,

женеув. — женщинами не увлекается,

порнанеул. — в порочных наклонностях не уличен,

скрмн. — скромен,

скртн. — скрытен,

бзврд. — безвреден,

Инт. шхмт. пол (пас) — интересуется шахматами, политикой (пассивно),

СВР (бдв) — слушает враждебное радио (без дальнейших выводов),

мстенук. — может сотрудничать с тенденцией к уклонению,

бнвпрст. — благонадежен в пределах страны (то есть за пределы страны выпускать не следует).

Если же оценить эти данные в соответствии со специфической шкалой человеческих достоинств, принятой у Лукина, то получится примерно вот что:

ж. — фактор положительный, в кризисной ситуации можно действовать через ж.,

д. пр. — говорит о склонности к добропорядочности и стабильной семейной жизни,

с. и д. — хорошо, предохраняет от необдуманных поступков,

аспрн. — то же,

Изр. — почва для потенциальной неблагонадежности,

др. — возможный (в данном случае ненадежный) осведомитель,

е. — смотри Изр.,

у. в. — неплохо,

11 кн. 2 с. 1 п. мел. пуб. — говорят о благополучии и отсутствии причин для неожиданных действий,

ЛТЦНП — в сочетании с предыдущим пунктом факт положительный, не дает повода для излишних амбиций,

пум., женеув., порнанеул. — сочетание негативное, в случае чего не за что ухватиться,

скрмн. — хорошо, скртн. — тоже неплохо, если при этом бзврд.,

Инт. шхмт. пол (пас) — пускай,

СВР (бдв) — хорошо, при необходимости можно использовать вместо порочных наклонностей,

мстенук. — без крайней нужды вербовать не стоит,

бнвпрст. — говорит само за себя.

Для того чтобы встретить посетителя должным образом, Лукину необходимо было знать, для чего тот пришел, и он почти всегда это знал. Сейчас тоже знал.

У него было сообщение директора производственного комбината, и сосед Рахлина, сказочник Фишкин, тоже сообщил Лукину кое-что.

К достоинствам Петра Николаевича надо прибавить то, что он был большим знатоком человеческих слабостей и талантливым лицедеем. Прежде чем пригласить Ефима, он снял с вешалки свое дорогое пальто с пыжиковым воротником и пыжиковую шапку и унес в примыкавшую к его кабинету кладовку. А оттуда вынес и повесил на вешалку плащ с ватинной подкладкой и синий берет с хвостиком.

После этого он выглянул в коридор и, увидев Ефима, изобразил неподдельное удивление и даже радость.

— А, Ефим Семенович! — закричал он как бы возбужденно. — Вы ко мне? Да что же вы тут сидите? Вы бы сразу постучались. Ну, заходите, заходите. Стоп, стоп, только не через порог.

Затащив Ефима в кабинет, он его сердечно обнял и даже похлопал по спине и огорошил вопросами, из которых можно было понять, что он ни о чем, кроме как о Ефиме, не думает:

— Ну как здоровье? Как дела? Как Кукуша? Надеюсь, у Тишки в аспирантуре все в порядке? У меня, между прочим, внук тоже аспирант. В Институте кинематографии. Замечательный парень. Спортсмен, альпинист, комсомольский вожак. Вот говорят, нет в наше время молодежи, преданной идеалам. А я смотрю на Петьку — его, кстати, так в честь меня назвали — и вижу, хорошая у нас молодежь, стоящая. Ну, бывают, конечно, и отклонения. — Генерал снял и протер платочком очки. — А как, к слову сказать, Наташка? Я понимаю, вопрос деликатный, но я не официально, не с агентурной — ха-ха — точки зрения, а как тоже отец и даже как дед... Надеюсь, она как-то устроилась, не бедствует там с семьей, все в порядке?

Он, конечно, знал, что Ефим каждый вторник приходит на Главный почтамт и, натянув шапку на глаза и отворачиваясь (непонятно, на что при этом рассчитывая), протягивает в окошечко свой паспорт с фотографией, на которой его лицо с выпученными еврейскими глазами ничем не прикрыто. Но Ефим, не зная, что Петр Николаевич знает, неуверенно сообщил, что ему, собственно говоря, о дочери мало чего известно, он связи с ней не поддерживает.

— Ну и напрасно, — сказал Петр Николаевич. — Сейчас не прежние времена, когда, понимаешь, наличие родственников за границей могло привести к неприятностям. У меня, кстати, когда случилась вся история, оказалась тетка в Аргентине... Да я о существовании ее даже не помнил. А мне записали: скрыл. Но теперь к подобным вещам отношение принципиально переменилось. Теперь каждый понимает, что наши дети, как бы они себя ни вели, есть наши дети, мы все равно о них беспокоимся, устраиваем их в институты, в аспирантуры, достаем им ботинки, джинсы, перчатки, шапки... Да, извини, — перешел он незаметно на «ты», — ты ведь не просто так ко мне пришел. Наверное, какое-то дело.

Ефим замялся, заволновался. Ему показалось вдруг странным, что Петр Николаевич сам упомянул слово «шапки». Помявшись, он все же сказал, что именно о шапке и пойдет речь.

— О шапке? — удивленно поднял свои выцветшие брови Петр Николаевич.

— О шапке, — смущаясь, подтвердил Рахлин и тут же стал сбивчиво и путано объяснять, что он ходил в производственный комбинат, а человек, который там сидит... конечно, Ефим очень его уважает, возможно, он был ценный сотрудник органов, но все-таки работа с людьми творческого труда, как известно, требует некоторой особой деликатности и чуткого отношения, а он...

— Он отказал? — сурово нахмурился Петр Николаевич и схватился за телефонную трубку.

— Подождите, — остановил его Ефим и, еще больше волнуясь, стал объяснять, что тот не то чтобы совсем отказал, но проявил бездушие и непонимание и ему, автору одиннадцати книг, предложил кошку, когда даже

Баранов, написавший за всю жизнь одну книгу, и тот получил кролика.

Пока он это говорил, Петр Николаевич стал поглядывать на часы и нажал тайную кнопку, в результате чего явилась секретарша и напомнила, что ему пора ехать на заседание в Моссовет.

Разговор принимал дурацкое направление. Петр Николаевич сказал, что сам он ни в каких шапках не разбирается, и устремил долгий взгляд куда-то мимо Ефима в сторону двери. Невольно скосив глаза в том же направлении, Ефим увидел висевший на вешалке плащ и синий потертый берет с коротким хвостиком посередине. Ему стало немного неловко, что он хлопочет о шапке, в то время когда такой хороший человек и генерал ходит в берете. А тот, не давая опомниться, тут же рассказал эпизод из своего боевого прошлого. Как, выбившись однажды из окружения, Лукин со своим отрядом блуждал по заснеженным Сальским степям, и все с ним были в рваном летнем обмундировании, в сбитой обуви и в хлопчатобумажных пилотках. И хотя Ефиму и самому в жизни приходилось попадать в разные переплеты, он, конечно, не мог не вспомнить, что в настоящее время он по заснеженным степям не блуждает и ночует не под промерзшим стогом, а в теплой кооперативной квартире, и, хотя он сюда явился без шапки, она у него все-таки есть.

И он уже готов был сдаться, но в это время в кабинет с лисьей шапкой в руке заглянул поэт-песенник Самарин, исполняющий обязанности партийного секретаря.

Холодно кивнув Рахлину, он спросил Лукина, пойдет ли тот обедать.

— Нет, — сказал генерал, взглянув на часы. — Меня ждут в Моссовете.

— Ну пока, — сказал Самарин и, выходя, взмахнул шапкой, отчего бумаги на столе Петра Николаевича шевельнулись.

И вид этой шапки поднял боевой дух Ефима, потому что Самарин хотя и парторг, но поэт никудышный, и если уж судить по талантам или значению в литературе, то на лисью шапку никак не тянет.

Осмелев, Ефим напомнил Лукину, что на войне он тоже побывал, а кроме того, ему приходилось участвовать в различных героических экспедициях, а сейчас время мирное, люди должны свои возросшие запросы полностью и по справедливости удовлетворять. А какая может быть справедливость, если тому, кто отирается около начальства, дают превосходную шапку, а тому, кто ведет себя скромно и самоотверженно трудится над созданием книг о людях героических профессий, не дают ничего, кроме кошки?

— А где же, — сказал Ефим, — где же наше хваленое равенство? У нас же все газеты пишут о равенстве.

— Ну, знаете! — Лукин возмущенно вскочил и всплеснул руками. — Ну, Ефим, ну это вы уж слишком. Из-за какой-то, понимаете, шапки, из-за какой-то паршивой кошки вон на какие обобщения замахнулись! При чем тут равенство, при чем тут высшие идеалы? Неужели мы должны бросаться нашими идеалами ради какой-то шапки? Я не знаю, Ефим... Вы моложе меня, вы другое поколение. Но люди моего поколения... И я лично... Вы знаете, на мою долю многое выпало. Но я никогда, никогда не усомнился в главном. Понимаете, никогда, ни на минуту не усомнился.

Лукин весь побледнел, задрожал, трясущимися руками полез в боковой карман, вынул бумажник, достал из него маленькую пожелтевшую фотографию.

— Вот! — сказал он и бросил на стол перед Ефимом свой последний козырь.

— Что это? — Ефим взял карточку и увидел на ней изображение девочки лет восьми с большим белым бантом на голове.

— Это моя дочь! — взволнованно прошептал генерал. — Она была такая, когда меня взяли. Причем, между прочим, — он пожал плечами и улыбнулся смущенно, — я ушел совершенно без шапки. А когда через шесть лет я вернулся, она... я имею в виду, конечно, не шапку, а дочку... она была уже большая. И даже замужем...

Он стер со щеки слезу, махнул рукой и со словами: «Извините, мне пора» — бережно положил карточку в бумажник, бумажник в карман и стал одеваться. Натянул на себя плащ, напялил на голову берет с хвостиком.

Ефим снова смутился. Сам себе он казался мерзким рвачом и сутягой. У него было даже такое чувство, что это из-за его меркантильных устремлений Петра Николаевича в свое время оторвали от маленькой дочки и увели без шапки в промозглую тьму.

Сгорбившись и пробормотав какие-то неопределенные извинения, Ефим прошаркал к выходу.

Только внизу он сообразил, что провел здесь довольно много времени — в Центральном Доме литераторов начиналась вечерняя жизнь. Открылись бильярдная и ресторан, в большом зале наверху телевизионная бригада расставляла аппаратуру для репортажа о встрече писателей с космонавтами, в нижнем малом зале собирались члены клуба рассказчиков, в знаменитой «восьмой» комнате разбиралось персональное дело прозаика Никитина, напечатавшего в заграничном издательстве повесть «Из жизни червей», в виде червей клеветнически изображавшую советский народ. Сам Никитин утверждал, что под червями он имел в виду именно червей, и действительно имел в виду червей, но ему никто, конечно, не верил.

Непрерывно хлопали стеклянные двери. Розалия Моисеевна и Екатерина Ивановна расплывались в льстивых улыбках перед входящими начальниками, вежливо приветствовали знакомых, а у незнакомых требовали предъявления членских и пригласительных билетов.

Возле гардероба, натягивая дубленку, Ефим встретил вошедшего с мороза Баранова, тот был в темном пальто и в коричневой кроличьей шапке.

— Старик, — обрадовался другу Баранов, — смотри, я шапочку уже получил. А кроме того, сотнягу отхватил за внутренние рецензии, пошли в ресторан, угощаю.

— Нет настроения, — сказал Ефим, поднимая с полу портфель. — И повода тоже. Гонорара сегодня я не получал, а шапку мне дают из кота средней пушистости.

— Из чего? — не понял Баранов.

— Из обыкновенной домашней кошки, — объяснил Ефим. — Ты написал одну книгу — тебе дают кролика, а я написал одиннадцать — и мне кошку.

Этот разговор слушал одевавшийся перед зеркалом Василий Трешкин, но ничего нового не узнал.

— Фимка, — сказал Баранов, — а что ты дуешься на меня? Я распределением шапок не занимаюсь. По мне, пусть тебе дадут хоть из соболя, мне не жалко.

Ефим не ответил. Открыв рот, он смотрел на пробегавшего к выходу Лукина, на его пыжиковый воротник, на богатую шапку.

Ефим сперва растерялся, потом выскочил за Лукиным, желая его остановить, но не успел, персональная «Волга» с сидящим в ней генералом, плюнув вонючим дымом, отчалила от тротуара. Ефим проводил ее отчаянным взглядом, переложил портфель из левой руки в правую и поплелся в сторону площади Восстания. Он шаркал по-стариковски подошвами своих гэдээровских сапог, оскорбленно всхлипывал и бормотал себе под нос:

«Врешь! Все врешь! Сальские степи, дочь — все вранье! Ушел — ей было восемь, пришел через шесть лет — она замужем. Дурь! — прокричал он в пространство. — Сплошная дурь!»

Занятый своими переживаниями, Ефим не видел, что следом за ним идет, не упуская его из виду, поэт Василий Трешкин, решивший изучить и понять загадочное поведение сионистов.

На Садовом кольце все светофоры были переключены на мигающий режим, движением руководили два милиционера в темных полушубках и шапках с опущенными ушами. Они почему-то нервничали, держали на тротуаре скопившихся пешеходов, свистели в свистки и размахивали палками. Не понимая, в чем дело, Ефим пробился вперед, но дальше не пускали, и он остановился прямо под светофором. Светофор равномерно мигал, и лысина Ефима равномерно озарялась желтым ядовитым сиянием.

Толпа у светофора сбилась совсем небольшая, но и в ней Трешкин упустил Ефима. Ему даже показалось (и он бы не удивился), что сионист просто растворился в воздухе. Трешкин занервничал, врубился в толпу, тут же увидел Ефима и обомлел. Он увидел, что сионист Рахлин, стоя у края тротуара, бормочет какие-то заклинания, а его лысина озаряется изнутри и испускает в мировое пространство желтые пульсирующие световые сигналы.

— ...аждане, житесь еходa! — закричали вдруг потусторонние голоса. — Граждане, воздержитесь от перехода! — прозвучали они яснее.

Милиционер, стоявший недалеко от Ефима, отскочил в сторону, вытянулся неуклюже, поднес руку к виску. Налетели и понеслись мимо черные силуэты, воющие сирены, фыркающие моторы, шуршащие шины и летящий тревожный свет милицейских мигалок.

Ничего вокруг себя не видел Василий Трешкин. Он смотрел только на голову сиониста Рахлина и видел, как она светилась сначала желтым светом, потом вспыхнула синим и красным, и одновременно раздались страшные голоса.

Тут бы, конечно, самое время сиониста зацапать и передать в руки закона, но кому передашь, если проезжавшие правительственные лимузины передавали те же сигналы? Трешкин вдруг испугался, схватился за голову и закрыл глаза. А когда открыл их, обнаружил, что сидит на обледенелом тротуаре, прислонившись спиною к шершавой стене, вокруг негусто толпится народ, а склонившийся милиционер вежливо спрашивает:

— Папаша, а папаша! Вы, папаша, извиняюсь, пьяный или больной?

Стоя под светофором, Ефим слышал, что кому-то в толпе стало нехорошо, достигли его уха голоса, обсуждающие, вызвать ли «Скорую помощь» или перевозку из вытрезвителя. В другое время Ефим посмотрел бы, что там случилось, очень он был любопытен до уличных происшествий. Но на этот раз не посмотрел, погруженный в собственные страдания, и побрел дальше, как только освободилась дорога. У метро «Краснопресненская» людской поток подхватил Ефима, втянул в подземелье и, сильно помятого, вынес наружу на станции «Аэропорт».

Тем временем Трешкин двигался к тому же конечному пункту совершенно иным путем. Оставленный милиционерами, он не пошел в сторону Пресни, а направился к Маяковской.

Вечер был холодный, небо чистое, но от городских огней оно казалось блеклым и желтым. Все же какие-то звезды пробивались сквозь желтизну, перемещались в пространстве, перемигивались, намекали на что-то непонятное Трешкину. Катили машины, торопились прохожие, а сколько среди них евреев и сколько жидомасонов, никому не известно. Так он шел, сосредоточенно думая, и вдруг на углу Малой Бронной и Садовой-Кудринской его осенила гениальная мысль. «А что, — подумал Трешкин, — если они так и так уже все захватили, то, может, лучше сразу, пока не поздно, самому к ним податься?»

Дома Ефим поставил в угол портфель, сменил сапоги на тапочки и прошел в гостиную. Кукуша и Тишка ужинали перед телевизором и смотрели фигурное катание.

Ефим сел на диван и тоже стал смотреть, но ничего не видел, не слышал.

— Лысик, — спросила Кукуша, — ты ужинать будешь?

Он ничего не ответил.

— Лысик! — повысила голос Кукуша.

Он не слышал.

— Лысик! — закричала она уже нервно. — Я тебя спрашиваю: тебе пельмени с маслом или со сметаной?

— Одиннадцать, — ответил Ефим.

— Что одиннадцать? — не поняла Кукуша.

— Я восемнадцать лет в Союзе писателей и написал одиннадцать книг, — сообщил Ефим. И, подумав, добавил: — А Баранов написал только одну.

Мать с сыном переглянулись.

— Лысик, — встревожилась Кукуша. — Ты, часом, не трекнулся?

— Нет, — сказал Ефим, — я этого дела так не оставлю. Сдохну, а шапку свою получу.

Он вдруг вскочил, выскочил в коридор, вернулся со своей волчьей шапкой.

— Тишка, тебе, кажется, нравится моя шапка?

— Нравится. — Тишка проглотил последний пельмень и стал вытирать губы бумажной салфеткой.

— Ну так вот, — щедро сказал Ефим, — я тебе ее дарю. — Он напялил шапку Тишке на голову. — Смотри, тебе идет.

— А ты будешь носить мою? — спросил Тишка. Он снял шапку, посмотрел на нее и положил на стул рядом с собой.

— Твою? — переспросил Ефим. — Свою ты можешь выбросить, она уже выносилась.

— А ты в чем будешь?

— А я себе получу, — сказал Ефим. — Сдохну, а своего добьюсь.

— Лысик, поешь. — Кукуша поставила на стол тарелку пельменей. — Садись сюда, кушай. И забудь ты про эту шапку. Это я во всем виновата. Я тебя подбила. Но ты забудь это. Бог с ней, с этой шапкой. Я тебе сама куплю такую, каких у ваших говенных писателей вообще нет ни у кого. Я тебе куплю... ну, хочешь, я тебе из серебристой лисицы куплю?

— Нет! — закричал Ефим. — Не вздумай! Я их заставлю! Вот Каретников приедет, я к нему пойду и...

Он махнул рукой и заплакал.

Ефим помешался. Я узнал это сначала по телефону от Баранова, потом от встреченного в Доме литераторов Фишкина. Пока я собирался позвонить Ефиму, ко мне утром, еще не было девяти, явилась Кукуша в блестящей от растаявших снежинок норковой шубе.

— Извини, что я без звонка, — сказала Кукуша. — Но я не хотела, чтобы кто-нибудь знал о нашей встрече.

— Ничего, — сказал я, — это не важно. Извини, что я в пижаме.

— Это как раз не важно. Кстати, очень хорошая пижама. Где достал?

— Сестра привезла из Франции.

— У тебя есть сестра во Франции? — удивилась Кукуша.

— Нет, сестра у меня в Ижевске. А во Францию ездила договариваться о чем-то с заводом Рено. Кофе будешь?

— Нет, нет, я на минутку. — И совсем другим тоном: — Мне нужна твоя помощь, ты должен спасти Ефима.

Я растерялся и спросил, в чем дело, от чего я должен его спасать.

— Трекнулся, — сказала Кукуша. — Не ест, не пьет, не спит, не бреется, зубы не чистит. Он всегда Тишке готовил яичницу, теперь мальчик уходит в институт без завтрака.

— Ну, мальчику, кажется, уже двадцать четыре года, и яичницу он мог бы...

— Дело не в яичнице, — перебила Кукуша, — а в Фимке. Он совсем на этой шапке заклинился. Он уже обошел все начальство в Литфонде, в Союзе писателей, и ему везде отказали. Теперь ходит, все время бормочет: «Я восемнадцать лет в Союзе писателей, у меня одиннадцать книг, имею боевые награды». Я ему говорю: «Лысик, да что с тобой случилось, да забудь ты про эту шапку, да задерись она в доску». А он мне отвечает, что сдохнет, а шапку получит, и все ждет своего Каретникова. Вот Каретников приедет, вот он вам покажет, вот он вас заставит, перед Каретниковым вы все еще попляшете. А этот хренов Каретников, то он в Монголии, то в Португалии, я даже не знаю, когда он бывает здесь. О господи! — Она зашмыгала носом и полезла в карманчик за платком. — Это я, я во всем виновата. Я его толкнула бороться за эту вшивую шапку, а теперь не могу остановить. Я ему говорю: ну, Лысик, ну, дорогой, ну, пожалуйста, я тебе десять таких шапок куплю. Он говорит: «Нет, я восемнадцать лет в Союзе, написал одиннадцать книг, имею боевые награды».

— Может быть, показать его психиатру?

— Может быть, — согласилась Кукуша. — Но, может, лучше и правда дождаться Каретникова. Если тот поможет... Но пока... Я к тебе для чего пришла... Сходи к Фимке, развлеки его как-нибудь, поговори по-дружески, спроси, что он пишет, когда закончит. Такой интерес на него всегда действует хорошо.

Я посетил Ефима и нашел его точно таким, каким его описала Кукуша. Он меня встретил в мятом спортивном костюме с дырой на колене, худой, всклокоченный, лицо до самых глаз заросло полуседой щетиной.

— Здравствуй, Ефим! — сказал я.

— Здравствуй.

Загородив собою дверь, он смотрел на меня, не выражая ни радости, ни огорчения.

— Ну, может быть, ты меня пустишь внутрь? — сказал я.

Он вошел следом.

— Можно сесть? — спросил я.

— Садись, — пожал он плечами.

Я сел в кресло в углу под оленьими рогами, он остановился передо мной.

— Я приехал в поликлинику, — сказал я, — и вот решил заодно тебя навестить.

Он слушал вежливо, грыз черный ноготь на мизинце, но интереса к общению со мной не проявил. Я рассказал ему массу интересных вещей. Рассказал о хулиганстве детского писателя Филенкина, который в Доме творчества выплеснул свой суп в лицо директора. Ефим вежливо улыбнулся и, покончив с мизинцем, принялся за безымянный палец. Ни расовые волнения в Южной Африке, ни перестановки в кабинете Маргарет Тэтчер его тоже не заинтересовали.

Я предложил ему перекинуться в шахматы, он согласился, но, уже расставляя фигуры, перепутал местами короля и ферзя, а партию продул в самом дебюте, хотя вообще играл гораздо сильнее меня.

Мы начали новую партию, и я спросил его, как развивается «Операция».

— Я восемнадцать лет член Союза писателей и написал одиннадцать книг, — сообщил Ефим и подставил ферзя.

Возможно, он доложил бы и о своих боевых наградах, но тут зазвонил телефон. Я переставил Ефимова ферзя на другую клетку, а своего, наоборот, подставил под удар.

— Что? — закричал вдруг Ефим. — Приехал? Когда? Хорошо, спасибо, будь здоров, вечером перезвонимся.

Он бросил трубку, повернулся ко мне, и я увидел прежнего Ефима, хотя и небритого.

— Ты слыхал, — сказал он мне весьма возбужденно, — Баранов звонил, говорит, приехал Каретников.

Не могу даже описать, что дальше было с Ефимом. Он вскакивал, бегал по комнате, размахивал руками, бормотал что-то вроде того, что кто-то у него теперь попляшет, потом вернулся к шахматам, объявил мне мат в четыре хода и, посмотрев на часы, намекнул, что мне пора к доктору.

Я ушел, радуясь, что Ефим так быстро вышел из своего состояния, хотя моей заслуги в том не было.

Дальнейшее мне приходится описывать отчасти со слов самого Ефима, отчасти полагаясь на противоречивые свидетельства других участников этой истории.

После моего ухода Ефим умылся, побрился, почистил и поставил на место зубные протезы. В перерывах между этими процедурами звонил и в конце концов дозвонился. Жена Каретникова Лариса Евгеньевна начала было говорить, что Василий Степанович нездоров и никого не принимает, но тут в трубку влез голос мнимого больного.

— Фимка! — загудел он. — Не слушай ее, хватай такси и чтоб через пять минут был здесь. Да рукопись захвати.

Каретников жил в высотном доме на площади Восстания.

Дверь Ефиму открыла Лариса Евгеньевна с жирно намазанным кремом лицом, в халате и в папильотках.

— Ну, заходи, раз пришел, — сказала она не очень приветливо. — Василий Степанович ждет. Во фраке.

Ефим прошел по длинному коридору мимо домработницы Нади, которая, стоя на шаткой стремянке, шваброй сметала обнаруженную под потолком паутину. Надя была в коротком перепоясанном ситцевом халатике.

— Здравствуйте, Наденька, — дружески поздоровался Ефим, но лицо опустил и отворотил в сторону.

Дверь в кабинет Василия Степановича распахнулась, и сам хозяин явился Ефиму в длинных футбольных трусах и в майке, прожженной на большом животе. Он втащил Ефима внутрь, закрыл и прижал плечом дверь.

— Принес? — спросил он громким шепотом.

— Принес, — сказал Ефим и вытащил из портфеля не рукопись, а чекушку.

— И это все?

— Есть и второй том, — улыбнулся Ефим и, приоткрыв портфель, показал — вторая чекушка лежала на дне.

— Вот молодец! — одобрил Василий Степанович, срывая пробку зубами. Жонглерским движением покрутил бутылку, водка запенилась и завинченной струей потекла в жадно раскрытую пасть.

Отпив таким образом примерно треть, хозяин ухнул, крякнул и спрятал бутылку на книжной полке за «Капиталом» Маркса.

— Молодец! — повторил он, отдуваясь. — Вот что значит еврейская голова! Я почему против антисемитизма? Потому что еврей в умеренном количестве полезный элемент общества. Вот, скажем, в моем журнале: я — русский, мой заместитель — русский, это правильно. Но ответственного секретаря я всегда беру еврея. У меня прошлый секретарь был еврей и теперешний тоже. И когда мне в ЦК пытались подсунуть вместо Рубинштейна Новикова, я им сказал: дудки. Если вы хотите, чтобы я продолжал делать настоящий партийный литературный журнал, вы мне моих евреев не трогайте. Я вот уже тридцать шесть лет редактор, все пережил, но даже во времена космополитизма у меня, где надо, всегда были евреи. И они всегда знали, что я их в обиду не дам. Но и от них я требую верности. Я Лейкина к себе вызвал, стакан водки ему поставил: «Ну, Немка, говорю, если ты на историческую родину поглядываешь, то от меня мотай по-хорошему не меньше чем за полгода до подачи. Надуешь, ноги вырву, спички вставлю и ходить заставлю».

Большой, грузный, Василий Степанович ходил по комнате, заложив руки за спину, выпятив живот, и говорил заплетающимся языком. Иногда в местах своей речи, казавшихся ему особенно удачными, хлопал себя по ляжкам и взвизгивал. Перескочив с одной темы на другую, спросил Ефима, не видел ли тот его статью.

— Где? — быстро спросил Ефим.

— Ты что же, милый друг, «Правду» не читаешь? — спросил Василий Степанович не без ехидства. — Видишь, как я тебя подловил. Ну-ну-ну, не бойся, не продам. Вот, — схватил он со стола газету и сунул Ефиму. — «Всегда с партией, всегда с народом». Хорош заголовок?

— Мм-м, — замялся Ефим.

— Мму! — передразнил Каретников, замычав по-коровьи. — Не мучайся и не мычи, я и так вижу, что морду воротишь. Название не фонтан, но зато просто и без прикрас. Всегда с партией, всегда с народом. Всегда с тем и с другим. А не то что там... — Не закончив своей мысли, он застонал, подбежал к двери и, схватив самого себя за уши, трижды головой, как посторонним предметом, стукнул в притолоку. — Ненавижу! — прорычал он и заскрипел зубами. — Ненавижу, ненавижу и ненавижу! — Набычился злобно на Ефима: — Ты думаешь, кого ненавижу? Знаешь, но боишься подсказать.

Власть нашу любимую, советскую... нне-на-вижу. — И опять стукнул лбом об стену.

Размахивая руками, стал ходить вокруг Ефима и бормотать, словно бы про себя:

— Вот она, человеческая неблагодарность. Власть мне все дала, а я ее ненавижу. Без нее я бы кто был? Никто. А с ней я кто? Писатель! Писатель-депутат, писатель-лауреат, писатель-герой, выдающийся писатель Каретников! А из меня, — остановился он напротив Ефима, — такой же писатель, как из говна пуля. Писатель Васька Каретников. А Ваське быть бы по торговой части, как дедушка Тихон. Тихон Каретников, кожевенные и скобяные товары. Два собственных парохода на Волге имел. А папашку моего Степана Тихоновича за эти-то пароходы и шлепнули. А я в детдоме себе происхождение подправил на крестьянское да в газете «Молотобоец» стал пописывать под псевдонимом Бывалый. Послал Горькому свой рассказ «На переломе», а тот сдуру его в альманах. Ах, суки, загубили вы Ваську Каретникова, сделали из него писателя. Ненавижу! — И хотел еще раз стукнуться головой, но, потрогав лоб, воздержался.

— Василий Степанович! — озабоченно прошептал Ефим и пальцем показал на потолок.

— Думаешь, там микрофоны? — понял Каретников. — Ну, конечно, там они есть. А я на них положил. Потому что то, что я здесь говорю, — не важно. Все знают: Каретников алкаш, чего с него возьмешь. Важно то, что я говорю не здесь, а публично. А здесь что хочу, то говорю. Тем более что обидели, суки. Обещали протолкнуть в академики меня, а протолкнули Шушугина. Академик Шушугин. А академик вместо слова «пиджак» «спенжак» пишет, вот чтоб я с этого места не встал. А его в академики. А я обижен. И все понимают, что я обижен и поэтому могу ляпнуть лишнего. Но только дома, потому что партия от нас требует преданности, а не принципов. Когда можно, я ее ненавижу, а когда нужно, я ее солдат. Ты писатель и должен понимать разницу между словами — «можно» и «нужно». Я делаю то, что нужно, и поэтому мне кое-что можно, а ты того, что нужно, не делаешь, значит, тебе можно намного меньше, чем мне. Понял, в чем диалектика? Дай-ка еще глотну!

Василий Степанович сел в кожаное кресло и закрыл глаза. Пока Ефим доставал из-за Маркса бутылку, пока приблизился к Каретникову, тот заснул.

Ефим сел напротив, держа бутылку в руках. Время текло. Часы в деревянном футляре отбили половину двенадцатого. Ефим озирался по сторонам, разглядывая комнату. Стол и кресло старинной работы, современные книжные полки, заставленные собраниями сочинений Маркса, Энгельса, Ленина и генсека. Впрочем, генсек был на первом месте. Когда-то здесь стояли тома Сталина, потом Хрущева. Потом Хрущев исчез, а Сталин опять появился. А сейчас его опять не было, должно быть, задвинут туда, во второй ряд. А на его месте стоит четырехтомник Густава Гусака. Значит, подумал Ефим, в отношении партии к Сталину ожидаются какие-то перемены.

Наконец Каретников открыл один глаз и недоуменно навел его на Ефима. Затем открыл второй глаз.

— Сколько времени? — спросил он.

— Четверть второго, — ответил Ефим шепотом, как бы все еще боясь его разбудить.

Каретников протянул руку:

— Дай!

Отхлебнул из бутылки, но без прежней жадности, покривился и потряс головой.

— Ну, выкладывай, зачем пришел. Что хочешь: дачу, машину, путевку в Пицунду, подписку на журнал «Америка»?

— Да нет, — улыбнулся Ефим, всем своим видом показывая, что его притязания гораздо скромнее и выглядят, по существу, пустяком, из-за которого, право, даже неловко беспокоить столь крупного человека.

— Говори, говори, — поощрил Василий Степанович. Наконец Ефим собрался с духом и изложил суть своей просьбы сбивчиво и бестолково. Василий Степанович слушал его внимательно, после чего еще отхлебнул из бутылки и посмотрел на Ефима по-новому.

— Значит, — уточнил он протрезвевшим голосом, — ты дачу не просишь, машину не хочешь, в Дом творчества не собираешься, журнал «Америка» тебе не нужен, тебе нужна всего-навсего только шапка. Причем не какая-нибудь. Из кошки тебя не устроит. Нет? А из кролика тоже нет?

Ефим улыбнулся и скромно потупился.

— Ну да, — повторил Каретников благожелательно. — Всего-навсего шапку. Из кошки не годится, из кролика не идет. Может, тебе боярскую шапку? Может, соболью? Да ты что, — вдруг закричал он, вскочив и хлопнув себя по ляжкам, — ты кого за дурака держишь — себя или меня? Ты, может быть, думаешь, что ты умная еврейская голова, а я пальцем деланный и щи лаптем хлебавший? Ты думаешь, что дачу попросить — это много, а шапку — ничего. Врешь! — закричал он так громко, что Ефим невольно попятился.

— Василий Степанович, — пробормотал Ефим, испугавшись, — да что это вы... Да как же... Да я просто не понимаю.

— Врешь! — повторил Василий Степанович решительно. — Все врешь и все понимаешь. Ты не хуже меня знаешь, что тебе не шапка нужна, шапку ты у какого-нибудь барыги за сотню-другую можешь купить не хуже. Тебе не это нужно. Тебе нужно другое. Ты хочешь дуриком в другую категорию, в другой класс пролезть. Хочешь, чтобы тебе дали такую же шапку, как мне, и чтобы нас вообще уравняли. Тебя и меня, секретаря Союза писателей, члена ЦК, депутата Верховного Совета, лауреата Ленинской премии, вице-президента Всемирного Совета мира. Так? Та-ак, — с удовольствием ответил сам себе Каретников. — Именно. Умный ты, я вижу, чересчур даже умный. Ты будешь писать о хороших людях, будешь делать вид, что никакой такой советской власти и никаких райкомов-обкомов вовсе не существует, и будешь носить такую же шапку, как я? Дудки, дорогой мой. Если уж ты хочешь, чтобы нас действительно уравняли, то ты и в другом равенства не избегай. Ты, как я, пиши смело, морду не воротя: «Всегда с партией, всегда с народом». Да посиди лет десять-двадцать-тридцать с важной и кислой рожей в президиумах да произнеси сотню-другую казенных речей, вот после этого и приходи за шапкой. А то ишь чего захотел! Шапку ему дайте получше. А с какой это стати? Ты вот мне небось завидуешь, что за границу езжу и тряпки всякие привожу. Это ты только одну сторону моей жизни видишь. А того еще не видишь, что я помимо тряпок еще там за мир во всем мире, ети его налево, борюсь. Ты вот тоже в турпоездке в Париже был. Тебе там вопросы задавали? Задавали. А ты что отвечал? Ты отвечал, что политикой не интересуешься, географией тоже и где находится Афганистан, точно не знаешь. А мне так крутиться нельзя. Я не могу сказать, что политикой не интересуюсь. На вопросы должен отвечать прямо, прямо и отвечаю. Что я думаю об Афганистане? Думаю, что этих душманов надо давить. Что думаю о политзаключенных? Думаю, что политзаключенные есть в Южной Африке, в Чили и на Гаити. А у нас есть уголовники и сумасшедшие. Думаешь, мне приятно это говорить? Нет, очень даже пренеприятно. Я тоже хочу улыбаться и чтобы мне улыбались. Тоже хочу писать о хороших людях. Тоже хочу делать вид, что в политике и географии не разбираюсь. Ты думаешь, ты против советской власти не пишешь, а мы тебе за это спасибо скажем? Нет, не скажем. Нам мало того, что ты не против, нам надо за. Будешь бороться за мир, будешь, как я, писать о секретарях обкомов-райкомов, тогда все получишь. Простим тебе, что еврей, и дачу дадим, и шапку. Хоть из пыжика, хоть из ондатры. А тому, кто уклоняется и носом воротит, вот на-кася выкуси! — И поднес к носу Ефима огромную фигу. Он сделал этот грубый жест, не задумываясь. Даже не предполагая, что из него могут произойти какие-нибудь последствия. Да будь это в другой раз, их бы и не было. Но тут... Ефим потом и сам не мог понять, как это произошло. Увидев перед собой фигу и услышав «на-кася выкуси», Ефим сначала слегка отпрянул, а потом качнулся вперед и, как собака, тяпнул Каретникова за большой палец, прокусивши его до кости.

Это было так неожиданно, что Василий Степанович даже не сразу почувствовал боль. Он отдернул руку, посмотрел на Ефима, посмотрел на палец и вдруг завыл, закружился как полоумный по кабинету, тряся рукой и брызгая кровью на персидский ковер.

На вой прибежала в папильотках Лариса Евгеньевна. С тряпкой в руках появилась домработница Надя.

— Что случилось, Вася? — тонким голосом прокричала Лариса Евгеньевна, кидаясь к Каретникову.

— У-у-у-у, — выл Каретников, как паровоз, и тряс истекающей кровью конечностью.

— Фима! — Лариса Евгеньевна повернулась к Ефиму. — Я не могу понять, что случилось!

Фима, как потом говорили, казался совершенно спокоен. Он взял с полки чекушку, допил остатки, поднял с полу незастегнутый портфель и вышел.

Мне кажется, что этим укусом Ефим сам себе нанес новое и уже непоправимое психическое повреждение.

Прямо от Каретникова прикатил он ко мне радостно-возбужденный.

— Знаешь, что случилось? Как? Ничего еще не слыхал?

Он мне тут же изобразил все происшедшее словами и в лицах. Как он пришел, в каком виде нашел Каретникова, как тот, держа себя за уши, стукался головой об стенку. Кстати сказать, это стуканье Ефим изобразил так смешно, что я просто валялся от хохота. Он же сдержанно улыбался и, похоже, был очень собою доволен.

— Мне что. — Стоя передо мной в распахнутой настежь дубленке, он взмахивал отяжеленными ею руками и ерничал: — Я человек простой. Мне говорят: накася выкуси, я выкусываю. А как же! Если меня очень просят, разве мне жалко? У меня зубы хорошие, фарфоровые, с меня Аркаша Глотов за них четыре сотни содрал. Если надо кому выкусить, пожалуйста, я не против.

Я смотрел на него с любопытством: надо же, всегда был такой запуганный, а тут размахался! Не веря в то, что человек под воздействием внешних обстоятельств может меняться столь кардинально, я думал, что это временная бравада, которая кончится потом истерикой. Или выплыли наружу какие-то черты характера, которые прежде не проявлялись? Или проявлялись иначе? Ведь бывал же он в рискованных ситуациях со своими мужественными людьми, тонул в полынье, валился в пропасть, горел на нефтяной скважине!

— Ефим, — сказал я ему, — ты человек взрослый, я не хочу тебя пугать, но ты должен знать, что Каретников — человек очень плохой и очень злопамятный. Если ты сейчас же с ним не помиришься...

— Ни за что! — прокричал Ефим.

— Но ты понимаешь, что он тебе этого никогда не простит?

— А я никакого прощения и не жду. Мне надоели унижения, надоело быть хорошим человеком второго сорта. У меня есть другие планы.

— Другие планы?

— Ну да. — Он с сомнением осмотрел все четыре стены, задержал взгляд на люстре. — Как ты думаешь, у тебя квартира прослушивается?

Я пожал плечами:

— Откуда мне знать, прослушивается она или нет?

Он попросил меня вынести телефон в другую комнату или набрать пару цифр и заклинить диск аппарата карандашом.

Я в такие уловки, правду сказать, не верил и не думал, что подслушивалки обязательно должны быть в телефонах.

— Знаешь что, — сказал я. — Погода хорошая, почему бы нам не пройтись?

Мы спустились вниз. Ефим, зажав между ног портфель, натянул кожаные перчатки, поднял воротник, и его желтая лысина, окаймленная коричневым мехом, стала похожа на тыкву, вылезающую из хозяйственной сумки. Дворами мы прошли к Сытинскому переулку, а оттуда выбрались на Тверской бульвар. День был приятный, солнечный. Накануне выпавший снег мягкой пеной светился на кустах и клумбах. По расчищенной широкой дорожке гуляли голуби, бежали школьники, молодой папаша неспешной рысью тащил салазки с укутанным по глаза ребенком, все скамейки были заняты шахматистами, старухами и приезжими с авоськами и мешками.

Мы медленно двинулись в сторону Никитских ворот и сначала говорили о чем-то, не помню о чем, потом Ефим оглянулся и, дав пройти и отдалиться двум офицерам с портфелями, понизив голос, спросил, нет ли у меня знакомых иностранцев, через которых можно переправить на Запад рукопись.

Иностранцы у меня знакомые были, но я этих связей особо не афишировал, потому что через них сам давно уже пересылал кое-что «за бугор» и печатал под псевдонимом, которого не знал никто, кроме моей жены. Не отвечая ни «да», ни «нет», я спросил, какую именно рукопись он имеет в виду. Оказывается, ничего готового у него пока нет, но ему надо знать заранее, через кого можно передать и как. Прямо в машинописном виде или переснять на пленку.

— Лучше переснять, — сказал я. — С первого экземпляра и по одной странице на кадр. Иначе у тех, кто возьмется перепечатывать, будут трудности. А все-таки что ты хочешь передать?

— Ты знаешь, что я пишу роман «Операция»? — Он посмотрел на меня и понял. — Ну да, конечно, ты думаешь, что я пишу о хороших людях, которые никому не нужны. Но это не о хороших — это о плохих людях.

И он мне рассказал историю, которая легла в основу его замысла. В подлинном виде она от замысла несколько отличалась. Случай с доктором, делавшим самому себе операцию, действительно имел место. Только случилось это не посреди океана, а вблизи канадского берега. Больного доктора можно было доставить в одну из береговых больниц, но, во-первых, за операцию надо платить огромные деньги в иностранной валюте, а во-вторых, как раз в последнее время доктор проявлял признаки неблагонадежности — рассказывал антисоветские анекдоты, под подушкой у него нашли книгу Авторханова «Технология власти», и вообще не было никакой гарантии, что он не сбежит. Поэтому капитан Колотунцев (прототип Коломийцева) отдал приказ идти не к канадскому берегу, а к Курильским островам. По пути к этим островам доктор в отчаянии и сделал себе операцию, после которой он уже никаких романсов не слушал, поскольку умер.

— Скажи, — торопил меня с ответом Ефим, — им, на Западе, такая история должна же понравиться? Если название скучное, могу придумать что-то другое. Например, «Харакири». А? Здорово? Если нужно, можно разбавить сексом. У нас на корабле, между прочим, была одна повариха, она жила со всем экипажем.

— Повариху не надо, — сказал я, — лучше повара. На Западе любят больше про гомосексуалистов.

— Это правильно, — серьезно сказал Ефим. Он остановился, достал из портфеля большой блокнот и, держа в зубах перчатку, сделал соответствующую запись. — Между прочим, у нас там действительно был один педик, но не повар, а штурман. Причем жил он, не поверишь, с первым помощником.

— А помощник был кто?

— На кораблях первым помощником называется замполит, — объяснил он, не уловив скрытого в моем вопросе ехидства.

— Значит, их было два педика?

— Почему ты так думаешь? — вскинулся он.

— Я ничего не думаю, а слушаю. Ты сам сказал, что штурман был педиком и жил с замполитом. А замполит кто был?

— Вот черт! — ахнул Ефим и дернул портфель. — Надо же! Такая ерунда, а я до нее не додумался. Потому что я, знаешь, старался обращать внимание на другие детали. Постой-ка! — Он опять полез в портфель за блокнотом. — Вот дурак-то! Так все просто, а я не подумал.

То, что он не подумал, меня как раз нисколько не удивило. Он всегда был не в ладах с логикой, и его сочинения были полны несуразностей, которые могли пройти только у нас. О чем я Ефиму на этот раз вполне откровенно сказал. А еще сказал так:

— Ну, допустим, ты напишешь такой роман. Во-вторых, когда это еще будет...

— Я пишу быстро, ты это знаешь, — перебил он.

Мы дошли до конца бульвара и, собираясь повернуть, остановились у стенда с областными газетами. Приезжий в длинном полупальто и темных валенках с галошами, упираясь глазами в «Воронежскую правду», зубами отрывал от длинного батона большие, похожие на вату куски и заглатывал. В другой руке он держал авоську тоже с батонами.

— Допустим, даже напишешь быстро. И его там напечатают. Но еще неизвестно, будет успех или нет, а здесь ты все потеряешь. Конечно, если ты намылился в Израиль...

— Ни в коем случае! — резко возразил он. — Я за эту землю, — сказал он напыщенно, — кровь проливал. Я останусь здесь, я буду бороться, драться, кусаться, но унижать мое человеческое достоинство не позволю. До чего обнаглели, шапку — и то не дают. Ты сколько книг написал: две? три? Но ты уже ходишь в шапке, а я одиннадцать, и вот! — Он так хлопнул себя по лысине, что приезжий взглянул, повернулся всем корпусом и стал нас разглядывать с куском батона во рту. — Это я не вам, — сказал ему Ефим и сконфузился.

На обратном пути я объяснил Ефиму, что написал не две и не три книги, а шесть, что для литературоведа немало, а мою козлиную шапку мне никто не давал, я ее сам купил в позапрошлом году на кутаисском базаре.

— А у тебя, — сказал я, — шапка была получше моей, но ты ее отдал Тишке.

— И что же ты мне советуешь? Забрать шапку назад? — Ефим остановился, крутя портфель, смотрел на меня с интересом.

Я ему посоветовал, прежде чем совершать те или иные поступки, подумать о возможных последствиях.

— Спасибо, — поблагодарил он меня иронически и, отвернув рукав дубленки, посмотрел на часы. — Извини, мне пора.

Он холодно протянул мне руку в перчатке и, еще глубже втянув голову в воротник, быстро пошел в сторону Пушкинской площади.

Я вернулся домой в расстроенных чувствах и позвонил Баранову.

— Ваш друг, — сказал я, — по-моему, совсем с панталыку сбился.

— Ну да, — согласился Баранов, — у него депрессия. Я же вам говорил.

Я возразил, что у Ефима не депрессия, а, наоборот, эйфория, которая кончится плохо.

— А в чем дело?

Оказывается, он еще ничего не знал.

Понятно, нашего с Ефимом разговора на Тверском бульваре я по телефону передать не мог, но рассказал об укушенном пальце.

По-моему, Баранов был потрясен:

— Ефим укусил Каретникова? Ни за что не поверю.

Не поверив, он позвонил Ефиму, а потом перезвонил мне.

— Я с вами согласен, дело дрянь, но я Фимку поздравил.

— С чем это?

— Укус Каретникова — это самое талантливое, что он сделал в литературе.

Не успел я положить трубку, раздался новый звонок. На этот раз звонил Ефим.

— События развиваются! — прокричал он торжествующе.

Я поинтересовался, как именно они развиваются. Оказывается, до Ефима уже дошел слух, что Каретников сразу после укуса звонил некоему члену Политбюро, с которым был дружен еще с войны, и тот, выслушав, сказал будто бы так: «Не беспокойся, Василий Степанович, мы этого дела так не оставим. Мы не позволим инородцам избивать наши национальные кадры».

— Ты представляешь! — кричал Ефим. — «Мы не позволим инородцам». То есть евреям. Значит, если русский укусит Каретникова, это еще ничего, а еврею кусаться нельзя.

Я осторожно заметил Ефиму, что это, может быть, только слухи, член Политбюро вряд ли мог бы себе позволить такое высказывание, и вообще по телефону об этом трепаться не стоит.

— А мне все равно, — дерзко сказал Ефим — Я говорю, что думаю, мне скрывать нечего.

Тут уже я разозлился. Всегда он был осторожный, всегда говорил такими намеками, что и понять нельзя. А теперь ему, видите ли, скрывать нечего, а то, что, может быть, другим есть чего скрывать, это его уже не заботит.

Слух о зловещем высказывании члена Политбюро быстро рассыпался по Москве, и отношение к Ефиму людей на глазах менялось. Некоторые его знакомые перестали с ним здороваться и шарахались как от чумы, зато другие, затискивая его куда-нибудь в угол, поздравляли и хвалили за смелость. Сам Ефим тоже переменился. Я слышал, что в те дни, общаясь с разными людьми, он много говорил о ценности человеческого достоинства и замечал (иногда ни с того ни с сего), что гражданское мужество встречается гораздо реже, чем физическое, и даже приводил примеры из жизни мужественных людей, которые в экстремальных условиях могут проявлять чудеса героизма, а в обычной жизни ведут себя весьма послушно и робко.

Тем временем начал действовать до деталей отработанный, но загадочный механизм отторжения. Сначала в издательстве «Молодая гвардия» Ефиму сказали, что его книга в этом году не выйдет, потому что не хватает бумаги. Со студии «Ленфильм», куда его вызывали для обсуждения сценария, позвонили сообщить, что обсуждение временно отменяется. На радио, где должны были передавать отрывки из «Лавины», передача не состоялась, ее заменили беседой о вреде алкоголизма. А когда даже из «Геологии и минералогии» ему вернули написанную по заказу статью, Ефим понял, что дело серьезно. Однако держался по-прежнему воинственно. Больше того, он сам решил первый перейти в контратаку и однажды вечером взялся за письмо в ЦК КПСС о процветающих в Союзе писателей явлениях коррупции, кумовства и чинопочитания, которые отражаются на тиражах книг, на отзывах прессы, на распределении дач, заграничных командировок, путевок в Дома творчества и даже на качестве шапок. Письмо как-то не складывалось, получалось длинно, натужно и скучно. Тогда он решил написать фельетон с расчетом послать его в «Правду». Заложил лист бумаги, написал название фельетона — «По Сеньке и шапка».

Начал он как-то по-гоголевски: «Знаете ли вы, что значит «по Сеньке шапка»? Нет, вы не знаете, что значит «по Сеньке шапка». Вы думаете, что Сеньке дают шапку в соответствии с размером его головы? Нет, дорогой читатель, Сеньке дают шапку в соответствии с чином. Для того чтобы получить хорошую шапку, Сенька должен быть секретарем Союза писателей или, по крайней мере, членом правления. Сенькины шансы возрастают, если он крутится возле начальства и состоит в партии, Сенькины шансы уменьшаются, если он беспартийный и к тому же еврей...»

Само собой поставилось многоточие, и возникла мысль, что насчет еврейства лучше как-то потоньше, лучше, допустим: «...если он беспартийный и имеет изъян в определенном пункте анкеты...»

Тут зазвонил телефон, и по звонку было ясно — Баранов.

— Привет, старик, — сказал Баранов. — В воздухе неспокойно.

— Что? — не понял Ефим.

— Наблюдается некоторое волнение.

Ефим бросил трубку, включил радио, стал крутить ручку настройки в поисках «Немецкой волны». Нашел, но «Волна», заканчивая передачу, повторила краткое изложение новостей, в которых ничего интересного для Ефима не было. По Би-би-си шел концерт джазовой музыки, а на частоте «Голоса Америки» стоял сплошной вой глушилок. Ефим схватил приемник и стал бегать с ним по комнате, вертя его так и сяк, то прикладывая его к батарее отопления, то переворачивая вниз антенной. Он дважды стукнул приемником о колено, иногда помогало и такое. Сейчас не помогло. Но и время было не совсем удачное — без четверти девять. Ефим выключил приемник, но в девять часов включил его снова. На этот раз «Голос» звучал почти совсем чисто. Ефим выслушал сообщение о новых американских предложениях по сокращению ракет средней дальности, о напряженности в Персидском заливе, о возросшей активности афганских повстанцев, о необычайных ливнях на Филиппинах, и вдруг:

— Западные корреспонденты передают из Москвы, что, по сведениям из достоверных источников, ведущий советский писатель Ефим Рахлин совершил покушение на управляющего Союзом писателей Василия Карелкина. Причина покушения неизвестна, но наблюдатели полагают, что в нем, возможно, отразилось недовольство советских писателей отсутствием в Советском Союзе творческих свобод.

— Кукуша! — крикнул Ефим. — Кукуша! — завопил уже вовсе нетерпеливо.

— Что случилось? — вбежала перепуганная насмерть Кукуша.

— Случилось! Случилось! — Ефим был необычайно возбужден и, указывая на приемник, сообщил короткими фразами: — Они. Только что. Обо мне. Говорили.

— Что говорили? — не уловила Кукуша.

— Они сказали: «...ведущий советский писатель Ефим Рахлин». А еще назвали Каретникова, но даже фамилию его переврали. Ты представляешь, ведущий советский писатель Ефим Рахлин!

Кукуша смотрела на мужа серьезно, его радости не разделяя.

— Лысик, — сказала она тихо, но твердо, — если тебя загонят в Мордовию, запомни, я за тобой туда не поеду.

Ефим растерялся. Он никогда не готовился к тому, чтобы быть загнанным в Мордовию, и не собирался тащить туда же Кукушу. Но все же ему хотелось знать, что если вдруг когда-то такое случится...

Он еще не нашел что ответить, когда вошел Тишка с волчьей шапкой в руках.

— Папан! Если ты не остановишься, мне придется или от тебя отказаться, или просить у Наташки вызов в Израиль.

Тишка положил шапку на стул и вышел. Ефим опустился на диван и долго сидел, ладонями сжимая виски.

— Ну что ж! — тихо сказал он и улыбнулся. — Сын от меня откажется, жена за мной не поедет, она привыкла жить в столице, она привыкла путаться с маршалами... Проститутка! — вдруг завопил он и, вскочив, сжал кулаки и затопал ногами. — Вон из моего кабинета!

— Фимка! — заволновалась Кукуша. — Одумайся! Ты не смеешь так говорить!

— Вон! — кричал Ефим. — Вон отсюда! Ты не смеешь сюда входить! Здесь живут мои прекрасные герои!

Вечер получился весь всмятку.

Опомнившись, Ефим побежал в спальню, где Кукуша, лежа на животе, давилась в рыданиях. Ефим ее тормошил и просил прощения. Она отталкивала его от себя и выкрикивала что-то бессвязное. Тишка, чтобы не слышать этого, заперся в своей комнате и включил на полную громкость то ли Битлов, то ли что-то в этом духе. Кукуша рыдала. Ефим время от времени покидал ее и в своей комнате снова включал приемник. Все радиостанции говорили о писателе Рахлине, но невпопад. Помимо версии о покушении было сказано, что он подвергался преследованиям за свою приверженность иудаизму и за то, что он друг академика Сахарова. Ефиму было лестно, хотя Сахарова он никогда и в глаза не видел.

Беспрерывно трещал телефон. Четыре раза звонил Баранов. Звонили еще какие-то доброжелатели, знакомые и незнакомые. Звонили корреспонденты американского агентства Ассошиэйтед Пресс и немецкого — АДН. Мужской голос сказал: «Вы меня не знаете, но я хочу сказать, что все честные люди мысленно с вами». Другой голос (а может, и тот же самый) весело пообещал: «Мы тебе, жидовская морда, скоро сделаем обрезание головы!»

Кукуша Ефима сперва простила, а потом прибежала и сама стояла перед ним на коленях: «Заклинаю тебя твоими детьми, покайся. Пойди к Каретникову, проси прощения, скажи, что ты был в невменяемом состоянии».

Ефим сказал: «Ни за что!» — а когда она стала настаивать, опять ее выгнал. И опять бегал просить прощения. И отвечал на звонки. И слушал радио.

Спать он остался у себя в кабинете, на диванчике. Лег одетый и укрылся шерстяным пледом. А радио поставил рядом и все крутил ручку настройки, перескакивая с волны на волну. Поймал даже недоступную обычно «Свободу». И даже чью-то передачу на английском языке, из которой он понял одну только важную для себя фразу: «Мистер Рахлын — из ноун эз э вери корейджес персон», то есть «мистер Рахлин известен как очень мужественная личность». Что ему, конечно, польстило.

Ефим долго не спал, чесался и думал о славе, которая свалилась на него ни с того ни с сего. Конечно, положение его стало рискованным, но зато теперь его знает весь мир.

Он поздно заснул и поздно проснулся. Кукуши и Тишки уже не было. Пока он жарил яичницу и варил кофе, ему несколько раз звонили по телефону. Потом принесли телеграмму с текстом: «ТАК ДЕРЖАТЬ ВСКЛ МИТЯ». ВСКЛ означало «восклицательный знак», а вот кто такой Митя, Ефим вспомнить никак не мог. Пока вспоминал и дожевывал яичницу, завалился перепуганный до смерти Фишкин.

— Фима, что вы делаете! — взывал он свистящим шепотом. — Вы понимаете, что у них в партии восемнадцать миллионов человек? Это армия в период всеобщей мобилизации. На кого вы поднимаете руку?

— Соломон Евсеевич, — возражал Ефим. — При чем тут восемнадцать миллионов? Я же не выступаю против них. Я только хочу, чтобы мне дали шапку. Нормальную шапку, но не из кота пушистого, а хотя бы из кролика, как Баранову. Тем более Баранова никто не знает, — он подумал и улыбнулся самодовольно, — а я писатель с мировым именем.

— Вы дурак с мировым именем! — закричал Фишкин. — Вы думаете, если о вас говорил «Голос Америки», это что-то значит? Это ничего не значит! Когда они за вас возьмутся, никакой голос вам не поможет. Они раздавят вас, как клопа.

— Ну вот, — криво улыбался Ефим, — то вы меня сравнивали с гадким утенком, а теперь даже с клопом.

Не успел удалиться сказочник — новый звонок. Ефим, мысленно чертыхаясь, подошел к дверям, открыл и отпрянул. Перед ним кособочился, дергал левой щекой и недобро подмигивал Вася Трешкин — небритый, нечесаный, в засаленной байковой пижаме неопределенного цвета и шлепанцах на босу ногу...

— Вы ко мне? — не поверил Ефим.

Трешкин молча кивнул.

— Проходите, — засуетился Ефим, отступая в сторону. — У меня, к сожалению, там не убрано. Вот на кухню, пожалуйста.

Трешкин прошел по коридору, косясь на развешанные по стене высушенные морские звезды — они, к его удивлению, были пятиконечные.

Ефим усадил соседа на табурет и убрал со стола сковородку.

— Хотите чаю? Кофе? Или чего покрепче? — Ефим подмигнул.

— Нет, — покачал головой Трешкин. — Ничего. Вчера слышал про вас оттуда. — Он показал на потолок. — Стало быть, там вас знают.

— Видно, знают, — сказал Ефим не без гордости.

— Надо же, — покрутил головой Трешкин и понизил голос: — У вас есть лист бумаги?

— Писчей бумаги?

— И... — сказал Трешкин и подергал рукой, изображая процесс писания.

— И? — переспросил Ефим и тут же догадался: — И ручку?

Трешкин поморщился и обеими руками показал на стены и потолок, где располагались возможные микрофоны.

Ефим побежал к себе в кабинет. Он торопился, опасаясь, как бы Трешкин не подсыпал в кофеварку отравы.

Схватил первый попавшийся под руку лист, но не из стопки совершенно чистой и нетронутой бумаги, которой он дорожил, а из лежащей на краю стола кипы

бумажек, которые были либо измяты, либо содержали
мелкие и ненужные записи, но были еще годны для каких-нибудь пометок, записок внутридомашнего упо-
требления или коротких писем. По дороге на кухню Ефим
увидел, что на обратной стороне листа что-то написано.
Впрочем, запись была не важная.

— Вот. — Ефим положил бумагу чистой стороной
перед Трешкиным и протянул ручку. Трешкин опять
подозрительно посмотрел на стены и на потолок, задержал взгляд на лампочке, предполагая наличие скрытого
объектива, махнул рукой, написал нечто и передвинул
бумагу к Ефиму.

Ефим похлопал себя по карманам, сбегал за очками,
прочел:

«ПРОШУ ПРИНЯТЬ В ЖИДОМАСОНЫ». Потряс
головой, уставился на Трешкина:

— Я вас не понимаю.

Трешкин придвинул бумагу к себе и дописал:

«ОЧЕНЬ ПРОШУ!»

Приложил ладони к груди и покивал. Ефим втянул
голову в плечи, развел руками, изображая полное непонимание.

«Не доверяет», — подумал Трешкин.

Вдалеке затренькал телефон.

— Извините. — Ефим побежал опять в кабинет. Телефон звонил тихо, вкрадчиво и зловеще.

— Здравствуйте, Ефим, это Лукин.

— Добрый день, — отозвался Ефим настороженно.

— Ефим, — в голосе Лукина звучала фальшивая бо-
дрость, — по-моему, нам пора встретиться.

— Да? — иронически отозвался Ефим Семеныч. —
И по какому же делу? Разве что-нибудь случилось?

— Ефим Семеныч, — Лукин начал, кажется, раздра-
жаться, — вы хорошо знаете, что случилось. Случилось
очень многое, о чем стоит поговорить.

Тем временем Васька Трешкин, сидя на кухне, обмозговывал, как бы убедить Рахлина, чтобы поверил. «Нет, не поверит», — печально подумал он, взял бумагу, хотел разорвать, но по привычке глянул на просвет и обомлел. Там вроде по-русски, но на еврейский манер справа налево были начертаны какие-то письмена. Возможно, ответ на его просьбу. Он перевернул бумагу и теперь уже слева направо прочел: «Первые пять букв — крупное музыкальное произведение. Вторые пять букв — переносная радиостанция. Все вместе — хирургическое вмешательство из восьми букв». Трешкин сложил пять и пять, получилось десять. А здесь написано восемь. «Еврейская математика», — подумал Трешкин с восхищением, но без надежды, что отгадает. Тем не менее он понял, что отгадать нужно. Может, только на этом условии в жидомасоны и принимают. В крайнем случае, если не отгадает, спросит Черпакова. Он сложил бумагу вчетверо, спрятал в карман пижамы и пошел к выходу.

— Поймите, Ефим, просто так я бы не стал звонить, но я считаю, что вас надо спасать. Понимаете?

— Не понимаю, — сказал Ефим, — меня спасать не надо, я не тону. Перестаньте меня считать человеком второго сорта, дайте мне приличную шапку, и никаких проблем не будет.

— Ефим, вы не понимаете. Вам сейчас не о шапке, а о том, на чем ее носят, надо подумать. И я вам в этом хочу помочь. Приходите завтра ко мне, обсудим, как дальше быть.

— Хорошо, — сдался Ефим. — Когда?

— Ну, скажем, завтра, часиков эдак в шестнадцать.

Ефим подумал (и сделал пометку в блокноте) о том, как служебное положение неизбежно отражается на языке. Не будь Лукин начальником, он наверняка сказал бы «часа в четыре», а тут «часиков эдак» да еще и в шестнадцать.

Он еще колебался, может, следует Лукина подразнить, завтра, мол, он не может. Может быть, послезавтра, может, на той неделе.

Мимо раскрытой двери на цыпочках тихо прошел Трешкин, он помахал обеими руками, давая понять, что просит не беспокоиться, он выйдет сам.

— Ладно, — сказал Ефим. — Приду.

В кабинете Лукина кроме самого Лукина Ефим застал секретаря парткома Самарина, членов секретариата Виктора Шубина и Виктора Черпакова, критиков Бромберга и Соленого, Наталью Кныш и незнакомого Ефиму блондина с косым пробором, очень аккуратно зализанным.

Каретникова Ефим увидел не сразу. Тот стоял у окна в темном заграничном костюме со звездой Героя Социалистического Труда, депутатским значком и медалью лауреата. Правая рука его лежала на перекинутой через шею черной шелковой перевязи, а большой палец умело, но, пожалуй, чрезмерно забинтованный, торчал, как неуклюжий березовый сук.

Увидев столько людей, Ефим слегка растерялся. Из телефонного разговора с Лукиным он понял, что тот приглашает его встретиться с глазу на глаз, а тут вон какая толкучка. Ни на кого не глядя, Ефим направился к столу Лукина, чтобы спросить, стоит ли ему подождать здесь, пока люди разойдутся, или посидеть в коридоре. Но Лукин, видимо, опасаясь быть укушенным, замахал руками и торопливо сказал:

— Не подходите. Не надо. Там сядьте. — И указал на стул за маленьким, отдельно поставленным столиком.

Ефим сел. Все молчали. Лукин что-то быстро писал. Каретников левой рукой вынул из кармана пачку «Мальборо», потряс ее, зубами вытащил одну сигарету. Потом достал спички и с ловкостью опытного инвалида, зажав коробку локтем правой руки, добыл огонь. Закурили и Соленый с Бромбергом, а блондин достал расческу и причесался.

Вошла секретарша, положила перед Лукиным какую-то бумагу и что-то шепотом спросила, на что Лукин громко ответил: «Скажите, что сегодня никак не могу, у меня персональное дело». Ефим посмотрел на него с удивлением. О каком персональном деле идет речь? Если назначен разбор персонального дела его, Ефима, то почему Лукин ничего не сказал об этом по телефону? Ефим стал нервно озираться и заметил, что присутствующие предпочитают избегать его взгляда: Бромберг потупился, Наталья Кныш торопливо отвернулась и покраснела, Шубин был занят чисткой ногтей, и только один Черпаков смотрел на Ефима прямо, нагло и весело. Начиналось одно из милых его сердцу действ, когда много людей собираются, чтобы вместе давить одного.

Другие коллеги Черпакова, собравшиеся сейчас в кабинете Лукина, не были столь кровожадны и в иных условиях не стали бы делать того, к чему сейчас приступали, но Наталья Кныш собиралась съездить за границу, ей нужна была характеристика, которую, отказываясь от участия в общественной жизни, получить невозможно. Соленый, пойманный на многолетнем утаивании партийных взносов и спекуляции иконами, надеялся заслужить реабилитацию, Бромберг прибежал просто из страху. Много лет назад его обвинили в космополитизме, сионизме и мелкобуржуазном национализме, смысл всех его писаний был разобран и извращен до неузнаваемости. Его зловредную деятельность разбирала комиссия под председательством того же Черпакова. Все его попытки оправдаться воспринимались как проявления особой хитрости, лицемерия, двоедушия, стремление уйти от ответственности, он натерпелся такого страху, что теперь сам готов был кого угодно травить, грызть, рвать на части, только чтобы его самого никогда больше не тронули.

Секретарша вышла. Лукин еще долго смотрел в оставленную ему бумагу, потом поднял голову и, глядя на Ефима, спросил:

— Как дела, товарищ Рахлин?

Вчера был Ефим, а сегодня — товарищ Рахлин.

— Никак, — пожал плечами Ефим, начиная сознавать, что генерал заманил его в ловушку.

— Что значит «никак»? На здоровье не жалуетесь?

— Не-ет. — Ефим решил держаться благоразумно.

— У психиатра давно не были? — неожиданно спросил блондин и снова достал расческу.

— А вы кто такой? — спросил Ефим.

— Не важно, — уклонился блондин.

Без скрипа отворилась дверь, и неслышной походкой вошел некто в сером. Он каким-то ловким и неприметным движением кивнул всем сразу и никому в отдельности, проскользнул вдоль стены и сел позади Бромберга. Никто не вскочил, не всполошился, все даже вроде сделали вид, что ничего не произошло, но в то же время возникло едва заметное замешательство, перешедшее в напряженность, все словно почувствовали присутствие потусторонней силы.

Как только этот серый вошел, Каретников загасил сигарету, ткнув ее в горшок с фикусом, Соленый потушил свою о ножку стула, а Бромберг на цыпочках приблизился к столу Лукина и раздавил свой окурок в мраморной пепельнице перед самым носом генерала. Тот посмотрел на Бромберга удивленно, поморщился, отодвинул пепельницу и, обращаясь ко всем, негромко сказал:

— Товарищи, мы собрались, чтобы разобрать заявление присутствующего здесь Василия Степановича Каретникова, которое я сейчас зачитаю.

Каретников отошел от окна и скромно занял место позади человека в сером, а Лукин снял очки и, заглядывая в бумагу сбоку, стал читать. Ефим немедленно извлек из портфеля блокнот, ручку и, устроив блокнот на колене, стал торопливо конспектировать читаемое. Заявление Каретникова было написано в странном возвышенно-казенном стиле с претензией на художественность. Обращаясь к писательской общественности, заявитель сообщал, как, пользуясь его исключительной доверчивостью и постоянно оказываемым вниманием писателям младшего поколения, литератор Рахлин проник в его квартиру под предлогом ознакомления со своей новой рукописью. Рукописи он, однако, не предъявил, но просил потерпевшего употребить свое влияние для предоставления ему, Рахлину, незаслуженных льгот. Получив решительный отказ, вымогатель перешел от просьб к угрозам, а от угроз к действиям и совершил ничем не спровоцированное бандитское нападение самым безобразным и унизительным способом, в результате чего Каретников вынужден был обратиться к врачам, утратил трудоспособность и не может заниматься исполнением своих повседневных литературных, государственных и общественных обязанностей. «Адресуясь к своим товарищам и коллегам, — заканчивал свое заявление Каретников, — я прошу разобрать поведение Рахлина, вынести ему соответствующую оценку и тем самым защитить честь и достоинство одного из активных членов нашей, в целом сплоченной и дружной, писательской организации».

Заявление было выслушано в скорбном молчании.

— Василий Степанович, — почтительно спросил Лукин, — вы имеете что-нибудь добавить к вашему заявлению?

— Я не знаю, что добавлять, — пожал плечами Каретников. — Палец нарывает, и меня уже кололи антибиотиками.

— Я бы в таком случае прошел курс уколов от бешенства, — бодро пошутил Бромберг, но его не поддержали, потому что шутка, ударяя по Рахлину, одновременно задевала Каретникова и в целом получилась сомнительной.

— Да, вот так, — уточнил Каретников, смущенно улыбаясь. — Теперь я не могу писать, а завтра у меня районная партконференция, встреча с делегацией афро-азиатских писателей, потом секретариат, заседание в Комитете по Ленинским премиям, сессия Верховного Совета. Как я туда пойду? Не могу же я там заседать в таком виде. Я, конечно, не хотел писать это заявление. Жена настаивала, чтобы я прямо звонил Генеральному прокурору. Вероятно, так и следовало бы сделать, но мне, откровенно говоря, не хотелось выносить сор из избы и выставлять в дурном свете перед общественностью наш прекрасный и дорогой моему сердцу союз. Я надеюсь, что секретариат может защитить своего товарища и без вмешательства правоохранительных органов. — Василий Степанович бросил вопросительный взгляд на макушку сидевшего перед ним человека в сером и тихо сел.

— Конечно, можем, — решительно отозвался Лукин и тоже посмотрел на человека в сером. — Но, прежде чем разбираться, я должен дополнить заявление Василия Степановича тем, что эта скандальная история стала достоянием враждебной западной пропаганды. Я думаю, что некоторые из присутствующих слышали, что вчера одна зарубежная антисоветская радиостанция передавала...

— Я лично эти передачи никогда не слушаю, — сочла нужным заметить Наталья Кныш.

— Такую дрянь ни один порядочный человек не слушает, — от себя мрачно добавил Соленый.

Лукин посмотрел на Ефима:

— Товарищ Рахлин, вы тоже ничего такого не слышали?

— Простите? — Ефим оторвал от бумаги ручку и посмотрел на Лукина.

— Я вас спрашиваю, — повторил Лукин скрипучим голосом, — вы тоже ничего такого не слышали?

— Это ваш вопрос? Правильно? Сейчас, минуточку, я его запишу. — Записал: «Вы тоже ничего такого не слышали?» Поднял глаза на Лукина: — Какого такого?

Лукин, слегка теряясь, посмотрел на человека в сером, перевел взгляд на Ефима.

— Вас спрашивают... — начал Лукин.

— Минуточку. — «Вас спрашивают...» — старательно занес Ефим в блокнот и поднял голову.

— ...вас спрашивают, что вы можете сказать по поводу заявления... Да спрячьте вы свой блокнот! — вышел Лукин из себя. — Мы вас не диктанты писать пригласили.

— «...не диктанты писать пригласили...» — записывая, повторил вслух Ефим.

— Товарищи, да это же хулиганство! — закричал истерически Бромберг. — Отнимите у него этот блокнот, или пусть он его спрячет.

— Ну зачем же, зачем же отнимать? — сказал Черпаков иронически. — Надо оставить, пусть пишет. Пентагону, ЦРУ, «Голосу Америки» нужен же точный отчет.

Ефим слышал, что разговор принимает зловещее направление. Рука его начала дрожать, но он продолжал лихорадочно водить пером по бумаге. Хотя не успевал, потому что выступавшие заговорили одновременно. Кныш упрекала его в неуважении к коллективу. Шубин сказал, что был в Польше и видел следы преступных действий так называемой «Солидарности». Ефим записал это, хотя связи между собой и «Солидарностью» не уловил. Но точнее других был Соленый.

— Товарищи, — встал Соленый. — В повестке дня нашего заседания объявлено, что мы должны осудить хулиганский поступок Рахлина. Но это не хулиганский поступок. Это нечто большее. Ведь вы посмотрите. Василий Степанович Каретников является выдающимся нашим писателем. На его книгах, всегда страстных и пламенных, воспитываются миллионы советских людей в духе патриотизма и любви к своему отечеству. Своим поступком Рахлин вывел из строя руку, которая создает эти произведения. Почему он это сделал? Потому что ему не дали какую-то шапку?

— Чепуха! — отозвался Бромберг.

— Тем более что я никакими шапками не заведую, — с кроткой улыбкой заметил Каретников.

— Совершенно ясно, — закончил свою мысль Соленый, — что Рахлин действовал не сам по себе, а по прямому заданию врагов нашей литературы, врагов нашего строя.

— Правильно! — согласился Черпаков. — Это не хулиганство, а террор. Причем террор политический. За такие вещи у нас раньше расстреливали, и правильно делали.

На этом Ефим записывать прекратил. Он положил блокнот на свободный стул рядом с собой, посмотрел сначала на Черпакова, потом на Лукина, потом на Каретникова, заодно обнаружив, что человек в сером уже исчез, а на его месте сидит блондин и причесывается.

Ведя себя последние дни вызывающе, Ефим готовился к разным неприятностям, но все же не к таким обвинениям. Он вдруг испугался, задрожал и помимо своей воли стал лепетать, что товарищи его не так поняли, что он не действовал по чьему-то заданию, а совершил свой поступок, который признает безобразным, исключительно в состоянии аффекта. Потому что, будучи восемнадцать лет членом Союза писателей и написав одиннадцать книг, причем все одиннадцать о хороших советских людях, о людях мужественных профессий...

— Зачем вы нам все это рассказываете? — проскрипел голос Лукина.

— Виляет! — радостно отметил Черпаков и стал надвигаться на Ефима. — Крутит хвостом, заметает следы. Вот она, сионистская тактика!

— Молчать! — вдруг закричал Ефим и топнул ногой.

— А с чего мне молчать? — Черпаков, надвигаясь, расплывался в наглой улыбке. — Я не для того сюда пришел, чтобы молчать.

— Молчать! — повторил Ефим. Он вдруг весь сжался, задрожал, выпустил вперед руки. — Молчать! — закричал еще раз и кинулся на Черпакова.

И тут произошло невероятное. Черпаков вдруг испугался, побледнел и с криком: «Он меня укусит!» — полез под стол Лукина. Лукин растерялся и, выкрикивая: «Виктор Петрович, Виктор, ты что, с ума сошел?» — стал отталкивать Черпакова ногами. В это же время Ефим тоже нырнул под стол. В нем проснулся охотничий инстинкт, и он действительно хотел укусить Черпакова, но, когда нагнулся, с ним что-то случилось. Во рту появился сладкий привкус. Затем перед глазами возникла вспышка, какие бывают в процессе электросварки. Одна, другая, третья... Вспышки эти, следуя одна за другой, слились наконец в общее великолепное сияние, а тело стало утрачивать вес. Обратившись в белого лебедя, Ефим выплыл из-под стола и начал набирать высоту, а члены бюро все удалялись и удалялись, задирая головы и глядя на Ефима с широко раскрытыми ртами.

Ефима доставили в реанимационное отделение Боткинской больницы. В диагнозе сомневаться не приходилось — инсульт с потерей речи и частичным параличом правой руки.

— Положение серьезное, — сказал Кукуше молодой врач с рыжими прокуренными усами и сам весь пропахший табачным дымом. Видимо, ему показалось, что она не оценила сказанного, и он, подумав, добавил: — Очень серьезное.

— А что я могу для него сделать? — спросила Кукуша растерянно.

— Вы? — Врач усмехнулся. — Вы можете только стараться его не беспокоить.

— Да-да, — закивала Кукуша, — я понимаю. Ему сейчас нужен полный покой и положительные эмоции.

— Покой — да, — сказал доктор, закуривая дешевую сигарету. — А эмоции... пожалуй, ему сейчас лучше обойтись без всяких эмоций. Без плохих и без хороших.

Кукуша с врачом, однако, не согласилась, в лечебную силу положительных эмоций она верила безгранично.

Когда ее вместе с Тишкой допустили к больному, она его узнала с трудом. Он весь был опутан какими-то трубками и проводами, а голова от макушки до подбородка замотана бинтами, отчего он казался похожим на пришельца из других миров.

Жена и сын — оба в застиранных казенных халатах — сидели у постели больного, безразлично смотревшего в потолок.

— Врач сказал, что ничего страшного, — говорила Ефиму Кукуша. — Все будет хорошо. Тебе, главное, не волноваться. А у нас все в порядке. Между прочим, вчера звонили из «Молодой гвардии» и сказали, что рукопись твою заслали в набор. А еще пришло письмо от директора «Ленфильма», сценарий отдан в режиссерскую разработку. Ну, что еще? Да, белье из прачечной я получила. У Тишки тоже все хорошо. Правда, Тишка?

— Все хорошо, — подтвердил Тишка.

— А что тебе сказали про твой реферат?

— Ничего особенного, — сказал Тишка. — Сказали, что опубликуют в ученых записках.

— Скромничает, — сказала Кукуша. — Академик Трунов сказал, что реферат стоит иных пухлых докторских диссертаций. Так же он сказал, а, Тишка?

— Да, сказал, — кивнул Тишка.

— Так что у нас все хорошо, ты не волнуйся, ты лежи, выздоравливай. Как только тебе можно будет есть, я тебе принесу чего-нибудь вкусного. Хочешь бульон? А может, тебе чего-нибудь сладкого? Или, наоборот, кисленького? Хочешь, я тебе сделаю клюквенный морс? Нет? Ну а чего ты хочешь? Если не можешь говорить, ты мне как-нибудь дай понять, чего ты хочешь.

Ефим поморщился и промычал что-то нечленораздельное.

— Что? — переспросила Кукуша, наклоняясь к нему.

— Саску!

— Что? Что? — Кукуша оглянулась на Тишку, тот молча пожал плечами. — Что ты сказал? Ну, постарайся, ну, попробуй сказать более внятно.

— Фафку, — сказал Ефим.

— Ах, шапку! — догадалась Кукуша. И обрадовалась: — Ты еще хочешь шапку! Значит, у тебя есть желания! Значит, ты еще ничего. Ты выздоровеешь! Ты поправишься. А шапка будет. Обязательно будет. Нет, ты не думай, я не пойду ее покупать. Я их заставлю. Они тебе принесут. Лукин лично принесет, я тебе обещаю.

В палату вошла пожилая медсестра с набором шприцев.

— Ну все, — сказала она тихо. — Прием окончен. У нас с Ефимом Семенычем процедуры.

Я слышал, что Кукуша прямо из больницы поехала к Лукину, который принял ее с большой неохотой. Страстно попрекая генерала, она требовала от секретариата в порядке хотя бы частичного искупления вины все-таки выдать шапку ее больному мужу.

— Он находится в критическом состоянии и нуждается в положительных эмоциях, — сказала Кукуша.

Генерал сидел с каменным лицом, давая понять, что проявлений ложного гуманизма от него ждать не следует.

— Очень сожалею, но сделать ничего не могу. Мы хотели ему помочь, но он вел себя вызывающе и не хотел признать своей вины.

— Да какая вина! При чем тут вина! — закричала Кукуша. — Вы же знаете, что он умирает! Ну да, ну хотел он получить хорошую шапку, ну укусил Каретникова, но он же умирает, умирает, это же получается смертная казнь! Неужели вы считаете, что мой муж заслужил смертной казни?

На это Лукин ничего не ответил. Он смотрел мимо Кукуши, и по лицу его было видно, что ему все равно, заслуживает Ефим смертной казни или не заслуживает, умрет или не умрет.

— Слушайте! — Кукуша покинула стул и приблизилась вплотную к столу Лукина. — Петр Николаевич, скажите мне, ну что же вы за человек? Почему вы такой жестокий? Ведь вы же тоже в свое время пострадали.

Кукуше показалось, что эти слова его как-то прошибли.

— Да, — сказал он и приосанился. — Я пострадал. Но я пострадал за принципы, а не за шапку. А когда пострадал, то ни разу... — он весь затрясся, — запомните, ни разу не усомнился в наших идеалах. Вот! Вот! — закричал он, извлекая бумажник.

— «Вот! Вот!» — передразнила, разъярившись, Кукуша. — Девочки, бантики... А человека убить — раз плюнуть. Ты, старый козел! — Она перегнулась через стол и схватила его за грудки. — Если ты сам лично не принесешь моему мужу шапку, я тебе... Ты даже не знаешь, что я тебе сделаю!

Генерал растерялся, схватил ее за руки, стал отдирать от себя.

— Зинаида Ивановна! Да что это вы делаете! Да как вы смеете! Я вам не позволю!..

Кукуша опомнилась, разжала пальцы и, обозвав Лукина сволочью, в слезах выскочила из кабинета.

На площади Восстания она схватила такси, плюхнулась на заднее сиденье и плакала всю дорогу. Она не знала, что делать. Доставать шапку за свои деньги и сделать вид, что ей выдали в Союзе писателей, было бессмысленно — Ефим этого трюка не примет.

Такси въехало во двор и остановилось за черной «Волгой». Кукуша расплатилась и пошла к подъезду. Дверца «Волги» открылась, высокий человек в темном пальто и в шляпе с короткими полями загородил ей дорогу:

— Зинаида Ивановна, я полковник Колесниченко.

Кукуша вздрогнула:

— Полковник КГБ?

Человек улыбнулся:

— Нет, что вы, я пехотинец. Адъютант маршала Побратимова. Он приехал и ждет вас в гостинице «Москва».

Это было не лучшее время для свиданий, но Кукуша заторопилась:

— Извините, я сейчас. Вы можете меня подождать?

— Так точно.

Она ринулась наверх, расшвыряла белье и через четверть часа вернулась обратно, полыхая смешанным запахом душа и парфюмерии.

Маршал занимал трехкомнатный «люкс», в прихожей которого на четырехрогой полированной вешалке висели две шинели и две папахи. Владельцы папах сидели в роскошной гостиной за овальным столом, уставленным закусками человек на двенадцать, и пили французский коньяк «Курвуазье» из тонких чайных стаканов. Одна бутылка 0,75 была уже опустошена, а другая початá. Было порядком накурено, сизый дым волнистыми слоями плавал в свете многоярусной хрустальной люстры.

— Зинуля!

Навстречу Кукуше поднялся один из пирующих, крупный бритоголовый человек, похожий на артиста Юла Бриннера.

Побратимов был в зеленой форменной рубашке с маршальскими погонами, но без галстука. Его парадный мундир, отягощенный орденами, висел на спинке стула возле беккеровского рояля.

Не стесняясь присутствия Колесниченко и своего собутыльника, маршал обнял Кукушу и крепко поцеловал в губы.

— Ух! — Она невольно отпрянула.

— Видать, от вас, товарищ маршал, довольно сильно разит, — приблизился к Кукуше обладатель второй папахи. Это был бывший адъютант Побратимова Иван Федосеевич, теперь генерал-майор. — Здравия желаю, Зиночка. — Он поднес Кукушину руку ко рту и щедро ее обслюнявил.

— Должно быть, и правда разит, я и не подумал, — смутился маршал. Он был пьян, но рассудка не терял. — Сейчас тебе тоже коньячку плеснем, будем вместе благоухать.

Налил по полстакана Кукуше, Ивану Федосеевичу, себе и посмотрел на все еще стоящего у входа Колесниченко.

— Товарищ маршал, мне еще надо сестру посетить, — сказал тот. — Разрешите удалиться?

— Удаляйся, — разрешил маршал.

Колесниченко исчез. Маршал поднял стакан:

— Ну, Зинуля, со встречей! А ты что такая смурная?

— Потом. — Кукуша все полстакана выдула залпом. — У меня беда, маршал. Мужика моего кондрашка хва-аатила, — сказала она и разревелась.

Ей было налито еще полстакана, потом она была опрошена, в чем дело, и выслушана со всем возможным вниманием.

— И это он, значит, в борьбе за шапку себя до такого довел? — удивился маршал.

— Это бывает, — заметил Иван Федосеевич. — У нас, я помню, один подполковник тоже ожидал полковничьей папахи, а когда не дали, пустил себе пулю в лоб.

— Ну и дурак, — сказал Побратимов.

— Ясное дело, дурак, — согласился Иван Федосеевич. — Тем более что вышла ошибка. Полковника-то ему присвоили, а в список включить забыли. Так что папаху он получил как бы посмертно, ее потом на крышке гроба несли.

— Тем более дурак, — заключил маршал. — Лучше быть живым подполковником, чем мертвым полковником.

После открытия третьей бутылки был выслушан сбивчивый Кукушин рассказ о злодейском поведении и черствости Лукина.

— А кто этот Лукин? — спросил маршал сурово.

— Это этот, что ли, генерал КГБ? — поинтересовался Иван Федосеевич.

— Ты его знаешь? — удивился маршал.

— Так точно, товарищ маршал. Если это он, то очень даже знаю. Он тут ко мне как-то приходил, просил внука освободить от призыва. Внук у него талантливый кинооператор, спортсмен, альпинист и комсомольский вожак.

— Понятно, — сказал маршал. — И ты его освободил?

— Так точно, товарищ маршал. Освободил. Но ошибку можно исправить.

— Дошлый мужик! — сказал маршал Кукуше, кивая на Ивана Федосеевича. — Надо же, какого адъютанта лишился. Вот что, Иван, ты этому сучонку пошли-ка повестку, а когда дедушка прибежит, скажи ему, что внука загоним в Афганистан, а из тебя, скажи, если ты сам лично шапку в больницу не принесешь, маршал Побратимов совьет веревку.

— Слушаюсь, товарищ маршал! Слушаюсь! — охотно отозвался Иван Федосеевич. — Прямо не скажу, а намекнуть как-нибудь постараюсь. Вы какую шапочку хотите? — повернулся он к Кукуше. — Из чижика или из пыжика?

Результатом этого разговора стала повестка в военкомат, доставленная с нарочным и под расписку одному молодому кинооператору и аспиранту по имени Петя. Явившись по повестке, Петя, к его удивлению, был принят лично военным комиссаром города Москвы генерал-майором Даниловым.

Генерал был исключительно приветлив. Он вышел из-за стола, поздоровался с Петей за руку, усадил его на диван и сам сел рядышком.

— Значит, вы кинооператор? — спросил генерал, озаряя Петю золотой улыбкой. — Прекрасная профессия. И не такая уж безопасная, как некоторым кажется. Я помню, у нас на фронте был кинооператор. Человек исключительного мужества. Он иногда, чтобы сделать хороший кадр, чуть ли не ложился под вражеские танки, выходил на пулеметы. Замечательный человек был. — Генерал вздохнул. — Погиб, к сожалению.

Продолжая свои расспросы, генерал выяснил, что молодой кинооператор помимо профессиональных обладает многими другими достоинствами: альпинист, каратист, активный общественник и член бюро горкома комсомола.

— Ну, вы как будто специально рождены для нас! — Генерал всплеснул руками совершенно по-штатски. — Мы хотим запечатлеть нелегкий труд наших воинов-интернационалистов, и поэтому нам нужен талантливый оператор. Мы хотим показать жизнь наших воинов в горных условиях, и поэтому ваш альпинистский опыт будет как раз кстати. И наконец, нам нужны люди идейно закаленные, преданные нашим идеалам и готовые отдать за них жизнь.

— Вы собираетесь послать меня в Афганистан? — спросил Петя упавшим голосом.

Улыбка первый раз сползла с лица генерала.

— Молодой человек, — сказал он тихо, — вы знаете, что в армии лишних вопросов не задают.

Все в жизни взаимосвязано. Если бы Кукуша не встретилась с Иваном Федосеевичем, внук Лукина не был бы вызван в военкомат. Если бы он не был вызван, то и его дедушке незачем было б ходить туда же. Если бы он туда не ходил, зачем бы Лукин звонил Андрею Андреевичу Щупову? Результатом всех этих встреч и звонков было срочное изготовление в промкомбинате Литфонда СССР по спецзаказу шапки пыжиковой пятьдесят восьмого размера.

Когда пришла моя очередь посетить Ефима, я уже знал, что шапку он получил. Что Петр Николаевич Лукин лично доставил ему эту шапку в палату, сидел у него, рассказывал ему о своем боевом прошлом. Этим благородным поступком Петр Николаевич утвердил свой авторитет среди писателей. Все-таки хотя и кагэбэшник, а человек неплохой, не то что некоторые. Нет, конечно, если ему прикажут расстрелять, он расстреляет. Но сам, по собственной инициативе, вреда не сделает, а если сможет, так сделает что-то хорошее.

Ефим лежал в небольшой двухкоечной палате с выздоравливающим стариком, который при моем появлении вышел. Голова Ефима была забинтована так, что открытыми оставались только глаза, рот и нос с вставленной в него и прикрепленной пластырем пластмассовой трубкой, другая трубка от подвешенного к потолку сосуда была примотана бинтом к запястью правой руки. Я думал, что Ефим полностью парализован, но выяснилось, что левая рука у него все-таки действует, он ею гладил пыжиковую шапку, лежавшую у него на груди.

Не зная, чем его развлечь, я ему для начала рассказал о шахматном турнире, выигранном его любимым гроссмейстером Спасским. Не видя никакого интереса к турниру, переключился на рассказ о нашем управдоме, который за проценты сдавал проституткам свою контору.

Ефим слушал вежливо, но в глазах его я увидел немой укор и смутился. Мне показалось, что взглядом он спрашивал, зачем я рассказываю ему такую мелкую чепуху, не имеющую никакого отношения к тому высокому переходу, к которому он, возможно, готовился.

Устыдившись, я все же никак не мог сойти с колеи и рассказал что-то уж совсем глупое, опять какую-то историю про Маргарет Тэтчер и Нила Киннока, причем историю, мною самим тут же и выдуманную. Наконец, почувствовав, что все мои потуги не могут вызвать в больном ничего, кроме желания от них отдохнуть, я решил, что пора и откланяться.

— Ну, — сказал я нестерпимо фальшивым тоном, — хватит, старик, придуриваться. Следующий раз встретимся дома, покурим и перекинемся в шахматишки.

Дотронувшись до его плеча, я пошел к выходу и уже взялся за ручку двери, когда услышал сзади резкое и мучительное мычание. Я встревоженно оглянулся и увидел, что Ефим манит меня пальцем здоровой левой руки.

— Умм! — промычал он и пальцем потыкал в шапку.

— Ты хочешь, чтобы я ее положил на тумбочку? — спросил я.

— Умм! — издал он все тот же звук и качнул рукой отрицательно.

И на мой недоуменный взгляд еще раз потыкал в шапку и показал мне два вяло растопыренных пальца.

— Ты хочешь сказать, что у тебя теперь две шапки?

В ответ он уже не замычал, а завыл, затряс раздраженно рукой. Видно было, что его удручает моя непонятливость, а ему очень нужно донести какую-то важную мысль.

— Умм! Умм! Умм! — исторгался из него беспомощный крик души, и два полусогнутых пальца, как две запятые, качались перед моими глазами.

— А! — сказал я, сам не веря своей догадке. — Ты имеешь в виду, что ты победил!

— Умм! — промычал он удовлетворенно и уронил руку на шапку.

Уходя, я еще раз оглянулся. Закрыв глаза и прижав к груди шапку, Ефим лежал тихий, спокойный и сам себе усмехался довольно.

В ту же ночь он умер.

Хоронили Ефима по самому последнему разряду, без заезда в ЦДЛ и без музыки. Был уже конец марта, светило тусклое солнце, и из-под прибитого к стенам морга темного снега выползали медленные ручейки. Ворота морга были распахнуты настежь, похоронный автобус запаздывал, среди толкущихся вокруг гроба я встретил Баранова, Фишкина, Мыльникова и еще не помню кого. В головах стояли Кукуша в черной шляпе и ниспадающей на глаза черной вуали и Тишка, который в заложенной за спину руке держал (я обратил внимание) не пыжиковую, а подаренную ему отцом волчью шапку. Голова Ефима была аккуратно перебинтована, но все лицо оставалось открытым и выглядело умиротворенным. Я положил к ногам покойника свой скромный букетик, обнял Кукушу и пожал руку Тишке. Здороваясь с другими, я заметил и Трешкина. Он пришел, кажется, позже меня и вел себя страннее обычного. Кособочился, дергался и озирался так, как будто собирался что-то украсть или уже украл. Приблизившись к гробу, он наклонился к покойнику, поцеловал его в забинтованный лоб, а потом долго и пытливо вглядывался в застывшие черты, словно пытался прочесть в них что-то понятное только ему.

Меня кто-то тронул за локоть, я оглянулся — Кукуша.

— Тебе не кажется, что он себя странно ведет? — прошептала она, указав глазами на Трешкина.

— Он вообще странный, — сказал я и увидел, что Трешкин быстро перекрестил Ефима, но не тремя пальцами, как обычно, а кулаком, а потом сунул кулак в гроб, куда-то под шею покойного, и тут же выдернул.

— Ты видел? — шепнула Кукуша. — Он что-то туда положил.

— Сейчас выясним.

Я подошел к гробу и оглянулся на Трешкина. Тот внимательно следил за моими движениями. На его глазах я сунул руку под шею Ефима и сразу же нашел сложенный в несколько раз лист бумаги. Я вынул бумагу и стал разворачивать.

— Стой! Стой! — подлетел Трешкин. — Это не трогай, это не твое. — И протянул руку.

— А что это? — Я убрал руку с бумажкой за спину.

— Не важно, — глядя на меня исподлобья, буркнул Трешкин. — Отдай, это мое.

— Но вы, — приблизилась Кукуша, — не имеете права лезть в чужой гроб без разрешения и класть посторонние предметы.

Она взяла у меня бумажку и развернула. Я заглянул через ее плечо и увидел слово, написанное крупными косыми буквами и с восклицательным знаком в конце:

«Операция!»

Трешкин смутился, задергался, не зная, как себя вести.

— Что это значит? — нахмурила брови Кукуша.

— Ну, это значит, он мне загадку загадал. А я разгадал, а он помер. Ну, я думаю, надо все-таки положить, может, там прочтет. Может, знак какой-то подаст. Отдайте! — попросил он страстно. — Я положу обратно. Не мешайте же!

За воротами заурчал только что прибывший автобус.

— Все равно сгорит, — вздохнула Кукуша и, вернув Трешкину записку, пошла к выходу.

Пока автобус разворачивался и сдавал задним ходом, во двор въехала и остановилась в стороне черная «Волга». Из «Волги» вылез Петр Николаевич Лукин, стягивая по дороге синий мятый берет с хвостиком посередине. Приблизившись, он посмотрел на покойника, пошептался о чем-то с Кукушей, затем стал у изголовья гроба и произнес речь, в которой перечислил все заслуги Ефима, не забыв про его фронтовое прошлое, восемнадцать лет в Союзе писателей и одиннадцать напечатанных книг. А еще сказал, что покойник был человеком мужественным и хорошим, сам был хороший и в жизни видел только хорошее. Я думал, что Лукин скажет что-нибудь про людей, которые видят только плохое, потому что сами плохие, и при этом посмотрит на меня, но он этого не сделал и закончил свою речь обещанием, что память о Ефиме Семеновиче Рахлине навсегда останется в наших сердцах.

Потом мы ехали к крематорию на двух автобусах, мне досталось место в том, где стоял гроб.

На Садовом кольце мы попали в «зеленую волну» и двигались почти что без остановок. Ефим лежал передо мной с высоко приподнятой забинтованной головой, с заостренным носом, закрытыми глазами и таким выражением, словно был сосредоточен на какой-то серьезной и важной мысли. Автобус то останавливался, то снова стремился вперед, солнечные пятна врывались внутрь и скользили по успокоенному лицу, словно отблески того, о чем он думал. И в эти отблески напряженно вглядывался сидевший напротив меня Васька Трешкин. Рядом с ним о чем-то неслышно переговаривались Баранов и Тишка, Фишкин безучастно смотрел в окно, а в мое ухо вливался шепот Мыльникова, который, не упуская подробностей, пересказывал мне статью о нем, напечатанную в газете «Нью-Йорк ревью оф букс».

1987

Иванькиада, или Рассказ о вселении писателя Войновича в новую квартиру

*Посвящается
Сергею Сергеевичу Иванько
и его товарищам, безвозмездно
предоставившим в распоряжение
автора богатейший фактический материал
и пищу для размышлений.*

Вместо предисловия

Перед тем как случиться всей этой истории, я спокойно писал своего «Чонкина», намереваясь закончить его (как всегда, на протяжении вот уже лет двенадцати) «в этом году». Только что я кое-как выбрался из очередной опалы и по некоторым признакам догадывался, что скоро попаду в следующую, будет новая нервотрепка, полное отсутствие денег и сейчас, пока после раздачи долгов еще немного осталось от двух чудом вышедших одновременно книг, надо писать «Чонкина» как можно быстрее, не отвлекаясь ни на что постороннее, но постороннее влезло, меня не спросив, и все-таки отвлекло. Неожиданно для себя я был вовлечен в долгую и нелепую борьбу за расширение своей жилплощади. Откровенно говоря, мне это не свойственно. От борьбы за личное благополучие я по возможности уклоняюсь. Ненавижу ходить к начальству и добиваться чего-то. По своему характеру я непритязателен и довольствуюсь малым. Я не гурман, не модник, не проявляю никакого интереса к предметам роскоши. Простая пища, скромная одежда и крыша над головой — вот все, что мне нужно по части благополучия. Правда, под крышей мне всегда хотелось иметь отдельную комнату для себя лично, но вряд ли такое желание можно считать чрезмерным.

Так вот вопреки своему характеру я вдруг вступил в отчаянную борьбу. На несколько месяцев «Чонкин» был забыт совершенно. Несколько месяцев я только тем и занимался, что писал письма и заявления, ходил по начальству, звонил по телефону, собирал сторонников, хитрил, злился, выходил из себя, съел несколько пачек седуксена и валидола и только благодаря все-таки еще неплохому здоровью вышел из борьбы без инфаркта. Я пытался сохранить спокойствие, но мне это не всегда удавалось. Меня спасло то, что на каком-то этапе борьбы я решил, что ко всему надо относиться с юмором, поскольку всякое познание есть благо. Я успокоился, ненависть во мне сменилась любопытством, которое мой противник удовлетворял активно, обнажаясь как на стриптизе. Я уже не боролся, я собирал материал для данного сочинения, а мой противник и его дружки деятельно мне помогали, развивая этот грандиозный сюжет и делая один за другим ходы, которые, может быть, не всегда придумаешь за столом. Сюжет этот не просто увлекателен, он, мне кажется, объясняет некоторые происходящие в нашей стране явления, которые не то что со стороны, а изнутри не всегда понятны.

Ну, например, почему не печатают «Архипелаг ГУЛАГ», понять еще можно. Для этого надо изменить всю внутреннюю политику. Но для издания, например, «Доктора Живаго» менять ничего не нужно. Нужно просто издать тиражом, соответствующим спросу, получить достойную прибыль и избавиться навсегда от вопросов: «Почему у вас не печатают этот роман?» Почему художнику, пусть хоть самому разабстракционисту, не разрешить выставить свою картину на каком-нибудь пустыре? Разве мощь нашего государства пошатнется хоть на миллиметр? Вам кажется — нет? Мне тоже. Так для чего ж давить эту картину бульдозером? Некультурно, и денег стоит. Сложите амортизацию бульдозера, двойную ставку (за выходной день) бульдозеристу, да и солярка во всем мире подорожала[1].

Я намеренно не касаюсь нравственной стороны вопросов. Я говорю только о целесообразности. Я спрашиваю: отчего наше сверхгосударство так часто действует против себя без всякого видимого смысла?

Западные советологи да и наши некоторые мыслители объясняют все догматическим следованием марксизму. Сидит вроде в своем служебном кресле этакий правоверный догматик и ортодокс и, вцепившись одной рукой в бороду Маркса, другой листает «*Капитал*», сверяя по нему каждый свой шаг. Так ли это?

Насчет Маркса ничего определенного сказать не могу, я его не читал. Но, живя в этой стране вот уже пятый десяток, присматриваясь к нашей жизни, что-то я потерял из виду этого ортодокса. Видать, тихо скончался и похоронен без почестей. Но из розового миража возникает передо мной не догматик, не ортодокс, а деятель нового типа, которого я и спешу вам представить, любезный читатель.

---

[1] Теперь, как известно, положение изменилось к лучшему. С разрешения властей состоялось несколько выставок так называемых неофициальных художников. И хотя некоторые произведения (например, пальто художника Одноралова) показались неподготовленному зрителю, может быть, несколько необычными, держава наша перенесла этот удар и по-прежнему крепко стоит на ногах.

ЧАСТЬ I

Коммунист Иванько

Для изучения жизни не надо ездить в творческие командировки и напрасно расходовать казенные деньги. Изучайте жизнь там, где живете, это гораздо продуктивнее и дешевле. Загляните хотя бы в наш двор. Посмотрите, какие люди, какие типы, какие судьбы! Наверное, на КамАЗе или на БАМе тоже встречаются интересные люди, но не в такой пропорции.

Дом наш не то чтобы какой-то особенный, но и нельзя сказать, что обычный. Проживают здесь инженеры человеческих душ, члены жилищно-строительного кооператива «Московский писатель». Есть на свете немало людей, которые в жизни не видели ни одного живого писателя. А у нас их больше сотни. Известные, малоизвестные и неизвестные вовсе. Богатые, бедные, талантливые, самобытные, бездарные, левые, правые, средние и никакие. Знают друг друга десятки лет. В прежние времена ели друг друга, теперь мирно живут под одной крышей и те, кто ел, и те, кого ели, но не доели.

Вон видите, подпрыгивающей походкой торопится по двору старичок, жалкий, немощный, тонкий, как одуванчик. С Одуванчика, правда, весь пух уже сдуло — маленькая голова качается на тонкой шейке-стебельке. Жалко вам старичка? А ведь говорят, был он некогда генеральным прокурором Украины, носил четыре ромба в петлицах. Не каждый, кому пришлось встретиться с Одуванчиком в то славное время, дожил до столь почтенного возраста, чтоб его было жалко. А тот, который сейчас поддерживает Одуванчика под локоток, носил шпалы, но не в петлицах, а на плечах, там, куда Одуванчик, тогда еще не обдутый, его в свое время направил.

Что и говорить, разные люди живут в нашем доме, люди с самыми причудливыми биографиями. Потомки аристократических фамилий, бывшие большевики, меньшевики, чекисты, троцкисты, уклонисты, лауреаты Сталинских премий, космополиты, ортодоксы, ревизионисты, секретари Союза писателей — кого только нет.

Еще недавно с гитарой в чехле ходил из подъезда в подъезд Галич. «Ну, что говорят о моем романе?» — спрашивал каждого встречного Бек.

Иных уж нет, а те далече.

Аркадий Васильев, чекист, писатель, обвинитель Синявского и Даниэля, тоже жил в нашем доме. Теперь не живет. Теперь он лежит на Новодевичьем кладбище между Кочетовым и Твардовским, неподалеку от Хрущева.

Все смешалось.

Но еще не все померли и не все уехали. Есть и сейчас в нашем доме интересные люди. Потолкавшись в нашем дворе, самого Симонова вы можете встретить.

А вот еще персонаж: бежит по двору тетенька не первой молодости, курит длинную папиросу, бравирует произнесением нецензурных словечек и несет в авоське... — ни за что не догадаетесь... произнести страшно... дух захватывает... *Архипелаг ГУЛАГ*. И всем наперебой предлагает, совсем не скрываясь, прочесть. Батюшки, что же это в нашем дворе творится, если таскают открыто подрывную литературу? Да где ж наш свисток? Не пора ли свистнуть кому надо? Не спешите, тетенька и сама вас сведет куда надо при случае, ибо именно там она книжечку и взяла. И вам она предлагает ее не за так, а за то, что вы, ознакомившись с отдельными абзацами насчет генерала Власова, напишете в газету отклик, разумеется, не положительный.

Допустим, вы отказываетесь. «Знаете, я с удовольствием бы, но вот как раз именно сейчас еду в Новосибирск...» — и начинаете рыться в карманах как бы в поисках билетов, которых вы не покупали. Ну, нет так нет, наша тетенька не обижается и бежит за другим товарищем, возможно, у того поезд еще не подошел. А вот и за ней бежит человек, дайте ему почитать или хотя бы подписать отклик без чтения... он давно не печатался, ему хотя бы фамилию свою где-нибудь тиснуть, ан нет, не дорос еще, тут нужны писатели авторитетные, с именами.

Но если уж очень хочется публично выступить и заявить «вот он я», для этого нужно только дождаться очередного собрания пайщиков. Там почти полная демократия. Хочешь высказаться, тяни повыше руку, заметят — дадут слово, не то что в Союзе писателей.

Собрания эти проходят, как правило, бурно. Кипят неутоленные общественные страсти, скрещиваются копья, возникают и распадаются враждующие между собой группировки.

На одном из таких собраний, а именно 27 января 1973 года, я впервые услышал фамилию человека, которому впоследствии суждено было стать героем этих записок. Собрание это запомнилось мне прежде всего потому, что на нем решалось, кому будет принадлежать освободившаяся двухкомнатная квартира. Претендентов было двое — автор этих строк и некий Павел Липатов, сын жены писателя Воробьева. Выступали болельщики с обеих сторон. Один из выступавших в мою пользу призвал собравшихся учесть ошибки прошлого и заботиться о писателях, пока они живы. Поскольку выступавший был человеком эмоциональным, он неожиданно для всех, а может быть, даже для самого себя, сравнил происходящее с событием гораздо более крупного масштаба.

— Я помню, — сказал он, — казнь Пастернака...

Наверное, казнь Пастернака здесь была ни при чем. Собрание в основном было на моей стороне и потом, когда дошло до голосования, предоставило квартиру мне подавляющим большинством голосов. Я от квартиры отказался в пользу Липатова, который был первым по очереди, но попросил собрание подтвердить мое право на следующую двухкомнатную квартиру. Собрание мою просьбу поддержало единогласно, что и было записано в протоколе.

Я не упоминал бы этого небольшого события, если бы оно не имело значения для дальнейшего развития нашего сюжета.

А теперь вернемся к выступлению моего болельщика. Итак, он сказал:

— Я помню казнь Пастернака...

Договорить фразу до конца ему не дали. В заднем ряду поднялся хорошо упитанный человек средних лет в белой водолазке, со скучным лицом, которое трудно запомнить. Редкие волосы были зачесаны с боку на бок и аккуратно распределены по темени, которого все-таки полностью не прикрывали.

— Я, как коммунист, — сказал он, ни на кого не глядя, — протестую против этих слов «казнь Пастернака».

Сказав это, человек сел на свое место и равнодушно отвернулся к окну. Похоже было, что его заявление сделано им было без всякого энтузиазма и не в порыве действительного негодования, а чтобы никто не мог упрекнуть его, что он был, слышал такие слова и смолчал.

Присутствовавшие на собрании удивленно повернули головы к этому человеку, произошла небольшая заминка, а дальше все продолжалось своим чередом.

После собрания я кого-то спросил, кто был тот бдительный коммунист. Мне сказали: какой-то не то Ива́нько, не то Иванько́, член правления нашего кооператива. Этим ответом я был вполне удовлетворен и о человеке из заднего ряда тут же забыл.

Я не знал, что не пройдет и месяца, как судьба столкнет меня с этим человеком, и на протяжении долгого времени он будет занимать все мои мысли и разжигать мое любопытство.

Арон Купершток отбывает на историческую родину

Ура! Ура! Писатель Андрей Кленов, он же Арон Купершток, получил разрешение на выезд в Израиль. Он оставляет двухкомнатную квартиру. Говорят, это отличная квартира. Комнаты по семнадцать квадратных метров, с окнами на две стороны, с двумя балконами... Наше с женой терпение вознаграждается. Пять лет мы жили в однокомнатной квартире, пять лет ждали своей очереди. Наша однокомнатная квартира в доме — единственная. Мы дольше других ждали, мы больше других нуждаемся, мы эту квартиру получим. Наше право на нее бесспорно и подтверждено последним собранием. Теперь у меня будет своя комната, где в благодатной тишине я смогу творить свои бессмертные или какие получатся сочинения. Вы представляете, отдельная комната! Сколько живу, никогда не знал такой роскоши. Вот явился бы какой-нибудь добрый волшебник и спросил бы единственное желание, я сказал бы: хочу отдельную комнату.

Идя по двору, встретил одного мудреца (фамилию его опущу). Он говорит:

— Вам надо быть бдительным, чтобы не упустить квартиру Кленова.

— Зачем же мне быть бдительным, — спрашиваю, — если, кроме меня, на эту квартиру нет реальных претендентов?

— Вы так думаете? — усмехается он. — Я квартиру Кленова знаю. Это очень хорошая квартира. Хотите точный прогноз?

— Ну?

— Вы эту квартиру получите, но с очень большим трудом.

— Вы знаете какие-то факты?

— Я знаю один факт: это очень хорошая квартира, и не может того быть, чтобы кто-то на нее не позарился.

Иду дальше. Кивая, бежит навстречу переводчик Яков Козловский. У него, как всегда, вид собаки, которая спешит что-то разнюхать, но при этом опасается, как бы кто из прохожих не огрел палкой. Говорит в обычной своей манере, приседая, оглядываясь и шепотом:

— Старик, не надейся напрасно, эту квартиру ты не получишь.

— Почему?

Он опять оглядывается (никто не следит?).

— Старик, я тебе сказал все, что мог.

И, оставив меня в недоумении, бежит дальше.

Поневоле начинаю волноваться. Вокруг освобождающейся квартиры что-то происходит, плетутся какие-то интриги. На каждом шагу встречаю доброжелателей, которые предупреждают:

— Вам надо смотреть в оба, вы должны бороться.

Почему бороться и с кем? Где тот противник, которого я должен уложить на лопатки?

Из дневника

13 февраля

На завтра назначено правление кооператива. Иду к одному из членов правления, прошу, если что, за меня заступиться.

— Вы знаете, — говорю, — мне об этом пока неудобно оповещать всех, но если вы на правлении будете решать это дело и возникнут какие-то сложности, уж вы, пожалуйста, имейте в виду, что, кроме всего прочего, моя жена беременна, правда, всего только на третьем месяце, но, поскольку у меня и других прав достаточно, на всякий случай, пусть это будет еще одним аргументом.

14 февраля

Вечером звонок в дверь. Является член правления, к которому я обращался.

— Вот что, дети мои, — сказал он мне и моей жене. — Только что мы заседали. Я вынужден вас огорчить. Видимо, кленовскую квартиру вы не получите. Но ничего, вам дадут квартиру Бажовой. Она, правда, похуже — комнаты маленькие и на одну сторону, но все-таки двухкомнатная.

Ничего не могу понять. Кто такая Бажова? Почему я должен получать ее квартиру, в которой она живет, а не кленовскую, которая свободна?

Наш гость объясняет. Выступил председатель кооператива Турганов. Он сказал, что при проектировании дома была допущена ошибка. В доме только одна однокомнатная квартира. А между тем подрастают дети, некоторые хотят разделяться, разъезжаться. Например, Бажова хочет отделиться от сына и разменять свою двухкомнатную квартиру на две однокомнатные. Так вот, если от квартиры Куперштока (настоящую фамилию Кленова Турганов произносит старательно и с явным подтекстом) отделить одну комнату, то останется еще комната с кухней, ванной и уборной, то есть однокомнатная квартира. Дальше все просто: Войнович въезжает в квартиру Бажовой, Бажова получает квартиру Войновича и ту, которая останется от квартиры Куперштока.

Слушая это, я по-прежнему не могу ничего понять. В чем дело? Почему из двухкомнатной квартиры надо делать однокомнатную? А что будет с той комнатой, которая останется без кухни, ванной и уборной?

Оказывается, в этой комнате как раз все дело. Сергей Сергеевич Иванько просит улучшить его жилищные условия и присоединить эту комнату к его квартире.

Опять не легче. Что же, этот Иванько очень нуждается? У него плохая квартира? Нет, у него на троих трехкомнатная квартира, одна из лучших в нашем доме. Может быть, он долго стоял в очереди? Нет, он живет в нашем доме меньше других, с 1969 года, в октябре прошлого года подавал какое-то заявление на улучшение жилищных условий, просил четвертую комнату. Почему он просил четвертую комнату? На каком основании? Просить можно что угодно, я тоже могу попросить четыре комнаты, но мне же их никто не даст.

— Вы сказали, что у меня жена в положении?

— Да, конечно, — говорит мой собеседник. — Больше того, я сказал: «Я все понимаю, может быть, нашему уважаемому Сергею Сергеичу действительно нужна эта комната, но ведь Войнович живет в однокомнатной квартире, жена беременна. Сергей Сергеич, неужели вам не будет неуютно в роскошной четырехкомнатной квартире, зная, что ваш товарищ, писатель, ютится с женой и ребенком в одной комнате?»

— А он что же? — не выдержал я.

— А он? А он мило улыбнулся и говорит: «Ну, через это я как раз могу переступить».

Тут я даже руками развел:

— Прямо так и сказал?

— Да, — ответил наш гость смущенно, — прямо так и сказал.

— Ну а вы, — спросил я, — вы, конечно, возмутились, вы сказали, что он слишком много себе позволяет?

— Нет, — смутился наш гость еще больше, — я ничего не сказал. Я обалдел.

Обалдеешь!

Приходит в голову еще вопрос:

— А что же эта Бажова, она понимает, что в нашем доме две однокомнатные квартиры будут стоить вдвое дороже, чем ее одна двухкомнатная? Может, она миллионерша?

— Нет, она довольно бедная женщина, но Иванько говорит, что он ей поможет.

— То есть просто купит для нее одну из этих квартир?

— Вероятно.

— И за эту комнату, которую он хочет, тоже заплатит?

— И заплатит еще за то, что пробьют капитальную стену.

— Значит, он миллионер?

— Во всяком случае, за расходами не стоит.

— Но ведь долбить капитальную стену архитектурными нормами строго запрещено.

— Он говорит, ему разрешат.

— Да кто же он такой?

— Я не знаю, кто он такой. Писатель, вероятно. Говорят, член Союза.

— А я кто, по-вашему?

— Володя, ну что вы ко мне пристали, — рассердился наш гость. — Я вам говорю то, что было. Раз он так высказывается, значит, считает, что может себе позволить.

— Но другие-то члены правления что говорят? Ведь там кроме вас есть еще какие-то приличные люди. Ну, вы обалдели, а они что?

— И они обалдели.

Гость ушел, мы с женой остались в полной растерянности. Что за напасть! Откуда взялся этот писатель? Писатель Иванько. Все-таки имею какое-то отношение к этому делу, слежу за новинками литературы, и убей меня бог, если я хоть когда-нибудь слышал такую фамилию. Хватаю справочник Союза писателей, открываю на нужную букву: Иванович, Ивантер, Ивасюк, нет здесь Иванько и в помине. Если не попал в справочник, значит, только недавно принят. Выходит, молодой писатель. Отчего же молодому такие поблажки? Чтобы он жил в четырех комнатах, а я оставался в одной. Конечно, мы заботимся о нашей литературной смене, но не настолько же!

И как прикажете понимать слова его, что через это он как раз может переступить?

Когда-то в первый послевоенный голодный год автор этих строк приобретал в ремесленном училище профессию краснодеревщика. У нас было бесплатное трехразовое питание. Обычно завтрак и обед съедали все, но ужин доставался не каждому. На официантку с подносом налетали как коршуны и хватали кто две, кто три порции, кто ни одной. Такая система распределения общественного продукта носила название «на хапок». Но так действовали голодные дети, когда не было поблизости мастера или иного начальства.

А тут среди бела дня, на глазах писательской общественности! Да что же это такое творится? Немедленно звонить во все колокола! Где там телефон нашего председателя?

Фигура в районном масштабе

Я не ставил своей задачей изображать Бориса Александровича Турганова, но, к сожалению, в этом рассказе без него никак не обойтись. Поэтому позвольте хотя бы мимоходом представить вам и его. Он, как я вам уже сообщал, председатель нашего кооператива. Переводчик с украинского. Возраст — под или за семьдесят. Голова голая, как яйцо. Ходит по двору важно, говорит внушительно, всем своим видом показывая, какой он большой человек, какие крупные проблемы ему приходится решать в повседневной жизни. Говорят, в частной беседе он однажды заметил:

— Что ни говорите, а в районе председатель писательского кооператива — фигура.

Фамилии должностных лиц и сами названия их должностей Борис Александрович произносит с юношеским восторгом. О себе предпочитает говорить в третьем лице.

— А что же вы хотите, чтобы за вас Председатель думал?

— Я прошу вас выбирать выражения. Перед вами — Председатель.

Название должности Бориса Александровича я написал с большой буквы, следуя употребляемому им правописанию. Все должности, начиная со своей собственной и выше, он обозначает только с заглавной буквы.

Один мой знакомый славится замечательной памятью и тем, что знает едва ли не всех в Москве, кто имеет хоть какое-нибудь отношение к литературе, любит давать каждому, о ком зайдет речь, краткую характеристику. Характеристики его, как правило, доброжелательны. Например, вы спрашиваете его, кто такой Иванов.

— Иванов? — переспросит он. — Очень талантливый человек.

Или: очень хороший человек, симпатичный человек, удачливый человек, неплохой человек, человек не без способностей и т.д.

На мой вопрос о Турганове он сказал не задумываясь:

— Очень богатый человек. — И, немного подумав, добавил: — И очень плохой человек.

К портрету этого человека мы, пожалуй, еще вернемся, а пока только сообщу вам, что тогда же, 14 февраля вечером, я ему позвонил по телефону. Трубку взяла жена. Узнав, кто спрашивает ее мужа, она сказала:

— Сейчас посмотрю, он, кажется, уже лег. — И, выдержав паузу: — Да, он уже лег.

Звоню утром.

— Борис Александрович еще спит.

Звоню еще через некоторое время.

— Он только что вышел.

— Я так и думал, — говорю. — Ничего, я его все равно разыщу.

Во второй половине дня телефонный звонок.

— Владимир Николаевич, это Турганов. Я вам звоню, чтобы вы не думали, что я от вас скрываюсь. Почему вы считаете, что правление не может обсуждать какие-то варианты?

— Правление может обсуждать все, что угодно, если у него есть время. Но квартира № 66 должна принадлежать мне. Тем более что, как вы помните, так решило последнее собрание.

— Никакого решения не было. Была рекомендация.

— Борис Александрович, вы хорошо знаете, что рекомендовать может правление. Собрание не рекомендует, а решает. Я понимаю, чем продиктованы ваши действия, но вам все же не стоит браться за это дело, оно у вас не получится. Через собрание вы его не проведете, а без собрания у вас и подавно ничего не выйдет, я вам обещаю. Если вы — трезво мыслящий человек, вы должны это понять.

Молчание.

— Вы согласны со мной?

На этот вопрос он не отвечает. Подумав, он говорит:

— Я знаю, кто вам рассказал о правлении...

Из этих слов я заключил, что Турганов рассматривает правление нашего кооператива как секретную организацию, которая свои дела должна хранить в тайне от рядовых пайщиков.

Он не чинуша

Я был избавлен от необходимости собирать справки о личности Иванько, сведения о нем сыпались на меня на каждом шагу. Разные лица доставляли мне эти сведения, кто с угрозами, а кто просто так. В конце концов я узнал, что Иванько Сергей Сергеевич, 1925 года рождения:

а) родственник бывшего председателя КГБ Семичастного;

б) ближайший друг бывшего представителя СССР в Организации Объединенных Наций, ныне главного редактора журнала «Иностранная литература» и секретаря Союза писателей СССР Николая Т. Федоренко;

в) сам по себе тоже большая шишка: заведовал каким-то издательским отделом в ООН, теперь член коллегии в Госкомиздате[1], командует всеми издательствами Советского Союза, а в любом из них может зарезать любую книгу; а кроме того — так говорили — занимает очень заметный пост в том самом учреждении, где его родственник Семичастный был председателем, и не только что книгу зарезать, а и автора сжить со свету ему не составит большого труда.

Трезвые люди советовали уступить.

Кое-что прояснилось, но кое-что оставалось не очень понятным. Если он такой большой человек, то почему же ему не дадут квартиру казенную и такого размера, какой ему нужен?

— Ему дадут все, что он захочет, но он не может отсюда выехать.

— Почему?

— Потому что он эту квартиру, как он сам говорит, оборудовал. Он привез из Америки кухонный комбайн, унитаз, кондишен, особые какие-то обои, особое что-то еще, все это вмуровано в стены, в полы, в потолки. Оборудование стоит колоссальных денег, а выдрать его —

---

[1] Сокращенное название Государственного комитета по делам издательств, полиграфии и книжной торговли Совета Министров СССР.

значит испортить. Он никуда не может уехать, он может только расширяться или пробиваться вверх или вниз.

— Владимир Николаевич, — говорит мне лифтерша из подъезда Иванько, — вы видели, как этот-то (она избегает называть моего соперника по фамилии) переезжал? Нет? А мы видели. Две машины с контейнерами, и все американское. И унитаз, и кухонный комбайн, и еще черт-те чего. Санки, даже санки детские, и те привез из Америки! — Почему-то эти санки произвели на нее наибольшее впечатление. — Да ему, Владимир Николаевич, и пять комнатов мало.

— Да, — говорит писатель М., — я тоже видел, как он переезжал. Для наших географических условий зрелище впечатляющее. Масса каких-то предметов неизвестного назначения, каждый обернут фольгой, и на каждом крупными буквами IVANCO (он так и произнес на английский манер без мягкого знака — Иванко).

Но, говорят, в октябре, когда об отъезде Кленова еще не было и речи, он подавал заявление на улучшение. На что же он рассчитывал тогда?

— Тогда он рассчитывал на одну из комнат Козловского.

— Как? — Я еще не утратил способности удивляться. — Но ведь Козловский в своей квартире живет.

— Поймите, чудак-человек, для Иванько это не имеет никакого значения.

Вот так да! Ничто для него не имеет значения!

— Слушай, — спросил Козловского некто, — что думал Иванько, подавая заявление на твою комнату?

— Не говори и не спрашивай, — сказал Козловский, испуганно приседая. — Наверное, он хочет меня выслать в Израиль или расстрелять.

Вот первые штрихи к портрету Сергея Сергеевича Иванько.

Но вот тот же образ в ином освещении. Говорит пожилая дама, жена одного из влиятельных членов правления нашего кооператива:

— Миленький, вы напрасно так отзываетесь о Сергее Сергеевиче. Это очень хороший, очень милый человек. Я понимаю ваше положение, но и вы поймите его. Он привез из Америки все оборудование, ему предлагают пять комнат хоть сейчас на Новом Арбате, но он же не может. Да, он очень симпатичный человек. Некоторые говорят, что он чинуша. А он совсем не чинуша. Он писатель. Да, он писатель. А у него нет даже своего кабинета.

Боже мой, прямо хоть плачь над несчастной судьбой писателя Иванько. Даже неловко как-то становится. Как будто у меня есть кабинет, гостиная, спальня, столовая и как будто не он у меня, а я у него пытаюсь что-то отнять.

— Но ведь у него, — говорю я, несколько оробев, — три комнаты на троих. Почему же он не может из одной комнаты сделать себе кабинет?

— Миленький, да как же вы не понимаете? — Она прямо потрясена моей тупостью и бессердечием. — Я же вам говорю: у него квартира оборудована. Ему буквально повернуться негде. Вы же человек. Почему вы не можете войти в положение другого человека? Да, я вас понимаю, вы живете в одной комнате, и у вас тоже нет кабинета, и ваша жена... кстати, вы ей скажите, что ей сейчас нельзя волноваться. И сами не нервничайте. Мы вам обязательно что-нибудь подыщем. Мой муж говорит, что вам нужна только хорошая квартира, ни о какой квартире Бажовой не может быть даже и речи, что вы! Вера Ивановна Бунина... Вы ее знаете? Нет? Она, между прочим, к вам очень хорошо относится. Она обещала вам подыскать хорошую квартиру. Потерпите два дня. Вера Ивановна вам что-нибудь подыщет. Кленовская квартира принадлежит вам, она уже ваша, но только два дня. Ведь Сергей Сергеевич такой милый человек, я его мало знаю, но он очень симпатичный. И совсем не чинуша. Идите, миленький, домой, успокойтесь сами и успокойте жену. Ей сейчас нельзя волноваться.

Этот монолог был произнесен (у меня записано) 15 февраля.

А вот еще один отзыв:

— Иванько — писатель? Да что вы говорите! Скорее вот эту кастрюлю можно назвать писателем. Обыкновенный Акакий Акакиевич. Я его знаю как облупленного, работал с ним вместе в «Лижи»[1]. Его потом выгнали. Во времена нашей великой дружбы с Китаем он написал об этой дружбе передовую и допустил политический «ляп». В газете было напечатано: «...большого подъема достигла экономика США и Китая».

И еще мнение:

— Что вы, он не Акакий Акакиевич, он — значительное лицо. Хотя действительно когда-то был очень мил и приветлив. А вот потом поехал в Америку и уж вернулся оттуда надутый.

Кого считать писателем?

В ту ночь я спал плохо. Мне снилась белая, с длинной ручкой кастрюля для молока, и я пытался решить вопрос, можно ли ее считать писателем. И почему-то я решил для себя, что считать писателем ее, пожалуй, и нельзя, но принять в Союз можно. Снилось мне заседание приемной комиссии и выступление одного из членов комиссии, что принять кастрюлю просто необходимо, потому что она не бездарна — ничего бездарного пока что не написала.

---

[1] Так называли писатели газету *«Литература и жизнь»*.

— Это правильно, — глубокомысленно соглашалось некое значительное лицо, раздуваясь, словно воздушный шар.

Конечно, присниться человеку может все, что угодно. В том числе и такая абракадабра. Но подобная абракадабра сплошь и рядом происходит и наяву. В бытность мою — три срока — членом бюро секции прозы Союза писателей я неоднократно бывал свидетелем таких примерно отзывов при приеме нового члена:

— Книгу, которую представил товарищ такой-то, не назовешь, конечно, талантливой. Да, она серая книга, но у нас же не союз *талантливых* писателей, а союз *советских* писателей.

Вы думаете, это говорилось с юмором? Нет, это утверждал всерьез обычно такой же советский, но не талантливый.

Поначалу я возражал против такой формулировки, утверждая, что профессия писателя от всех прочих тем именно и отличается, что подразумевает в носителе ее наличие *писательского таланта*. Я считал, что определение «талантливый писатель» есть тавтология. Неталантливый писатель — это вообще не писатель. Признаюсь, в то время я даже помешал некоторым неписателям вступить в Союз, но впоследствии счел свой принцип несправедливым. Я увидел, что 90 процентов, а то и больше членов Союза и есть неписатели. То есть они исписывают, конечно, некоторое количество бумаги текстом, который потом набирается, печатается, заключается в твердую или мягкую обложку и перед сдачей в макулатуру выставляется на прилавках магазинов. Но он, этот текст, чаще всего не имеет никакого содержания. Ни морального, ни эстетического, ни даже политического. Я перестал придираться к неписателям. Я подумал, что если таких неписателей в Союзе подавляющее большинство, то почему не принять еще и этого, который пока не состоит, но он ничем не хуже уже состоящих. (Положение тут безвыходное: неписатель, вступив в должность писателя и пытаясь закрепить свое право на эту должность, довольно умело используя обстановку, начинает впоследствии доказывать, что он и есть писатель, что только такие писатели и нужны, а вот те, кого определяли писателями по старым меркам, они и есть неписатели.)

Вышеприведенные рассуждения касались только лиц, не достигших к моменту вступления в Союз писателей больших чинов. Но если вступает Некто, занимающий где-то высокую должность, про него не говорят, что его надо принять, хотя он и плохо пишет. Про него сразу рубят, что он не какой-нибудь, а просто Большой Писатель. На этой теме мы еще остановимся, а пока вернемся к нашему уважаемому.

Легендарный унитаз

Итак, из Америки он вернулся надутый. И было отчего. Он прожил там шесть лет и даже во время отпуска не всегда посещал родные края. Иногда с семьей отдыхал в Ницце (вы, читатель, отдыхали когда-нибудь в Ницце?). Из дальних странствий возвратясь, на свои трудовые сертификаты приобрел «Волгу» нового образца, обменял квартиру маленькую двухкомнатную на большую трехкомнатную, обставил ее привозной мебелью и оборудовал «ихней» техникой, в число которой входит и какой-то неописуемый унитаз, о котором в среде литературной общественности слагались легенды.

Казалось бы, что еще человеку нужно? Но человек, особенно человек творческий, как известно, никогда не останавливается на достигнутом. Поставил один унитаз, хочется поставить второй, а куда?

Вот то-то и оно-то...

Вера Ивановна Бунина

Мне советовали обратиться к Вере Ивановне Буниной. Она у нас в кооперативе Председатель (тоже небось надо с большой буквы) ревизионной комиссии. То есть той самой комиссии, которая обязана наблюдать, чтобы правление вершило свои дела в соответствии с волей большинства пайщиков и действующим законодательством. Набирая номер ее телефона, я надеялся найти у нее управу на Турганова и его уважаемого протеже. Тем более что она, как говорили, ко мне очень хорошо относится.

— А что вы хотите? — спросила она вполне недружелюбно.

Я даже слегка опешил:

— Как? Я хочу получить квартиру.

— Ну так и получайте, вам же предлагают квартиру Бажовой.

— Я не хочу квартиру Бажовой, я хочу ту, которая освободилась.

— То есть вы хотите квартиру хорошую, — уличила она меня тут же.

— А вы хотите плохую? — поинтересовался я.

— Сейчас не обо мне речь, а о вас. Давайте говорить прямо: вы хотите квартиру хорошую. — Она так подчеркивала интонационно это слово — «хорошую», как будто в этом была видна вся степень моего падения.

— Да, — вынужден был я признаться, — я хочу квартиру хорошую.

— Вот так вы и скажите.

— Я так и говорю.

— Гм... — похоже, она растерялась. Она рассчитывала, что я буду доказывать, что хочу получить именно плохую квартиру или, в крайнем случае, какую-нибудь, тогда она могла бы мне возражать. А тут встала в тупик. — Да, но вы ведете себя неправильно, вы чего-то требуете, вы капризничаете...

Немного о птице-тройке и Альфреде Мюссе

Положив трубку, я задумался. Я стал думать, почему эти люди так враждебно воспринимают каждое мое слово? Может быть, я действительно веду себя как-то не очень порядочно? Нет, вы не подумайте, что я пытаюсь острить. В каких-то предыдущих страницах я пытался достичь какого-то юмористического эффекта, но здесь нет. Здесь я пытаюсь говорить совершенно серьезно. Я был растерян. Я думал, что все права, не только юридические, но и моральные, настолько на моей стороне, что меня сразу же все поддержат и на стороне Иванько не останется никого, кроме Турганова. Ну, допустим, нашли они еще какого-то Кулешова. Но вот, например, Козловский. Кажется, он неплохо относился ко мне. И вообще вроде бы неплохой человек. Потом мне, правда, сказали (и сам я в этом убедился), что мерзавец, но тогда я еще не был в этом уверен. Ну а тот самый влиятельный член правления, о котором я упоминал выше, ему-то зачем Иванько понадобился? Старик (70 лет), из бывших дворян, пишет о хороших манерах, жена, тоже из бывших, играет на пианино. Разве это хорошие манеры: пытаться угодить чиновнику? Может, я правда чего-то не понял, может, у Иванько какие-то особые обстоятельства, а я пру напролом, ослепленный жаждой расширения площади?

Между прочим, в подобную моральную ситуацию я уже попадал. Когда в 1970 году меня в Союзе писателей прорабатывали за первую часть «Чонкина», среди прорабатывающих были не только Грибачев или, например, некий Винниченко, нет, среди них были люди с репутацией порядочных, а с одним из них я даже был в какой-то не очень тесной дружбе. Но вот они встают и говорят. Ну ладно, Грибачев и Винниченко — ясно, что они говорят и зачем. Но вот вступает в хор один из «порядочных». Он читал обсуждаемого писателя раньше. Он ценил его творчество, но теперь он не верит своим глазам. Он испытал горькое разочарование, подобно тому, какое испытывает, когда у такого тонкого эстета, как Альфред Мюссе, встречает явные грубости. Я сижу, я слушаю, я думаю. Ну ладно там, ну Грибачев, ну Винниченко. Но это же человек порядочный. И говорит он не сквозь зубы, не вынужденно. Он возбужден, он проводит литературные параллели, он *художественно* говорит. Не успел я опомниться от Альфреда Мюссе, встает другой, тот, с которым я дружил. Он говорит глухим голосом. Он Володю (чтоб подчеркнуть бывшую близость) знает давно. Знает как писателя честного, думающего. Но, понимаешь, Володя (это уже прямо ко мне), писатель может и должен критиковать все, он может подвергнуть самой резкой сатире любые наши недостатки, любого бюрократа (при этом он размахивает кулаком, как будто этими словами и громит как раз те самые недостатки и того самого бюрократа), но есть один герой, которого критиковать никогда нельзя, — это народ. Этого не позволяли себе даже такие гиганты, как Салтыков-Щедрин и Гоголь. Гоголь, который беспощадно высмеял многие недостатки прежней Руси, написал затем: «Птица-тройка!..»

Мне было бы морально гораздо проще, если бы я думал, что все подонки и негодяи, но здесь вроде бы говорит человек, разделяющий мои взгляды. Откровенно говоря, я был удручен. Будучи не очень самонадеянным, я засомневался. Мои друзья «Чонкина» хвалили. Но, может быть, они хвалили по-дружески, стесняясь сказать что-то другое?

Ведь я и сам иногда, не желая обидеть товарища, могу похвалить вещь, которая мне не очень понравилась. Но потом я подумал, что все это выглядит немножко странно. Нет, я не претендую, чтобы вещь моя непременно понравилась всякому. Я ее раньше показывал разным людям. Кому-то она нравилась больше, кому-то меньше, кому-то нравилась очень, кому-то, может быть (так уж мне все-таки не говорили, возможно, из вежливости), совсем не нравилась. Но здесь, в кабинетах, она не нравилась всем и не нравилась ничем. Ни одному не понравилась ни одна сцена и ни одна строчка. И Грибачев, и мой бывший старший друг были в этом едины. О последнем я думал, пытался его понять. Тем более что и потом он меня уверял, что в кабинете говорил искренне. Я себе представил: вот ему как члену кабинета предложили прочесть мое сочинение. Он понимает, для чего ему дали это прочесть. Если, допустим, это ему понравится, тогда, как честный человек (а в своей честности он не сомневается), он должен будет сказать, что ему это понравилось. Но если он это скажет, то тем самым навлечет на себя неприятности вплоть до изгнания из кабинета. А у него где-то там какие-то договора, книги, сценарий, представление по случаю грядущего юбилея на орден или на премию. Все рухнет, если ему понравится эта вещь. Ему будет гораздо удобнее, если эта вещь окажется плохой. Он начинает читать и при этом думает. Вот написал всего одну часть и тут же сунул на Запад. Торопится. И из-за такой ерунды. Ну, написал бы уж все, так было б хоть из-за чего отдуваться. А то одна часть. Да еще говорит, что не знает, как *туда* попало. Если не хотел, так не попало б. Сам сунул, а отвечать не хочет. Хочет выкрутиться. Хочет, чтоб я за него отвечал. Конечно, когда что-то начинаешь читать с такими мыслями, понравиться это что-то не может. Но он читает: «Было это или не было, теперь уж точно сказать нельзя...» Он морщится. Почему точно сказать нельзя? И что это такое — было или не было? Если не знаешь, было или не было, не рассказывай.

Потом ему еще попадется какая-то неудачная строчка, а может быть, и сцена, он раздражается, под влиянием раздражения он видит только одни недостатки и не видит никаких абсолютно достоинств. После прочтения у него и вовсе портится настроение. То, что он прочел, не вызвало у него ни разу ни удовольствия, ни улыбки. А ведь некоторые наши леваки сочтут, что он так думает из трусости. Но он же не трус. Это все знают. В других случаях он кого-то защищал, с кем-то сражался. Но не может же он, *рискуя собой*, хвалить вещь, которая ему искренне не нравится...

Он идет в кабинет и говорит о птице-тройке. Говорит с пафосом и вполне искренне.

И это ужасно.

«Подождите, я скоро умру»

А вот еще телефонный звонок. Прорывающийся сквозь рыдания старушечий голос:

— Владимир Николаевич, это говорит такая-то. Я вас очень прошу, подождите, мне уже недолго осталось, я скоро умру.

Какой-то дурацкий розыгрыш. Я бросаю трубку. Снова звонок:

— Владимир Николаевич, я вас умоляю, не бросайте трубку, выслушайте. Я понимаю, у вас такое положение, вам не терпится, но у меня цирроз печени, общий атеросклероз, уверяю вас, вам долго ждать не придется.

Я, кажется, начинаю сердиться.

— Да что вы ко мне пристали? — говорю я. — С какой стати я должен ждать вашей смерти?

— Владимир Николаевич, — кажется, она тоже сердится, — мне о вас говорили как о порядочном человеке.

— Ну и что с того, что вам говорили? Почему же я при этом должен ждать вашей смерти?

— Значит, вы не хотите ждать?

— Нет, не хочу.

— Да, теперь я вижу (опять в ее голосе слезы), вы не порядочный человек... Вы... вы... вы...

На этот раз трубку бросила она.

— С кем это ты так странно разговаривал? — спрашивает жена удивленно.

— Да ну ее к черту, какая-то сумасшедшая.

Опять звонок. На этот раз звонит наш общий со старушкой знакомый. Она ему звонила, рыдала, жаловалась, и он хочет выяснить, в чем дело, почему я ее обидел. Объясняю, что я ее не обижал, я вообще не понял, зачем она звонила и почему я должен ждать ее смерти. Выясняется: к старушке приходила Вера Ивановна Бунина. Старушка после смерти мужа живет одна в трехкомнатной квартире. Вера Ивановна предложила ей взамен однокомнатную квартиру. «Ваша квартира, — сказала она, — нужна Войновичу».

— Боже мой! — хватаюсь я за голову. — Почему эта Бунина так обо мне хлопочет? И вообще, кто она такая? Дочь того Бунина?

— Нет, она жена нашего Эйдлина. Ну и ну! Пожалуй, пора действовать.

Сбор подписей

В Правление ЖСК «Московский писатель»
                                        Войновича В. Н.

ЗАЯВЛЕНИЕ

В связи с возникновением фантастических проектов относительно освобождающейся квартиры № 66 я вынужден напомнить, что правление является всего лишь исполнительным органом кооператива и распределять жилплощадь по своему усмотрению неправомочно.

Являясь, в отличие от других претендентов на квартиру № 66, остро нуждающимся в улучшении жилищных условий, я категорически настаиваю на том, чтобы эта квартира в соответствии с решением общего собрания была предоставлена мне. Всякие попытки келейно отменить или изменить решение общего собрания считаю незаконными и самоуправными.

17 февраля 1973 г.

— Наглое заявление, — сказал кому-то член правления А. Кулешов.

А Эйдлин, муж Веры Ивановны Буниной, охарактеризовал это заявление как бандитское.

Оценки заявления сами по себе неинтересны, но мне хотелось знать, что ответит правление, а оно ничего не ответило.

Жду день, другой, третий — ответа нет. Достал устав кооператива, вооружился знаниями. Выяснил, что в конфликтных случаях может быть в шестидневный срок созвано внеочередное общее собрание.

22 февраля сочиняю новое произведение:

«В соответствии с уставом кооператива требуем в шестидневный срок созвать общее собрание пайщиков».

Жена пошла по квартирам собирать подписи. Собрать подписи оказалось легче, чем под письмом в защиту Синявского и Даниэля, но труднее, чем под Стокгольмским воззванием. Я. Козловский сказал, что он подписать не может, поскольку он член ревизионной комиссии, его коллега Н. скрылся в неизвестном направлении и не появлялся до тех пор, пока сбор подписей не был закончен, Т. подписалась, но потом просила снять ее подпись, хотя была сконфужена и объясняла свой поступок тем, что им предстоит обмен квартиры и она боится, как бы не сорвалось.

Но в основном подписывались охотно. Одни из чувства справедливости, другие из хорошего отношения к автору этих строк, третьи из ненависти к Турганову и Иванько. Некая дама сказала, что против Турганова она подпишет все, что угодно. Я удивился и спросил, чем наш председатель ей так насолил. Она сказала, что он недавно председательствовал в гаражном кооперативе, откуда был изгнан за воровство. Его даже хотели судить, но потом решили, что это уронит в глазах народа уважение к званию писателя. Последнее сообщение удивило меня еще больше, потому что бережного отношения к званию писателя в последнее время как-то особенно не замечал. Впрочем, я вспомнил, что, когда накануне процесса Синявского и Даниэля выяснилось, что Куприянов с компанией держали тайный притон разврата, это дело было прикрыто по тем же примерно мотивам. Тогдашний секретарь МГК Егорычев сказал, что партия не должна ссориться с интеллигенцией.

23 февраля, собрав полсотни подписей, несу письмо секретарю правления и копию председателю ревизионной комиссии Буниной.

Вскоре выясняется, что я не только бандит. Вера Ивановна обзванивает подписавшихся, стыдит, грозит, требует снять подписи под подметным письмом. Кроме того, она утверждает, что многие подписи недействительны, потому что жены расписывались за мужей, мужья — за жен, а некоторые и вовсе не знали, под чем подписываются. Это мне уже кое-что напоминало. Это напоминало мне кампанию против подписантов. Та же система: шантаж, запугивание подписавших. На более низком уровне, с меньшими возможностями осуществления угроз, но то же самое. Кстати, и мои подписи в защиту осужденных Бунина и Турганов тут же припомнили. И дальше во всех инстанциях райисполкомовских и моссоветовских этот фактор будет иметь значение:

«А вы знаете, что он подписывал письма в защиту антисоветчиков? А вы знаете, что он напечатал за границей антисоветскую повесть и вообще он сам известный антисоветчик?»

Как же после таких сообщений райисполкомовский чиновник может не отказать в квартире! Ведь он тоже должен быть бдительным.

Но что же делать? Уступить Сергею Сергеевичу? Уж тогда-то, наверное, буду я признан патриотом. Впредь до появления новой квартиры.

Писатель Иванько

Пока происходит вся эта катавасия, по двору распространяются новые слухи. Говорят, что в Гослитиздате, где наш уважаемый Сергей Сергеевич полный хозяин, готовится к печати сборник (а некоторые утверждают — двухтомник) оригинальных стихов нашего председателя. Там же готовится и сборник стихотворений Козловского. Там же запланирован и китайский роман в переводе Эйдлина. Напоминаю, Эйдлин — муж Веры Ивановны. Но оказывается, у этой почтенной семьи с Сергеем Сергеевичем давние отношения. Эйдлин — известный китаист, то есть специалист по китайской литературе. И Сергей Сергеевич — китаист, ученик Эйдлина. Кроме того, как вы помните, Сергей Сергеевич — личный друг Николая Т. Федоренко. А Николай Т. Федоренко тоже, кроме всего прочего, китаист. И если вы достанете сборник *Восемнадцать стихотворений* Мао Цзэдуна» (Москва, 1957), то там вы прочтете: «Перевод под редакцией Н. Федоренко и Л. Эйдлина». Вот как тесен мир! Там же помещены переводы Эйдлина и предисловие Федоренко. А поскольку мы уж взяли в руки этот фолиант, я не могу удержаться (а вы уж, пожалуйста, потерпите), чтобы не процитировать один абзац предисловия. Вот он:

«Прочтя на страницах журнала «Поэзия» стихотворение «Люпаньшань», один из героев китайской освободительной войны рассказал, как во время сражения небольшого отряда революционных войск с превосходящими силами врага почти все бойцы погибли, остались лишь два-три человека. Движимые чувством верности партии и народу, они приготовились к гибели. В последний момент они пожелали послушать «голос Центрального Комитета партии». Зазвучал радиоприемник, и до слуха донеслась декламация стихотворения «Люпаньшань». О, что это были за стихи! Они волновали, вселяли мужество, уверенность. Люди почувствовали прилив новых сил и решили пробиться из окружения. И им это удалось».

Об этом эпизоде автор предисловия узнал из статьи китайского поэта, но, чувствуете, сколько личного восторга и личной любви к великому кормчему вложил он в свой пересказ! Прямо хоть сейчас на страницы *Жэньминь жибао*. Но не будем передергивать. Я не думаю, чтобы Николай Т. Федоренко когда-нибудь любил председателя Мао или его творчество. Скорее всего, приведенный отрывок — образец чистейшего лицемерия (я предлагаю автору предисловия опровергнуть сегодня это мое утверждение).

Мы несколько отклонились. Тем более что у меня нет достаточных оснований считать товарища Федоренко участником битвы за квартиру своего личного друга. Но, поскольку уж мы затронули китайскую тему, добавлю еще один штрих к портрету нашего героя, штрих, который я хотел нанести в конце своего рассказа. Как вы увидите впоследствии, в борьбу за четвертую комнату Иванько вовлек очень крупные силы. Его покровители требовали для него особых привилегий на том основании, что он крупный государственный деятель и крупный писатель. За него хлопотали издательства и кое-кто в Союзе писателей, где он, недавно туда вступив, числится уже не просто рядовым членом, а состоит во всяких руководящих органах. И однажды я поинтересовался: а что же он написал, этот писатель? В Ленинской библиотеке я выяснил, что там зарегистрировано одно произведение писателя: «Тайвань — исконная китайская земля». М., 1955, 44 стр. с картами.

По этим данным трудно составить представление о степени дарования нашего писателя, но зато можно уверенно утверждать, что по части территориальных притязаний он вовсе не новичок.

Иванько за океаном

Вернемся, однако, к нашему сюжету. Как ни трудилась Вера Ивановна Бунина на ниве дискредитации наших доморощенных подписантов, они уперлись и ни в какую не хотят снимать свои подписи. Один из членов правления понес письмо Председателю, но Турганов отказался принять и письмо, и члена правления. Он, Турганов, устал, он не только Председатель, но и человек, причем советский человек, и, как все советские люди, имеет право на отдых. А сегодня 23 февраля — День Советской Армии, а завтра суббота, а послезавтра воскресенье...

— Двадцать шестого, в понедельник, приходите, тогда разберемся.

А двадцать шестого новая незадача — наш уважаемый срочно вылетел в Соединенные Штаты, по выражению одного моего знакомого, «шуровать насчет авторской конвенции»[1]. Вы представляете себе положение Пред-

---

[1] Именно Иванько был одним из тех, кто вел за границей переговоры о присоединении СССР к упомянутой конвенции.

седателя? Пока он тут с Верой Ивановной держит оборону, стоит насмерть, его высокопоставленный протеже несется сквозь Атлантический океан в страну желтого дьявола и ничем не может помочь Председателю. А представьте положение самого протеже. Вот он летит в этом «Боинге». Дело, конечно, неплохое. Отчего бы лишний раз не смотаться в цитадель империализма, не прибарахлиться на сэкономленную валюту? Но пока он летит, этот антисоветчик, бандит, подписант небось уже вламывается в квартиру Куперштока и расставляет свою убогую мебель. И что же теперь делать? Оставаться в своих трех комнатах? Без кабинета? Ведь даже унитаз лишний и то, извините, поставить некуда. И супруга нашего героя, слабая беззащитная женщина, тоже волнуется. Муж, можно сказать, рискуя собой, полез прямо в пасть к акулам империализма, а тут говорят о каком-то собрании. Мадам Иванько доставляет в контору заявление с просьбой отложить рассмотрение их жилищного вопроса до возвращения мужа из заграничной командировки.

Разве Турганов может отказать слабой женщине?

И он тянет время.

2 марта он собирает правление, на котором с горечью сообщает, что в кооперативе в последнее время создалась очень нездоровая обстановка. В то время как наш уважаемый Сергей Сергеевич выполняет ответственное государственное задание, некоторые лица бомбардируют правление угрожающими заявлениями и собирают подписи под подметными письмами.

Вы поняли намек? Некоторые лица через подметные письма стремятся сорвать ответственное государственное задание, то есть выступают против политики партии и правительства.

— И представьте себе, — ведет свою линию Вера Ивановна, — что большинство подписей принадлежит не членам кооператива, а их родственникам. Причем многие мне говорили, что они даже не видели, что подписали.

Естественно, члены правления удивлены, потому что некоторые из них сами подписывали это письмо.

Тем не менее Турганов назначает общее собрание на 11 марта.

Из дневника

5 марта наш уважаемый возвращается на Родину.

Несмотря на трудности, на угрожающие заявления, на подметные письма, он с честью выполнил задание партии. Пора подумать и об устройстве личного быта.

6 марта встречаю во дворе Галича.

— Ты слышал? — говорит он мне. — Иванько отказался от своих притязаний.

— Да ну!

— Абсолютно точно. Приехал, узнал, что здесь такой скандал, и тут же отказался. Ты же понимаешь, он чиновник, в случае чего пришьют злоупотребление властью, у них с этим строго.

— Раньше было строго, — сомневаюсь все-таки я. — А теперь это, может, так принято.

— Да что ты, что ты! Ты не понимаешь психологии чиновника: он открыто на такое дело никогда не пойдет. Точно тебе говорю, он отказался.

7 марта интересующимся я говорил, что Иванько больше мне не соперник.

8 марта, в Международный женский день, сижу дома, говорю с кем-то по телефону. Звонок в дверь. Соседка.

— Вас просят в контору, там идет правление.

Лечу как на крыльях: неужто вручат ключи?

В небольшой полуподвальной прокуренной комнате заседает высокий суд. Вот сам Председатель, вот сама

Вера Ивановна, другие члены правления, и среди них вполне скромно наш уважаемый в водолазке.

— Владимир Николаевич, — торжественно, как на юбилее, обращается ко мне Турганов, — мы хотим предложить вам вариант, который, вероятно, будет для вас приемлем. Не согласитесь ли вы взять квартиру Садовских в вашем подъезде?

Опять двадцать пять!

— Не соглашусь.

— Почему?

— Потому, во-первых, что это квартира мифическая, Садовские менять ее не собираются...

— Это не ваша забота! — выкрикивает Бунина.

— Во-вторых, — продолжаю я свои возражения, — не как претендент на квартиру 66, а как член кооператива, я против того, чтобы Иванько получал без очереди то, что ему не положено по закону.

Вскакивает наш уважаемый, вскакивает совсем несолидно.

— А-а-а-а-а, почему вы думаете, что я хочу получить больше, чем вы?

И в самом деле, почему я так думаю? Он хочет прибавить к своей квартире одну комнату, и я хочу того же.

— Я не только не намерен помогать вашим усилиям услужить товарищу Иванько, но, наоборот, буду всячески им препятствовать. У нас есть очередь, более нуждающиеся...

— А вы думаете о себе! — снова выскакивает Вера Ивановна.

— Вам не следует меня учить, о ком я должен думать.

— А почему вы, — говорит Турганов, — думаете, что квартиру Куперштока вы получите раньше, чем квартиру Садовских?

— А потому, — говорю я, — что квартира Куперштока свободна и у вас нет никаких оснований задерживать ее передачу мне.

Мое высказывание воспринимается как величайшая дерзость.

— Уважайте Председателя, — требует Турганов, — уважайте членов правления!

На этом переговоры окончены.

Говорят, после моего ухода Иванько, осуждая мою неподатливость, сказал:

— У нас в комитете ежедневно происходят сотни безобразий, но я же против них не протестую!

Вот как! Он не только не смущен своим непротивлением безобразиям, но и выдает такую позицию за образец гражданской доблести. И предлагает другим следовать его примеру, то есть не протестовать против безобразий, чинимых им[1].

10 марта, накануне собрания, опять заседает правление. К этому заседанию я подготовил юридическую справку, которую для наглядности привожу целиком.

НЕБОЛЬШОЙ СРАВНИТЕЛЬНЫЙ АНАЛИЗ ПРАВ ДВУХ ПРЕТЕНДЕНТОВ НА ОДНУ КВАРТИРУ
(составлен только на основе Закона без учета морального фактора)

Иванько

1. Втроем имеет право на квартиру площадью 27 + 20 = 47 кв. метров. Занимает квартиру площадью 50,5 кв. метра. По закону НУЖДАЮЩИМСЯ в улучшении жилищных условий не считается.

---

[1] Высказывание Иванько напомнило мне письмо из провинции одного преследуемого властями баптиста. Начальник местной милиции высказал ему великолепное соображение. «Толстой, — сказал он, — тоже был баптистом (!). Но он не противился злу, а вы противитесь».

2. Хочет присоединить к своей квартире комнату от квартиры № 66 площадью 17,5 кв. метра. 50,5 + 17,5 = 68 кв. метров. На этот счет существует положение: «После окончания строительства дома (домов) кооператива каждому члену кооператива предоставляется в соответствии с размером его пая и количеством членов семьи в постоянное пользование отдельная квартира жилой площадью не более 60 кв. метров» (Примерный устав ЖСК, пункт 16).

3. В очереди на улучшение жилищных условий состоит (допустим) с октября 1972 года, хотя странно, что до сих пор об этом никому не было известно.

В о й н о в и ч

1. С учетом ожидаемого ребенка имеет право на те же 47 кв. метров. Занимает однокомнатную квартиру жилой площадью 24,41 кв. метра. Считается ОСТРОНУЖДАЮЩИМСЯ в улучшении жилищных условий.

2. Состоит в очереди на улучшение жилищных условий с 1969 года.

3. Общее собрание 27 января с.г. постановило (а не рекомендовало, как утверждает Б. Турганов) предоставить Войновичу первую освободившуюся двухкомнатную квартиру, каковой и является кв. № 66.

Резюме:

1. В соответствии с решением общего собрания квартира № 66 должна быть предоставлена Войновичу.

2. Иванько вообще не имеет права на улучшение жилищных условий.

«Мы его боимся»

10 марта вечером поступает победная реляция. Знакомый член правления сообщает по телефону:

— Володя, если у вас есть что выпить, вы можете это сделать. По этому случаю можете разрешить немножко и Ирочке. Правление большинством, правда всего в один голос (четыре против трех), проголосовало за вас. Турганов сказал: «Ну вот, был бы Кулешов, и результат голосования выглядел бы иначе». Но мы добились главного: завтра правление будет докладывать точку зрения большинства.

Откровенно говоря, какую точку будет докладывать правление, меня мало интересовало.

Я был уверен, что собрание — а решать вопросы распределения жилья правомочно только оно — будет на моей стороне. Тут уж в силу вступит и моральный фактор, то есть нечто такое, чему мой соперник напрасно не придает никакого значения.

Но того же 10 марта автору этих строк передали слова жены писателя Воробьева. «Мы, — сказала она, — конечно, всей душой за Войновича, но голосовать будем так, как захочет Иванько, потому что мы его боимся».

Утром 11 марта, перед собранием, кто-то предложил Иванько отступиться. «Нет, — сказал он, — эту квартиру я Войновичу уступить не могу. У меня это единственный шанс, и я его не упущу».

Он, похоже, не сомневался, что решение вопроса зависит только от его воли.

Первое поражение уважаемого

И вот собрание. Обсуждаются текущие вопросы. Состояние финансов, озеленение двора, уточнение списка очередников и т.д. Наконец, переходят к тому, ради чего, собственно, и собрались. Председатель собрания сообщает: прошлый раз, учитывая нужду Войновича в улучшении жилищных условий, следуя принципу очередности и т.д. и т.п., собрание решило предоставить ему первую освободившуюся двухкомнатную квартиру. Поскольку теперь такая квартира есть, правление считает, что во исполнение предыдущего решения она и должна быть предоставлена Войновичу. Есть ли у кого возражения?

— Есть! — Уважаемый конкурент поднимает ручку. Он поднимает ее несколько странным образом — все пальцы согнуты, и только один высовывается эдаким пренебрежительно-вялым крючком.

— Пожалуйста. — Председатель всем своим видом выражает полное расположение к нашему уважаемому Сергею Сергеевичу.

Уважаемый объясняет лениво, понимая, что это пустая формальность, вроде предвыборной речи. У него трехкомнатная квартира, но две комнаты смежные, а одна маленькая, поэтому ему нужна еще одна комната. Как раз есть возможность отделить комнату от квартиры № 66 и присоединить к его квартире. Тут выступал один товарищ и говорил, что тринадцать лет ждет возможности улучшить свои условия. Что ж, и ему теперь ждать тринадцать лет? Что? Нельзя ломать капитальную стену? Он не сомневается, что разрешение на это будет им получено. Есть возражения, что его квартира превысит законные нормы, пусть и об этом товарищи не беспокоятся, в соответствующих инстанциях — непроизвольное движение пальца по направлению к потолку — все будет согласовано. В подтексте: ваше дело — только поднять конечности, а дальше уж и без вас как-нибудь разберутся.

Председатель собрания — весь воплощение объективности — просит голосовать: кто за то, чтобы предоставить квартиру Войновичу? Кто против? «За» — 75, «против» — три: сам уважаемый (опять держит указательный палец крючком), Бажова и еще одна дама, которая, разволновавшись, как подняла руку «за», так и не опустила ее, когда голосовали «против».

Турганов дернул рукой:

— Я воздерживаюсь.

После этого началась небольшая склока, которую я бы не стал пересказывать, если бы она не была связана с еще одним штрихом к портрету нашего героя. Выступили некоторые из присутствующих и стали выражать свое удивление по поводу происходящего. И стали говорить, что кое-кто из членов правления, председатель кооператива и председатель ревизионной комиссии ведут себя слишком странно и не стоит ли их на следующем собрании переизбрать. С мест раздались выкрики, мол, зачем же на следующем, когда можно сейчас. Создалась, по мнению Турганова, совсем уж нездоровая обстановка. И тут вновь на сцене появился наш уважаемый обожаемый и сообщил, что в такой нездоровой обстановке работать не желает и заявляет о своем выходе из правления.

— Я не хочу участвовать в ваших дрязгах, — сказал он.

Рыданий по этому поводу не было, были аплодисменты. С безумным видом и шапкой в руках ринулся на подмостки переводчик Козловский. Он не понимает, чему здесь аплодируют, считает восторг по поводу выхода Сергея Сергеевича из правления неуместным и в знак протеста покидает ревизионную комиссию. И это заявление было встречено аплодисментами. С трясущейся губой поднялся наш Председатель. Начали было аплодировать и ему, но, как выяснилось, поспешили. Оказывается, он покидать свое место не хочет. Он хочет остаться Фигурой в масштабе района. Товарищи, может быть, не знают, но он очень много времени тратит на работу в кооперативе. У него есть красная тетрадь. В ней подробно отражена вся его деятельность. В следующий раз он эту тетрадь обязательно принесет и покажет товарищам. Владимир Николаевич (нижайший поклон в мою сторону) напрасно беспокоится. Раз такова воля собрания, то он, Председатель, обязан и будет ее выполнять. Он приложит все силы, чтобы принятое решение было проведено в жизнь без проволочек.

На этом собрание было закончено. Покидая его, я столкнулся в коридоре со своим побежденным соперником. Вид у нашего уважаемого обожаемого был жалкий, растерянный. На лице ничего, кроме страдания. Еще бы! Только что он потерпел полное фиаско. Ему же не просто не дали, чего он хотел. Ему в лицо плюнули, его не признали достаточно большим человеком. И вот ведь что еще странно: ни один из его клевретов — ни Бунина, ни Кулешов, ни Козловский — не подняли руку в его защиту. Почему? А потому, что своя рубашка ближе к телу. Они за уважаемого только до тех пор, пока сила на его стороне. Чуть уважаемый качнулся, они — в кусты. Кроме того, они реалисты, они понимают — три-четыре голоса лишних ничего не решат. Надо затаиться, выждать и потом нанести удар. Кому? Смотря по обстоятельствам. А вдруг с уважаемым что-то случится, и у него не будет врагов страшнее. А если с ним ничего не случится, то друзья остаются друзьями.

Таким образом, Иванько потерпел поражение, и вы, читатель, вероятно, полагаете, что на этом конец всей истории. Но вы же видите, что это не последняя страница нашего повествования. Значит, было что-то еще? Что именно? Получение ордера, радостный переезд и шумное новоселье? Ради описания таких заурядных личных торжеств автор не стал бы тратить время свое и ваше. Описанное выше — только одна часть истории. Первая часть. Вторая часть будет поинтереснее, ради нее и написана первая.

ЧАСТЬ II

«Они у меня попляшут»

Часть вторая хронологически начинается сразу после первой без всякого промежутка. Только что кончилось собрание. Возбужденные его результатами пайщики высыпали в освещенный весенним сиянием двор и роились там отдельными кучками, обсуждая происшедшее событие с разных сторон. Не спешил домой и наш уважаемый. Он стоял посреди двора, окруженный своими клевретами. Заложив руки за спину и подрагивая правой ногой, он сказал громко, желая быть услышанным всеми:

— Ничего, я им это дело поломаю. Они у меня еще попляшут.

«Они», как вы понимаете, — это жильцы нашего дома, пайщики ЖСК «Московский писатель». То есть довольно большая группа людей, которая, когда нужно, называется коллективом. В условиях нашей системы коллектив — это чуть ли не святая святых. Будь собрание на стороне Иванько, он бы в своих дальнейших усилиях это обстоятельство непременно использовал. Он опирался бы на мнение коллектива, он поднимал бы авторитет коллектива, он призывал бы уважать коллектив. Но коллектив, голосующий против него, — это уже не коллектив, а «они», которых он намерен превратить в ансамбль песни и пляски.

Вышесказанные слова Иванько немедленно распространились по двору и достигли ушей автора настоящих записок. Но, находясь в состоянии понятного благодушия, автор не придал этим словам никакого значения. Мало ли что человек скажет в запале...

Встреча с пророком

Между прочим, в тот день, 11 марта, как уже было отмечено выше, стояла хорошая солнечная погода. И автор этих строк решил прогуляться по солнышку.

И встретил во дворе того самого пайщика, который в начале нашего рассказа предрекал (помните?): «Вы эту квартиру получите, но с очень большим трудом».

— Вы человек умный и даже почти пророк, — сказал при встрече автор этому пайщику. — Объясните мне, пожалуйста, на что рассчитывал наш уважаемый? Ведь он, говорят, неглуп. Он же мог понять, что на сочувствие собрания ему надеяться нечего.

— Вы ошибаетесь! — горячо возразил автору собеседник. — Он ничего понять не мог. Он привык, что собрания проводят по заранее написанным нотам. Все решается в подготовительной стадии, а собрание — это уже просто торжественный парад: приняли, постановили, поддержали, одобрили. Впрочем, для него борьба еще не окончена. Если вы согласны с тем, что я пророк, запишите еще одно мое предсказание. Слова Иванько, что еще все попляшут, отнюдь не пустая угроза. Он вам еще крови на этом деле попортит немало, вот увидите.

Добрый совет

Как в воду глядел.

Проходит несколько дней, встречаю во дворе... кого бы вы думали? Ну, конечно, Козловского.

— Старик, — припадает он к моему левому уху, — ты знаешь, где я был?

— Ну давай, не томи, добивай сразу.

— Старик, я был у Мелентьева.

— Неужели тебе удалось достигнуть таких вершин? Ты видел живого Мелентьева! Дай я тебя хоть пощупаю.

— Старик, не трогай, я боюсь щекотки. Ты знаешь, что мне сказал Мелентьев? Он сказал: «Передай Войновичу, что он эту квартиру ни за что не получит».

— О боже! Сам Мелентьев! Так и сказал: «Передай Войновичу»?.. Значит, он знает вообще, что я существую! Сам Мелентьев... С такой высоты!

Козловский огорчен:

— Ты, старик, я вижу, человек несерьезный. Послушай доброго совета: не валяй дурака, соглашайся на квартиру Бажовой, пока дают. Или вот что. Знаешь, что бы сделал я на твоем месте? Я на твоем месте, — он оживляется, словно на него вдруг нашло озарение, — позвонил бы Иванько.

— А я бы на твоем месте знаешь что сделал? Для начала я перестал бы быть холуем при Иванько.

— Ах вот как! Ну смотри... Я тебе все сказал.

Потом он кому-то сказал:

— Про меня говорят, что я холуй при Иванько. А мне Иванько не нужен, у меня есть Расул Гамзатов.

— Яшка, — встретив Козловского, сказал ему один человек, — почему ты так усердно действуешь против Войновича? Ведь когда речь шла о квартире, которую получил Липатов, ты звонил по всем телефонам, говорил, что Войнович замечательный[1] писатель и что, если мы не дадим квартиру ему, ты напишешь письмо прокурору.

— Да, говорил, потому что я хотел насолить Воробьихе...

Новые фигуры

Проходит еще день-другой, и тот же Козловский разносит по двору новый слух. Председатель Госкомиздата Стукалин написал письмо председателю Моссовета Промыслову, и тот наложил благоприятную для

---

[1] Мне неловко повторять этот эпитет, но я делаю это не из хвастовства, а для характеристики Козловского.

Иванько резолюцию. Будет новое собрание, на котором в пользу Иванько выступит Симонов. Симонов сейчас отдыхает в Крыму, но к собранию непременно вернется. Представляете, введены в действие такие фигуры! Это уже не в масштабе района, это повыше. Если события и дальше будут развиваться в том же направлении, то страшно даже подумать, до каких верхов мы доберемся.

Читайте классику

Проходят две недели после собрания, с каждым днем распространяются все более зловещие слухи, а квартира стоит запечатанная, я ходил, я видел, там висит приклеенная полоска бумаги с круглой печатью домоуправления. Бумажка эта никакой законной силы не имеет, но при общем почтении к печатям лучше ее не трогать. Но ведь прошло две недели, и Кленов-Купершток получил уже, говорят, квартиру с видом на Стену Плача, а что же происходит у нас? Почему мне не дают ключей, почему не вручают ордер в торжественной обстановке? Можно и в газете дать небольшую заметку о наших достижениях: вот, мол, еще одна семья справила новоселье. А ордер не дают, потому что решение собрания еще не утверждено райисполкомом. А райисполком, может, и рад бы (не рад, как мы увидим), но утверждать ему нечего, документы еще не представлены. Почему же они не представлены? У кого бы узнать? Ба, да вот же он. Председатель, собственной персоной, передвигается вдоль двора с большим портфелем под мышкой. Демократично переставляет ноги, как простой смертный, и при этом — не поверите — без всякой охраны. Запросто к нему можно приблизиться.

— Борис Александрович, что же это происходит? Неужели до сих пор нельзя было оформить бумаги?

Борис Александрович прямо трясется от праведного негодования. Нет, не по адресу назойливого просителя, а по адресу нерадивых работников домоуправления.

— Вы понимаете, для перепечатки документов нужна машинка с большой кареткой, а они эту машинку достать не могут. Безобразие! А потом все валят на Председателя. Председатель во всем у них виноват. Председатель им и машинку должен достать. Сами не могут.

Давайте посмотрим в глаза Председателю. Что в них, за стеклами очков? Нет, кажется, все в порядке. Как сказал поэт: «Глаза его не лгут. Они правдиво говорят, что их владелец плут».

Правду сказать, я человек бесхитростный. Во всяком случае, кажусь таковым самому себе. Но...

На мое счастье, накануне, чтобы успокоиться, я перечитывал *Дубровского*. И набрел на то место, где заседатель Шабашкин прислал Андрею Гавриловичу «приглашение доставить немедленно надлежащие объяснения насчет его владения сельцом Кистеневкою». Старик, как известно, будучи уверен в своих правах, ответил довольно грубым письмом. Казалось бы, Шабашкин должен был оскорбиться. Ан нет. «Письмо сие произвело весьма приятное впечатление в душе заседателя Шабашкина. Он увидел во 1) что Дубровский мало знает толку в делах, во 2) что человека столь горячего и неосмотрительного нетрудно будет поставить в самое невыгодное положение».

Прочтя это место, я поразился, насколько описанная ситуация подходит к нашей истории. И подумал, что попал в положение старика Дубровского тем же примерно характером. Я тоже, во-первых, мало знаю толку в делах и, во-вторых, горячусь и бываю неосмотрителен. И это при том, что против меня действует не один, а целая шайка Шабашкиных. И я подумал: ведь должна же нас литература чему-то учить. И хоть один практический урок из нее надо извлечь. Нет уж, господа Шабашкины, я постараюсь не повторить ошибок Андрея Гавриловича. Я буду сдержан и хладнокровен. Я не буду действовать по первому импульсу. Я буду действовать обдуманно и расчетливо, и, если уж вы взяли своим оружием хитрость, я стану хитрее вас.

— Борис Александрович, — говорю я, — Кленов, как вы знаете, уезжая, внес, как это полагается, ремстройконторе деньги за ремонт квартиры.

— Да, да, — согласно наклоняет голову Председатель.

— Так вот, пока ваши подчиненные ищут машинку с большой кареткой, зачем же квартире простаивать? Мне кажется, даже независимо от того, кому она достанется, следует обратиться в контору, пусть присылают рабочих и начинают ремонт.

— Этими вопросами я не занимаюсь, — говорит Председатель брезгливо, — этим занимается управдом.

Да и правда, как я мог подумать, что он, Председатель, станет опускаться до таких мелочей.

Полковник Емышев

Заглянем в контору. Там за столом сидит управдом Михаил Федорович Емышев, коммунист с 1932 года. Иногда он говорит — с тридцать третьего, но при таком большом стаже можно и сбиться со счету. Обращаюсь к нему по имени-отчеству, объясняю: машинка с большой кареткой... Кленов... деньги... ремстройконтора. Вместо ответа он в сжатом виде начинает мне рассказывать свою биографию:

— Ты пойми, Владимир, я — полковник. У меня пенсия двести рублей. Мне эти ваши дела не нужны, кто тут чего. Я свои сто двадцать рублей, кроме пенсии, всегда заработаю. Я член партии с тридцать первого года...

Это, конечно, очень похвально, но я все же напоминаю ему о цели своего визита. Деньги... Кленов... ремстройконтора. Он морщится, опять я с этими мелочами.

— Да ты ж пойми, я — полковник...

— Я понял, Михаил Федорович, я оценил. Мы должны беречь и умножать боевую славу наших отцов, но я к вам сейчас по поводу ремстройконторы. Дело в том, что Кленов, уезжая, оплатил ремонт квартиры, так нельзя ли им туда позвонить, чтобы прислали рабочих?

— Нет, ты меня не понял...

— Понял, понял. Так и вижу вас с тремя звездами на погонах, под знаменем, опаленным огнями сражений... Не болят ли к дождю старые раны?

— Чего?

— Да я все насчет ремонта. У вас, наверное, наряд есть на ремонт. Вон в этом ящике, откройте его. Да вот же он, наряд, вот он. Я понимаю, боевые воспоминания нахлынули, взор затуманен, неплохо бы похмелиться, но, ничего не поделаешь: раз партия доверила вам этот высокий пост, нужно работать.

Экс-полковник медлит, не зная, что делать. Мирные будни бывают иногда труднее горячих сражений. Он достает из ящика наряд, кладет его на стол, потом опять в ящик, потом опять на стол, набирает номер телефона Турганова, тот не отвечает.

— Ты пойми, — вздыхает управдом, — я свои сто двадцать рублей везде заработаю.

— Все правильно, — соглашаюсь я, — но заработайте их сначала здесь. Дайте наряд... Да не держите, а то порвем. Важный все-таки документ. Так, что нам нужно посмотреть? Номер наряда, номер счета, номер телефона, адрес конторы. Ну вот. Теперь я поеду в эту контору, договорюсь насчет ремонта. Привет!

В этот раз мне так и не удалось дослушать до конца славную биографию нашего управдома.

Коварный замысел

Вы поняли, почему я так заботился о ремонте? Ну, во-первых, для того, конечно, чтоб что-то покамест делалось. Во-вторых, я разработал стратегический план, который вам станет ясен впоследствии.

Описывать свои злоключения в ремстройконторе не буду, они знакомы каждому. Сначала затерялся наряд, потом выяснилось, что клеевую окраску делает только один маляр, а его нет, он сейчас работает где-то на улице Горького, и сколько еще там провозится, неизвестно — может, неделю, а может, месяц.

— Ждите, — говорят.

Ждать-то нам не впервой, но время, как говорится, не ждет. Слухи что ни день, то тревожнее. Во дворе, кажется, ни о чем другом не говорят, как об этой квартирной склоке. Только и слышно: Стукалин, Промыслов, Мелентьев, Иванько... ну и мою фамилию иногда в таком почетном ряду поминают.

Расположенные ко мне члены правления советуют сходить к Ильину.

— При чем здесь Ильин? — спрашиваю. — Почему вы сами не можете высказаться со всей определенностью?

Опять смотрят на меня как на ненормального.

— Ты что, не понимаешь?

Не понимаю.

Но делать нечего. Надеялся я, что никогда больше не переступлю этого порога, да вот поди ж ты...

Генерал Ильин

Итак, представим читателю еще одного участника нашей драмы. Ильин Виктор Николаевич, секретарь Московского отделения Союза писателей по организационным вопросам, генерал-лейтенант госбезопасности, заслуженный работник культуры РСФСР. Участник Гражданской войны. Служба в органах отмечена орденами, почетным оружием и десятью годами заключения (по его словам, отказался дать показания против своего друга). Заслуги в области культуры давние.

— Я с писателями работаю с двадцать четвертого года, — говорит он.

Теперь, как большинство работников карательных служб, сентиментален.

— Вы слышали: умер Игорь Чекин, мой ровесник. Подходит очередь нашего поколения. Как сказал Олеша: снаряды рвутся где-то рядом. — И за стеклами очков в золотой оправе скупая мужская слеза.

Иногда показывает пожелтевшую фотографию двух малышек с бантиками: вот какими он их оставил, уходя «туда». Он мог бы их не оставлять, если бы согласился стать предателем. Как ни странно, он вспоминает эту историю тогда, когда вымогает от собеседника именно предательства:

— Вот если бы вы были честным человеком, вы сказали бы, кто дал подписать вам это письмо. — Но тут же и отступает: — Нет, нет, я на этом не настаиваю. — А немного погодя и совсем наоборот: — Обратите внимание, я не спрашиваю, кто дал подписать вам это письмо.

Однажды, подыгрывая ему, я сказал:

— Виктор Николаевич, но ведь вы в свое время тоже не поверили в виновность какого-то человека и даже пострадали за него.

— Так это же был мой друг, — сказал он взволнованно. — Я его хорошо знал.

С теми, кого знал недостаточно хорошо, он поступал иначе.

В лагере, говорят, вел себя прилично. После освобождения трудился где-то на стройке, потом вернулся к работе с писателями. Охотно выполняет бытовые просьбы. Если вам надо установить телефон, устроить родственника в больницу, записаться в гаражный кооператив, получить место на кладбище, идите к нему. Он куда надо позвонит, напишет толковое письмо (он в этих делах понимает). Но если ему прикажут убить вас, убьет.

— Я всегда был верен партии, таким и сдохну, — это его слова.

Его представления о литературе вполне примитивны, но он себя и не выдает за знатока. А вот уж что касается следственной части, тут он профессионал (и, думаю, это самый большой комплимент, который он хотел бы услышать). К своим следственным обязанностям он относится отнюдь не формально. Он думает, изобретает, как бы похитрее заманить вас в ловушку, подставить под удар, использовать вашу ошибку. Он играет с вами, как сытый кот с мышью, когда не только результат, но и процесс игры важен. При этом он может не испытывать к вам никакой вражды или может даже симпатизировать вам, это не имеет никакого значения и никак не отражается на его действиях по отношению к вам. У него есть свои достоинства. Вы можете на него накричать, он не обидится (хотя в интересах дела может сделать вид, что обиделся), вы можете ему льстить, он не поверит. Он еще немножко актер, и его отношение к вам в данный момент ничего не значит. И если он проходит мимо вас, не здороваясь, или, наоборот, кидается в объятия, не обращайте внимания, просто он хочет произвести на вас определенное впечатление. На самом деле, не здороваясь, он на вас не сердится, а обнимая, он вас не любит. Но главное впечатление, которое он хочет на вас произвести всегда, это, что теперь, когда идеалы ставятся невысоко, может быть, он и чудак, но он служит партии, и только ей, и ради нее готов сидеть хоть в кабинете секретаря Союза писателей, хоть в тюремной камере. Про него говорят, что он держит слово. Это не совсем так. Держать слово не всегда входит в его планы, не всегда под силу ему, специфика его работы не позволяет ему не давать пустых обещаний, но, когда он что-то пообещал, смог выполнить и выполнил, он бывает явно доволен и выражения благодарности принимает охотно...

Воспоминания...

Итак, кабинет Ильина.

Начиная с 1968 года мне здесь неоднократно объясняли, что я поставил свое перо на службу каким-то разведкам и международной реакции, напоминали высказывание основоположника социалистического реализма: «Если враг не сдается, его уничтожают». Здесь меня допрашивали и сам хозяин кабинета, и комиссия, созданная для расследования моей деятельности (можно гордиться — такой чести не каждого удостаивали), и секретариат в полном составе. Здесь происходили (да и сейчас происходят) сцены, достойные пера Кафки и Оруэлла. Здесь писатель Тельпугов сказал по поводу «Чонкина» так:

— Этим произведением не мы должны заниматься, а соответствующие органы. Я сам буду ходатайствовать перед всеми инстанциями, чтобы автор понес наказание. Не важно, как оно попало за границу. Если б оно даже никуда не попало, а было только написано и лежало в столе... Если б оно даже не было написано, а только задумано...

Вот как ужаснул его мой скромный замысел. Но его собственный замысел посадить в тюрьму человека только за то, что он задумал какое-то сочинение, пусть нехорошее, но даже не написал, не ужаснул никого из свидетелей этого разговора. Напротив, они кивали: да, правильно.

И размышления

Я часто думал, почему в Союзе писателей так много бывших (и не только бывших) работников карательных служб. И понял: потому что они действительно писатели. Сколько ими создано сюжетов, высосанных из пальца! И каких сюжетов! Подрывные организации, распространившиеся по всей стране. Многочисленные связи с иностранными разведками. С фашистскими, троцкистскими, сионистскими и прочими центрами. Портативные передатчики, бесшумные пистолеты, чемоданы с двойным дном, шифры, явки, адреса, валюта, секс, порнография, убийства из-за угла, подкуп, шантаж, цианистый калий, диверсии и провокации... Сколько всего напридумано ими, безвестными следователями соответствующих органов! Возьмите хотя бы знаменитую теперь стенограмму процесса Бухарина и других. Не относитесь к ней как к документу, ибо это не документ, не думайте о методах следствия, о том, почему Крестинский давал сперва одни показания, потом другие, отнеситесь к ней как к художественному произведению. И вы согласитесь, что до сих пор в мировой литературе ничего подобного не читали. Какие выпуклые характеры! Какой грандиозный сюжет, как все в нем сцеплено и взаимосвязано! Жаль только, что действующими лицами были живые люди, а так что ж, почитать бы можно.

В кабинете

Ильин встретил меня настороженно, стул предложил, но руки не подал. И неудивительно. Только что здесь был Коржавин. Просил характеристику для выезда в Израиль. Может, и я за тем же. Но, узнав, что я всего лишь по квартирному делу, он просто расцвел и стал говорить мне «ты» в знак полного расположения.

— Ну что ты беспокоишься, — сказал он. — Собрание решило в твою пользу, значит, все в порядке. Ну конечно, возможно, Мелентьев будет использовать свои связи и защищать Иванько, но из этого у них ничего не выйдет. Кто этот Турганов? Это переводчик с украинского? Ну что ты. Пока беспокоиться нечего. Вот когда тебе откажут, тогда мы обратимся в райисполком.

Затем он посетовал, что я далеко стою от организации, передал привет моей жене и просил успокоить ее.

— Ей, — сказал он, — в ее положении нельзя волноваться.

Разговор по телефону

Если бы Председателя Турганова, как президента Никсона, заставили представить магнитофонные ленты с записями разговоров по поводу квартиры № 66, то среди них мы непременно обнаружили бы ту, в которой содержался разговор, состоявшийся по телефону 3 апреля 1973 года между Председателем и автором этих строк. Вот его не дословная, но более или менее точная запись:

— Борис Александрович, я слышал, что завтра в райисполкоме будет утверждаться протокол собрания от 11 марта.

— Да, да.

— И значит, вопрос по поводу моей квартиры там тоже будет утверждаться?

— Нет, ваш вопрос завтра решаться не будет. Он будет разбираться отдельно.

— Почему отдельно?

— А это мне неизвестно.

— Борис Александрович, вы уж, пожалуйста, извините, если что не так, но, мне кажется, вы забыли о своем обещании и опять занимаетесь махинациями.

— Владимир Николаевич, в таком тоне я с собой разговаривать не позволю.

— Борис Александрович, мне трудно с вами разговаривать в другом тоне. Мне кажется странным, что вы, считая себя человеком неглупым, не понимаете, что в конце концов вас просто выгонят из председа...

Обрыв разговора, частые гудки: ту-ту-ту-ту.

Магнитофон хорош тем, что сохраняет не только слова, но и интонацию, которая иногда усиливает и подчеркивает сказанное, иногда придает словам обратный смысл. На прослушанной нами пленке две основные интонации: сначала злорадство, переходящее в ликование, затем благородное негодование.

Инспектор Бударин

Теперь обратимся к районному инспектору по кооперативам товарищу Бударину. Конечно, он нам скажет, что сегодня не приемный день и справки не выдаются. Но если мы проявим немножко настойчивости...

— Да, завтра будут разбираться другие дела. Ваше не будет.

Резолюция товарища Промыслова

Тем не менее завтра, 4 апреля, пишущий эти строки решил посетить райисполком и лично убедиться, что его дело не будет рассмотрено. И вот мы идем втроем: управдом Емышев, один из членов правления и ваш покорный слуга.

По дороге управдом, видя во мне благодарного слушателя, рассказывает:

— Ты пойми... Как тебя... Владимир, да? Ты пойми, я член партии с тридцать второго года, я — полковник.

У меня орденов — во! — проводит рукой ниже пояса. — У меня пенсия двести рублей. А здесь я получаю сто восемнадцать. Да я эти деньги везде заработаю. Зачем же мне разбирать эту грязь? По мне, хоть вы все живите в пятикомнатных квартирах. Я же полковник...

Пришли в исполком. Говорят, надо обождать. Ждем.

— Ты пойми, — внушает управдом, — про меня говорят, что я дружок Турганова. А я ему не дружок. Я — полковник. У меня пенсия двести рублей. Я работал в научно-исследовательском институте заместителем директора. Директор — академик Юдаев, а я заместитель. А вот пришлось уйти. Мне платили сто двадцать, а потом прибавили еще шестьдесят. Пришлось уйти.

— Почему? — удивился я. — Ведь хорошо, что прибавили.

— Да нет, ты пойми, Владимир. Я — полковник. У меня пенсия двести рублей. А еще я могу получать сто двадцать.

— Ну так сто двадцать все равно остаются.

— Не понимаешь, — огорчается управдом. — Я член партии с тридцать второго года. Значит, мне плотют пенсии сто двадцать, а партвзносы берут за все сто восемьдесят.

— Так это же прекрасно! — говорю я.

— Чего же прекрасного? — недоумевает бывший полковник. — Я же тебе говорю — плотют сто двадцать, а берут со ста восьмидесяти.

— Вот именно. Я об этом и говорю. У вас есть реальная возможность помочь партии, отблагодарить ее за все, что она для вас сделала, за то, что подняла вас из низов... Ведь из низов?

— Ну!

— Партия из низов подняла вас до таких вершин, а вам жалко переплатить ей несколько рублей. Вот уж от вас, Михаил Федорович, никак не ожидал. Если б вы были молодой коммунист, но с таким стажем...

Я не успел убедить собеседника, потому что появился инспектор Бударин и пригласил управдома и члена правления на заседание.

Я, как лицо постороннее, остаюсь. Хожу по коридору, думаю. Ну как могут они отказать, если у них нет для этого никаких оснований? Ну что они могут придумать?

Выходит член правления, и по лицу его сразу видно — отказали.

— Не отказали, — говорит он, — а отложили.

Оказывается, Козловский не врал: у них действительно есть письмо Стукалина и есть резолюция Промыслова. Что написано в письме Стукалина, я не знаю (управдом говорит: в нем перечисляются заслуги Иванько). Резолюция Промыслова гораздо короче, и поэтому мне ее передали дословно: «Прошу рассмотреть и помочь». Райисполком в безвыходном положении.

— У нас нет оснований отказать Войновичу, но мы не можем отмахнуться от резолюции Промыслова.

— А нельзя ли, — спрашиваю я в простоте душевной, — не отмахиваясь от Промыслова, написать ему вежливо, что исполнить его просьбу нет никакой возможности, потому что...

На меня смотрят как на идиота. Больше того, как на злонамеренную личность. Разве можно самому товарищу Промыслову так отвечать? Да и товарищ Иванько, как видно, тоже крупный деятель. Каждый день звонят из разных инстанций. Из издательства «Планета», из издательства «Мысль», какой-то Пирогов звонил из горкома.

«Намекните, что вы не еврей»

Понимаете, что получается? С одной стороны, наш уважаемый Сергей Сергеевич Иванько, крупный государственный деятель, писатель, а с другой стороны, некий Войнович, муж беременной жены.

И вот что интересно, так говорят не только мои противники, но и мои сторонники тоже. Они меня все время учат:

— Тише, тише, вы все не так делаете, вы нам только мешаете, вы уж лучше помолчите.

Они считают, что все надо делать тихой сапой. Надо бороться с Тургановым и ни в коем случае не трогать Иванько. Перед Иванько надо только расшаркиваться.

— Мы, конечно, понимаем, что уважаемому Сергею Сергеевичу очень нужно, и мы с удовольствием, но...

И дальше следует довод, что у Войновича жена на таком-то месяце.

Однажды я рассердился:

— Почему вы меня так странно все-таки защищаете? Почему вы никому не скажете, что для вас я тоже какой-никакой, а писатель?

Смотрят на меня, разводят руками. Дурак, что ли? Не понимает. Вроде защищать меня принципиально — значит расписаться в собственной неблагонадежности. Почему? Я ведь не лишен гражданских прав, не исключен из Союза писателей[1], у меня только что вышли одновременно две книги (причем одна в Политиздате), что само по себе является признаком лояльности. Но даже при всем при этом они в мою защиту не могут привести ни одного аргумента, кроме беременности жены.

Сторонники уважаемого в выражениях не стесняются. Иванько — крупный государственный деятель, крупный писатель; Войнович — антисоветчик, подписант, растленная личность, еврей (последнего, правда, прямо не говорят, но намекают довольно прозрачно). Мои сторонники всего этого как бы не слышат.

— Да, но вы поймите, у него жена в положении.

---

[1] В то время.

Пишу в какую-то инстанцию письмо. Показываю одному из своих доброжелателей, вижу, он недоволен.

— Ну зачем вы пишете в требовательном тоне? Просите. Расскажите, что вы из рабочих, что вы написали песню космонавтов, напишите, что жена в положении, и мне это неудобно вам говорить, но намекните им как-нибудь, что вы не еврей.

Я злюсь:

— Почему я должен у кого-то просить свою же квартиру? Не хочу писать, что я из рабочих, не хочу писать про космонавтов, не хочу писать, что не еврей. Хочу получить квартиру независимо от того, подписал ли я какое-то письмо или написал какое-то идейно выдержанное сочинение.

— Ну, вот видите, мы же искренне хотим вам помочь, а вы нам все портите. В конце концов, вам важен принцип или квартира?

(Только один человек впоследствии согласился, что важен и принцип, но о нем ниже.)

А между тем, если бы хоть один из членов правления с самого начала совершенно определенно заявил, что притязания Иванько незаконны и не могут быть удовлетворены, я уверен, что всей этой истории не было бы (правда, при этом я лишился бы столь богатого материала).

Где печатался Солженицын?

И вот что я думаю. Принимая правила игры, навязанные тургановыми и иванько, не содействуем ли мы сами произволу во многих областях нашей жизни?

Вот мне рассказывают: писатель Х. был на приеме у кандидата в члены Политбюро. На вопрос кандидата о положении в литературе сказал, что положение неважное. Как так? А вот так. Писатель что-то пытался объяснить. Его собеседник крайне удивлен. К нему ходит столько писателей, но почему же они ничего подобного не говорят?

Конечно, собеседник писателя мог бы и сам кое о чем догадываться, но ему же действительно никто ничего не говорит. (Обычно говорят, что вообще-то все хорошо и даже замечательно и для писателей в нашей стране, как ни в какой другой, созданы все условия, но есть отдельные недостатки: например, книжку посетителя не издают почему-то.)

Вот мне рассказывает поклонник Солженицына. В тот вечер, когда его любимого писателя арестовали, рассказчик ехал в компании своих коллег на такси по Садовому кольцу. Узнав, что пассажиры — писатели, шофер стал спрашивать о Солженицыне. Пассажиры очень хотели просветить рядового читателя.

— Но, — говорит мне рассказчик, — мы же не можем сказать ему прямо. Мы намекаем. Я говорю: «Солженицын? Да, был такой писатель. Где он печатался? Точно сказать не могу». Оборачиваюсь к одному из своих спутников: «Вы не помните, где печатался Солженицын? Кажется, в каком-то журнале». Он тоже делает озабоченное лицо, морщит лоб: «Да, по-моему, в «Новом мире».

Поклонник Солженицына явно ждет моего одобрения. Я говорю:

— А почему вы не могли сказать, пусть даже без всякой своей оценки, то, что вы знаете? Что Солженицын печатался в «Новом мире», что «Иван Денисович» вышел в «Роман-газете» и отдельной книгой, был представлен на Ленинскую премию.

— Ну как же можно?

— Так. Это вам даже ничем не грозило. Вот вы ругаете кого-то, кто выступает с лживой статьей в газете, а сами что делаете? Из ваших слов шофер мог сделать только один вывод: Солженицын никому не известен, даже писатели не знают толком, что он написал и где печатался. Уж лучше б вы вообще ему ничего не говорили.

Директивная радуга

Итак, что же происходит? Если назвать это дело своими словами, происходит чистейшая уголовщина. Один обещает взятку лицам, которые помогут ему незаконно расширить квартиру, а те, в свою очередь, пытаются всучить ему взятку за издание своих сочинений. Но обычно хотя бы дающий взятку несет при этом материальный урон, здесь же при взаимном обмене взятками все остаются с прибылью. Потому что Иванько предлагает взятку из государственного кармана, а его контрагенты взамен суют ему квартиру, которая им не принадлежит. Взяточничество в нашей стране считается одним из тягчайших преступлений, за которое смертную казнь дают сплошь и рядом. Во взяточничестве кого только не обвиняют. Ю. Феофанов, например, в одном из своих фельетонов утверждал, что десятка, взятая продавщицей сверх обозначенной цены за проданный налево товар, есть взятка. Но ведь та продавщица тайком свои десятки брала. Она боялась. А эти-то никого не боятся. Они ни от кого не скрывают, что делают, для чего и какими средствами. Все происходит на глазах общественности, и не какой-нибудь, а писательской. Где каждый может написать куда-то и напечатать. В нашем доме живут несколько известных сатириков. Сам великий Ленч живет в нашем доме. А ну как разозлится да бабахнет фельетон в *Крокодиле*! А те большие начальники, которые вступились за уважаемого и таким образом способствуют совершению преступления, может, они недостаточно информированы? Попробуем представить, как это могло произойти. Пришел, допустим, наш уважаемый к своему министру и изложил свое положение, так, мол, и так, есть возможность мне улучшить свои условия, в доме появилась свободная площадь, и руководство кооператива не против, но нужно ходатайство с места работы. Министр знает уважаемого как прекрасного работника и высоко ценит его литературный талант (произведение «*Тайвань — исконная китайская земля*» перечитывал многократно и с наслаждением). Отчего же, в таком случае, не выполнить столь пустяковую просьбу? Тем более что вот и Юрий Серафимович Мелентьев тоже поддерживает.

— Что ж, — говорит министр, — составьте письмо, а я подпишу.

Теперь попробуем войти в положение товарища Промыслова. К нему поступает письмо. Письмо не от кого-нибудь, а от министра. Министр обращается с просьбой совсем ерундовой. Ценному работнику, члену КПСС, члену коллегии Госкомиздата, писателю Иванько нужна всего 1 (одна) комната в семнадцать с половиной квадратных метров. И это все? Смешно сказать, что такое для Промыслова комната в семнадцать с половиной квадратных метров! Для него, мэра одного из крупнейших городов мира, в котором миллионы комнат общей площадью в десятки миллионов квадратных метров! Да еще при нынешнем размахе жилищного строительства. А министр просит всего-навсего... Ради бога, сделайте одолжение. И мэр одного из крупнейших городов пишет: «Прошу рассмотреть и помочь». В подробности он не вдается. Не такое дело, чтобы вдаваться в подробности. Для подробностей есть товарищи нижестоящие. Правда, знатоки говорят, что эта резолюция ничего не значит, это отписка. Министру просто так не откажешь, и Промыслов пишет: «Прошу рассмотреть и помочь». При более активной позиции он написал бы категоричнее. Например: «Разобраться и доложить!» И поставил бы в конце большой восклицательный знак. «Помочь» означает: смотрите по обстоятельствам.

Другие знатоки говорят: важен не текст, а цвет карандаша. Допустим, резолюция красным карандашом означает приказ, синим — отписку. Но войдем и в положение товарища нижестоящего. Он, может, дальтоник, а может, твердо не помнит, какой именно цвет директивный, и подчиняется на всякий случай всем цветам радуги.

Из эпистолярного наследия автора

— Насчет Промыслова ничего сказать не могу, но Стукалин очень порядочный человек, — уверял автора этих строк один из ведущих инженеров человеческих душ. — Он, конечно, не знал всей подоплеки. Иванько воспользовался тем, что Борис Иванович, к сожалению, слишком мягок и доверчив.

Ну что ж, доверчивость — это, кажется, тот недостаток, к которому даже основоположник нашего научного мировоззрения относился снисходительно. В таком случае не открыть ли нам глаза доверчивому Борису Ивановичу на одного из его ближайших соратников?

Ниже автор предлагает читателю два образца своего эпистолярного творчества.

Председателю Государственного комитета по делам издательств, полиграфии и книжной торговли Совета Министров СССР тов. Стукалину Б. И.

Уважаемый Борис Иванович!

Когда Вы обращались к председателю Моссовета с просьбой помочь Вашему сотруднику Иванько, Вам, возможно, не были известны подлинные обстоятельства дела. А они таковы... (излагаются обстоятельства дела).

...Не имея никаких законных оснований для расширения своей квартиры, Иванько пытается достичь цели беззаконными средствами. Наглость и беспринципность его поистине удивительны. Вот только некоторые факты.

Будучи членом правления кооператива, на заседаниях правления он активно «проталкивал» свою кандидатуру, что само по себе неэтично (у нас не принято, чтобы члены правления участвовали в обсуждении собственных жилищных проблем).

На вопрос одного из членов правления, не будет ли Иванько чувствовать себя неуютно в роскошной четырехкомнатной квартире, зная, что его товарищ, писатель, ютится с женой и ребенком в одной комнате, он ответил: «Через это я как раз могу переступить».

На следующем заседании правления он по поводу моих возражений сказал: «У нас в комитете ежедневно происходят сотни безобразий, но я же против них не протестую».

На собрании, отвергшем притязания Иванько, он демонстративно вышел из правления, а после собрания во всеуслышание заявил: «Я им это дело поломаю. Они у меня еще попляшут».

Среди жильцов нашего дома, писателей, распространяются слухи о всесильности и неуязвимости Иванько. Говорят, что он может вычеркнуть любую книгу из плана издания, может по своему усмотрению сократить или увеличить тираж. Может быть, сам Иванько к этим слухам никакого отношения не имеет? Но тогда на что же он опирается? В том-то и дело, что служебное положение Иванько является главным и единственным козырем в его бессовестной и грязной борьбе.

Дело это, Борис Иванович, некрасивое и, больше того, — скандальное. Поведением Иванько возмущен не только я и не только члены нашего кооператива. Им возмущена писательская общественность. Я надеюсь, что Ваше заступничество по отношению к Иванько объясняется только Вашей неосведомленностью.

Надеюсь также, что руководство и партийная организация комитета объективно разберутся в этом деле и воздадут по заслугам зарвавшемуся вымогателю.

Жду Вашего ответа в течение двухнедельного срока, установленного указом Президиума Верховного Совета СССР «О порядке рассмотрения заявлений и жалоб трудящихся».

С уважением В. Войнович.
5 апреля 1973 г.

Секретарю Союза писателей СССР
тов. Верченко Юрию Николаевичу

Уважаемый Юрий Николаевич!

Направляю Вам копию своего письма председателю Государственного комитета по делам издательств, полиграфии и книжной торговли Совета Министров СССР.

С. Иванько, о котором идет речь в письме, будучи недавно принят в Союз писателей, уже состоит в различных бюро, комиссиях и жюри. Изложенные мною факты дают, мне кажется, основание опасаться, не будет ли Иванько использовать свое общественное положение в корыстных целях так же, как он использует свое служебное положение.

Я прошу секретариат Союза писателей СССР и Вас лично обратить внимание на деятельность т. Иванько и дать ей свою оценку.

С уважением В. Войнович.
8 апреля 1973 г.

Вторую копию я послал (да простит меня строгий читатель) секретарю парторганизации Госкомиздата Соловьеву.

Происшествие в солнечный день

Сергея Сергеевича разбудило солнце. Сквозь неплотную занавеску оно било прямо в глаза. Боже, неужели он проспал и опоздал на работу? Будильник, стоявший на стуле рядом с кроватью, его успокоил. Нет, кажется, все в порядке. Но откуда же солнце в такую рань? Он перевел взгляд с будильника на календарь и увидел, что уже середина апреля, значит, просто прибавился день. Все явления природы так легко объяснимы. Мелкие количественные изменения переходят в качественные — обыкновенный закон диалектики. Но если разобраться, то и качественные изменения тоже переходят в количественные. Это неплохая мысль, и ее следовало бы записать. Кто знает, может, она пригодится ему для его новой книги. Ведь он писатель, а писателю нужно писать книги, в конце концов, это его долг и обязанность.

За завтраком он поделился новой мыслью с женой, и она восхитилась: как ново и как глубоко. И огорчилась в то же самое время.

— Это ужасно, — сказала она, — что тебе негде работать. Я жду с нетерпением, когда мы получим четвертую комнату, чтобы оборудовать тебе кабинет.

— Нет, — возразил он, — о кабинете пока не может быть даже и речи. Я хочу, чтобы в этой комнате был твой будуар. — Он даже смутился и неловко хихикнул, произнеся это нерусское слово.

Жена проявила непривычную настойчивость, и они даже немного повздорили, но конфликт его настроения не испортил, поскольку это был конфликт прекрасного с еще более замечательным.

— А тебе не кажется, — спросила жена, — что мы делим шкуру неубитого медведя, что этот негодяй с беременной женой настроит против нас весь кооператив и они опять проголосуют против?

Сергей Сергеевич нахмурился. Откровенно говоря, высказанное женой опасение его самого беспокоило. Он сам много думал о своем конкуренте. Странный он человек, думал Сергей Сергеевич. Ну почему он упорствует? Неужели он до сих пор не понял, что я значительное лицо, и даже очень значительное? Отчего же он не хочет отдать мне комнату? У него же есть прекрасная отдельная однокомнатная квартира. Разве для незначительного лица этого мало? Ведь во время войны люди жили в гораздо худших условиях. Да и сейчас наша героическая молодежь на ударных стройках живет в землянках, в палатках, и ничего, терпят.

— Можешь не беспокоиться, — сказал он жене, — нам с нашими связями будет нетрудно урегулировать этот вопрос.

Он надел и наглухо застегнул серый плащ, натянул на уши шляпу с широкими прямыми полями и, стоя перед зеркалом, надул щеки и сузил глаза; так, ему казалось, он выглядит даже значительнее, чем обычно. Надутый, он спустился на лифте вниз и прошел мимо лифтерши, которая сидела с вязаньем у телефона. Она ему приветливо улыбнулась и сказала: «Доброе утро», он процедил ей: «Ссте» сквозь сжатые губы, не потому, что плохо к ней относился, а потому, что, по его мнению, ему неприлично было замечать людей столь низкого звания. У крыльца сверкала лаком и никелем его персональная черная «Волга», шофер при появлении хозяина отложил газету и включил зажигание. Сергей Сергеевич плюхнулся на сиденье, небрежно хлопнул дверцей и слегка наклонил голову в шляпе, давая приказ шоферу: вперед! Машина ныряет под арку, выныривает на улицу Черняховского, сворачивает на Красноармейскую, обогнув Академию Жуковского, выскакивает на Ленинградский проспект. И вот несется она в общем потоке в сторону центра. Хозяин сидит, развалясь и сузив глаза, иногда он их расширяет и сам выпрямляется, когда мимо проносится «ЗИЛ-114» или хотя бы «Чайка», и опять прищуривается, полный презрения ко всем остальным. У Белорусского вокзала затор, но не для него, машина пересекает осевую линию и мчит по резервной зоне, и орудовец не тянет к губам свисток. Конечно, это не «ЗИЛ» и даже не «Чайка», но по цвету машины, по антенне на крыше, по номеру на переднем бампере, по шляпе опытным взглядом орудовец определяет, что владельца шляпы лучше не трогать.

Проходит еще три-четыре минуты, и шляпа с прямыми полями отразилась в стеклянной двери высокого учреждения, в котором владелец шляпы занимает высокую должность. Дверь распахнулась, и швейцар застыл в непринужденном полупоклоне.

— Солнышко сегодня, Сергей Сергеевич, — говорит он любезно. Всегда, встречая большое начальство, швейцар говорит что-нибудь о текущих природных явлениях.

— Да, солнце, — не расширяя глаз, небрежно роняет Сергей Сергеевич, как бы давая понять, что солнце — это не такое уж чудо природы, а всего лишь одно из подведомственных ему лично светил.

Лифт. Коридор. Кабинет. Большой стол с телефонами. Один — через секретаршу — для всех. Для всех тех, для кого хозяин кабинета всегда либо занят, либо отсутствует. С теми, кому по этому телефону иногда удается все-таки дозвониться, Сергей Сергеевич говорит сквозь зубы, как со швейцаром или лифтершей. Второй аппарат — прямой, без секретарши. Этот — для жены, друзей и приятелей. По этому телефону тон благожелательный:

«Алло, да, это я». По третьему аппарату тон исполнительный: «Иванько слушает». Иногда даже хочется сказать «вслушивается». Это «вертушка». По этому телефону кто попало не позвонит.

Рабочий день начинается с утверждения издательских планов. Утверждать планы — дело не такое легкое, как может показаться с первого взгляда. Надо проверить списки писателей, которые собрались издать свои книги. Необходимо отделить нужных писателей от ненужных. Нужные — это секретари Союза писателей, директора издательств, главные редакторы журналов. Ты им сделаешь хорошо, они тебе сделают хорошо: напечатают (если есть что), устроят положительную рецензию, примут в писатели, подкинут какую-нибудь денежную работенку. Нужными писателями следует считать и других лиц, которые не только пишут книги, но и располагают возможностями оказывать побочные благодеяния: достать ондатровую шапку, приобрести льготную путевку в привилегированный санаторий или абонемент в плавательный бассейн. Ненужные писатели — те, которые ничего этого делать не умеют, не могут или не хотят. Самые ненужные — это Пушкин, Лермонтов, Гоголь и прочие классики: с них уже вообще ничего не получишь. Правда, иногда их издавать все-таки нужно, но дает себя знать бумажный голод. Да, вот именно, бумажная наша промышленность отстает, не может обеспечить даже нужных писателей.

И вот сидит наш владелец шляпы без шляпы за столом и работает. Нужных авторов подчеркивает, ненужных вычеркивает.

Но (опять не дают работать!) появляются первые посетители.

В сопровождении работницы иностранной комиссии Союза писателей входит мистер Гопкинс, как все американцы поджарый. Мучного не ест, сладким не злоупотребляет, виски разбавляет, увлекается спортом: гольф, бассейн, бег трусцой. Владелец одного из крупнейших издательств в Штатах. Отделения в Канаде, Южно-Африканском Союзе, Австралии и Новой Зеландии. «К одним паспортам улыбка у рта, к другим отношение плевое...» Будь это какой-нибудь болгарин или другой социалистический брат, так его можно бы послать подальше. Но за мистером Гопкинсом международная разрядка и конвертируемая валюта. Для него — улыбка у рта.

— Хау ду ю ду, мистер Гопкинс, ай'м глэд ту мит ю.

— О, мистер Иванко, ду ю спик инглиш?

— Йес, оф корс, бикоз, элитл.

Мистер Иванько усаживает мистера Гопкинса на почетное место, и они за чашкой кофе ведут деловую беседу как два крупных специалиста в издательском деле. Мистер Гопкинс интересуется, не посоветует ли ему коллега мистер Иванько какие-нибудь последние романы лучших русских писателей, желательно, чтобы это была интеллектуальная проза.

— Гм... гм... есть ряд интеллектуальных романов из колхозной жизни. Не подходит? Про любовь? Есть про любовь. Действуют он и она. Он хороший производственник — многостаночник, но безынициативный. Работает на восьми станках и успокоился на достигнутом. Она, как и все девчата ее бригады, работает на десяти станках. Естественно, над ним подтрунивают, а она пишет о нем в стенгазету. С этого начинается любовь. Центральная эротическая сцена — она критикует его на комсомольском собрании. Он, конечно, обижается, но потом понимает, что она права и он ее любит. Чтобы доказать ей свою любовь, он выдвигает встречный план — работать на двенадцати станках. Очень оригинальный сюжет, колоритный язык, ярко изображено движение механизмов. И счастливый конец (happy end): после долгой разлуки герои случайно встречаются на сессии Верховного Совета.

Только теперь они осознают, что не могут жить друг без друга. Они прогуливаются по Георгиевскому залу, по Грановитой палате и говорят, говорят. О встречных планах, о повышении производительности труда, о неуклонном соблюдении трудовой дисциплины.

Мистер Гопкинс слушает с огромным неподдельным интересом. Колоссальная тема! Неслыханный сюжет! К сожалению, он, мистер Гопкинс, сомневается, что такая книга может иметь успех на Западе. Растленный западный читатель привык к другим сюжетам. Секс, порнография и насилие — вот что пользуется неизменным успехом на западном книжном рынке.

— Мы, — замечает с горечью мистер Гопкинс, — вынуждены идти на поводу у читателя.

Мистер Иванько выражает полное сочувствие своему собеседнику. В таком случае он не может предложить ему ничего подходящего. Разве что мемуары доктора Геббельса.

О, доктор Геббельс! У Гопкинса загораются глаза. Это как раз то, что ему нужно. Он тут же готов отсчитать миллион долларов, на каждом из которых ком грязи. Ну что же, наша страна нуждается, нуждается в этой грязной, но твердой валюте.

Проводив мистера Гопкинса, уважаемый возвращается к утверждению планов, но входит секретарша и сообщает, что явилась внучка Чуковского. Черт побери! Неужели нельзя было ей сказать, что он на совещании! Нет, нельзя. Оказывается, она у кого-то узнала, что он в кабинете. Ну хорошо, хорошо, пусть войдет. Приходится опять выпускать воздух из-под щек и играть на обаяние. Входит посетительница. О, он очень рад ее видеть. К сожалению, дела, дела, не всегда удается выкроить время. Как насчет «*Чукоккалы?*» Конечно же, ее следует издать. Всенепременно. И он лично целиком «за». Он прилагает все усилия, только этим и занимается. Он большой поклонник покойного классика. С детства помнит «Ехали медведи на велосипеде...». Да, Корней Иванович обладал крупным талантом. Его смерть — большая и невосполнимая утрата для детей и для взрослых. Да, безусловно, его литературное наследство имеет огромную ценность, и мы непременно опубликуем все, что достойно. Но в данном случае произошла неожиданная неприятность. Произошло... (что бы такое придумать?) ...непредвиденное происшествие. В типографии книгу набрали, но... (ура, придумал!) ...обвалился потолок. Вы представляете! Вот так они работают, наши хваленые строители. Потолок обвалился, все матрицы вдребезги. Конечно, можно снова набрать, но, сами понимаете, у нас хозяйство плановое, опять набирать «*Чукоккалу*» — значит остановить весь поток. Разумеется, мы к этой вещи еще вернемся, изыщем возможности, но на все нужно время. Простите, телефон. Иванько слушает, да, Борис Иванович, да, хорошо, сейчас буду. Вот опять не дали поговорить, вызывает начальство. Позвоните мне... сейчас посмотрим, что у нас в календаре... нет, на этой неделе никак не получится, на следующей... гм... гм... да, следующая тоже забита полностью... значит, примерно через две недели... Был очень рад! Очень!

Проводив гостью, наш уважаемый перемещается в кабинет Бориса Ивановича. Он входит туда запросто, походкой немного развинченной, но всем своим лицом, всей фигурой своей изображая огромное, почти невыносимое удовольствие от возможности еще раз лицезреть самого Бориса Ивановича. На время наш уважаемый из значительного лица превращается в швейцара.

— Солнышко сегодня, Борис Иванович, — говорит он, как бы радуясь хотя и случайному, но знаменательному стечению обстоятельств.

— Да, солнце, — хмуро замечает Борис Иванович. Что это с ним? Просто не в духе или что-то случилось?

Обычно Борис Иванович приветлив, а тут... Уважаемый смотрит на министра с некоторой настороженностью.

— Вот что, Сергей Сергеевич, — Борис Иванович отводит глаза в сторону, ему ужасно неприятно начинать этот разговор, но ничего не поделаешь, он поднимает голову и спрашивает в упор: — Что там у вас с квартирой происходит?

Вот оно что! Сергей Сергеевич, разумеется, сразу схватывает, в чем дело. Стало быть, кто-то уже пожаловался. Кляузники! Их еще не успеешь прижать как следует, а они уже бегут с жалобами. Что за люди, что за чернильные души!

— Вы спрашиваете, что у меня с квартирой? — Сергей Сергеевич тянет время, пытаясь понять, что именно известно Борису Ивановичу.

— Да, я спрашиваю, что у вас с квартирой?

— Ну, после того как вы написали письмо, Владимир Федорович Промыслов наложил на нем благоприятную резолюцию, теперь дело будет снова рассмотрено на общем собрании кооператива.

— Значит, оно уже однажды рассматривалось на общем собрании? Что вы молчите? Я вас спрашиваю, вопрос улучшения ваших жилищных условий рассматривался уже на общем собрании?

— Да, — выдавливает из себя Сергей Сергеевич.

— Почему же вы не поставили меня об этом в известность?

— Дело в том, что я... мы... бы... Дело в том, что это собрание было недействительно, — нашелся Сергей Сергеевич.

— Как недействительно?

— Оно было недействительно потому, что присутствовали на нем не члены кооператива, а их родственники, на которых, кроме всего, оказывалось давление.

— Че-пу-ха! — раздельно сказал министр.

— Что-с? — произнося это «с», Иванько сам удивился, откуда в нем такой атавизм.

— Ничего-с, — ответил с сарказмом министр. — У Войновича нет никаких возможностей оказывать давление, кроме предъявления своих, очевидно, справедливых требований. А вот вы, как я теперь выяснил, действительно оказывали давление, вы занимались вымогательством и шантажом. Вот что, уважаемый, партия доверила вам столь высокий пост, платит вам большую зарплату, кормит вас высококачественными продуктами из распределителя в надежде, что вы все свои силы и время отдадите нашей литературе. Вы же решили употребить ваше служебное положение и мое расположение к вам для извлечения личной выгоды. Как же вам не стыдно смотреть людям в глаза? Ведь вы же на каждом углу кстати и некстати твердите, что вы коммунист. Какой же вы коммунист, если вы злоупотребляете своей властью? Кстати, покажите-ка мне издательские планы, которые вы подготовили. Ну-ка, ну-ка, очень интересно, как ваши представления о служебных обязанностях отразились на ваших планах. Ну вот, так и есть. Зачем вы вставили сюда Турганова? Кому нужны его бездарные стихи? Если они вам так дороги, издайте его тиражом два экземпляра — один ему, один вам, причем за ваш счет. Так, что здесь еще? Булгаков? Это тот Булгаков? Михаил Афанасьевич? И вы ему ставите тираж тридцать тысяч? Что? Не хватает бумаги? А Софронову на полное собрание сочинений хватает бумаги? А-а, теперь мне понятно, почему именно вам Софронов доверил быть составителем собрания сочинений Драйзера в библиотеке «Огонька». А эти кто такие — Падерин, Пантиелев?.. Им на стотысячные тиражи бумаги хватает. Вы видели когда-нибудь человека, который искал бы в магазине книги Пантиелева? Извольте вписать Булгакову тираж в соответствии со спросом. Сколько? Поставьте для начала миллион экземпляров. А почему до сих пор не издан *Доктор Живаго*? Что, что? Написан с неправильных позиций? А вы читали хоть одну интересную книжку, написанную с правильных позиций? Поставьте миллион *Доктору Живаго*. Учтите, отныне каждый работник нашего учреждения за простой одного талантливого произведения будет отвечать, как за простой грузового вагона. Вы говорите, что у нас происходят сотни безобразий и вы с ними не боретесь. Совершенно напрасно. Мне, уважаемый, такие работники не нужны. Я понимаю, что у вас семья, что ее нужно кормить. Я предпочитаю, чтобы вам платили зарплату за то, что вы не будете работать, чем за такую работу. Вот так-то, уважаемый, всего хорошего.

Уважаемый выходит из кабинета Бориса Ивановича, воспринимая все сквозь туман. Не помня себя добирается до стеклянных дверей. Швейцар не встает, не распахивает дверь, не говорит о погоде. Нечего удивляться: швейцары, вахтеры, лифтеры, шоферы — самая осведомленная публика. Где-то кто-то что-то сказал, а им уже все известно, а они тут же и реагируют. Уважаемый тянет ручку двери — не поддается. Тянет сильнее — никакого эффекта. Да что за черт! Может, уже перекрыли все выходы и сейчас арестуют за взяточничество? Он тянет ручку двумя руками. Спокойно. Никакой истерики. Надо взять себя в руки. Здесь что-то написано. Тьфу ты! Написано: «От себя». Оказывается, он никогда не открывал эту дверь сам. Перед ним ее распахивали, и он привык, что она сама по себе открывается-закрывается. Уф-ф! Даже потом прошибло. Вышел на улицу — темно, никакого солнышка. Похоже на полное затмение. Но в наступившем мраке выделяются отдельные предметы и люди. Вот в его персональную хозяином садится какой-то расторопный субъект. Не успели назначить, а он уже куда-то спешит. Куда? Издавать миллионным тиражом Булгакова или Пастернака? Да, но как же добраться до дома? На троллейбусе? Как все? Но ведь он не привык. Он только что еще был значительным лицом. Сам товарищ Федоренко был его личным другом... Но кто это? А это едет в своей личной машине рядом с шофером Председатель Турганов. Эй, остановите, это я, Сергей Сергеевич, ваш уважаемый... Пронюхал, старая бестия. Скользнул равнодушным взглядом и тут же отворотился. А вот навстречу, переваливаясь словно утка, величаво и плавно несет свое тело Вера Ивановна. Рад вас видеть, Вера Ивановна. Вы меня не узнаете, это я, ваш ува... просто Сергей Сергеевич, Сережа. Помните, я учился у вашего мужа? Китаист Иванько. «Вы китаист? Мой муж всегда говорил, что скорее любую кастрюлю можно назвать китаистом». Да... Вот... Все покинули. Все отвернулись. Еще сегодня утром обожали, расточали улыбки, смотрели в рот... Люди, люди...

Хватит, пофантазировали. Ничего похожего в жизни, разумеется, не было. На самом деле все было проще. Вызвал Борис Иванович Сергея Сергеевича по какому-то делу, и сперва обсудили само это дело, а уж потом, как бы заодно, Борис Иванович и сообщил:

— Да, Сергей Сергеевич, забыл тебе совсем сказать: тут на тебя кляуза пришла от этого твоего конкурента, черт бы его побрал. Понимаешь, как-то не очень это все красиво выходит. Нет, ты не думай, я тебе вполне сочувствую и рад бы помочь. Очень хорошо понимаю, квартиру ты оборудовал, есть возможность прирезать комнату, но надо было тебе все-таки действовать как-то не так. Видишь, на что он бьет — злоупотребление служебным положением. Тут уж, извини, я тебя поддержать никак не могу. Ни как руководитель комитета, ни как коммунист. Я, конечно, не хочу делать никаких выводов, но давай это дело замнем и спустим на тормозах. Ты, я считаю, с самого начала повел это дело неправильно.

Полез на рожон, стал угрожать. Ну зачем же так? Ты же опытный человек, почти дипломат... Нет, брат, так дела не делаются. Рад бы тебе помочь, но... — Борис Иванович развел руками, а мы у читателя еще раз попросим прощения: и этот монолог нами придуман. Ничего похожего, во всяком случае в первое время после получения министром нашего письма, видимо, не было. А ведь нам известно доподлинно, что министр письмо получил. И копии также достигли своих адресатов. И что? И ничего. Автор письма от своих адресатов не получил никакого ответа, а поскольку наша история на этом не кончилась, автор считает, что действия Иванько этими важными лицами были одобрены.

Вот как!

Один престарелый деятель, бывший в правительстве СССР еще при Ленине, выслушав эту историю, сказал мне:

— В наше время для коммуниста не было обвинения страшнее, чем в использовании служебного положения в личных целях. Впрочем, — добавил он, вспомнив свои двадцать пять лет лагерей, — наше время я тоже не идеализирую.

Кто ведет себя вызывающе

А вот в нашей истории возникает еще один персонаж, еще одно значительное лицо — Председатель Фрунзенского райисполкома товарищ Богомолов Д. Д. Я его никогда лично не видел. Не посчастливилось. Но я себе его представляю так. Вот он сидит за большим столом и кладет резолюции на подносимых бумагах: «От-ка-зать!!!» Вы хотите обменять что-то меньшее на что-то большее. От-ка-зать!!! Вы хотите обменять что-то большее на что-то меньшее. От-казать!!! Вы хотите вступить в кооператив, построить гараж, посадить во дворе дерево. От-ка-зать! От-ка-зать! От-казать!

Отказать... Ваша власть, когда вы отказываете, гораздо заметнее, чем когда разрешаете. Представьте себе, что вы милиционер, стоите на дороге, и мимо вас едут автомобили. Катят они на современной скорости, иной водитель скользнет по вас взглядом и тут же забудет, а другой и вовсе не заметит. Но вот вы свистнули в свисток, махнули палкой, остановили водителя и — давай его мурыжить. Куда едет да для чего, почему в эту сторону, а не в обратную, и зачем вообще на машине, а не на трамвае, а на какие деньги купил и не собирается ли продать по спекулятивной цене. Остановите так да допросите другого, третьего, пятого, десятого: вот уже сколько людей вас заметят, запомнят, среди них вы знаменитый уже человек. Вот так же и Богомолов Д. Д. Решил бы он мой вопрос сразу и справедливо, я, неблагодарный, может, и фамилии б его не запомнил. Но Богомолов Д. Д. постарался, и я его крепко запомнил. Прочтя мое письмо Стукалину, Богомолов сказал принесшему письмо человеку:

— Вот видите, Войнович ведет себя вызывающе. Он кому, он министру указывает, когда тот должен ему отвечать.

Он не стал решать, кому должна принадлежать квартира № 66, он стал решать, кто кому может указывать, а кто кому нет. А между прочим, на наш скромный взгляд, вызывающе ведет себя не тот, кто напоминает, хоть и министру, об указе верховной власти, а тот, кто указы эти не исполняет, то есть в нашем случае именно министр.

Ну и жук!

Боюсь, как бы не обвинили меня в очернительстве. Неужели ни одного положительного начальника не встретилось мне на моем пути? Встретилось. Двое. Один сначала тоже сделал мне выговор, что я веду себя вызывающе, но потом все же (спасибо ему и на этом) сказал:

— Иванько действует незаконно, но он всемогущ. Вы к Промыслову на прием никогда не попадете, а он может войти к нему в любую минуту. Вы даже не представляете себе, какие люди хлопочут за Иванько по этому телефону, — и он ладонью погладил «вертушку».

Вторым положительным был работник ЦК КПСС, которому мне удалось рассказать эту историю.

— Иванько? — переспросил он. — Сергей Сергеевич?

— Иванько, — подтвердил я. — Сергей Сергеевич.

— Ну и жук! — сказал мой собеседник и покачал головой.

Вот и вся реакция двух положительных товарищей.

Такие люди

Какие люди хлопочут по «тому» телефону, можно было судить по изменившемуся отношению Ильина. Когда я пришел к нему второй раз, он был явно смущен или играл в то, что смущен. Нет, я думаю, он смущен был на самом деле.

— Вы рассчитываете, что я Промыслову буду звонить по «вертушке»? А что же я ему скажу? Кооператив — суверенная организация. Союзу писателей не подчиняется. Сами действуйте. Что же мне вас учить? Вон пенсионеры всякие знают, куда в таких случаях обращаться. А вы, писатель, сатирик, не знаете. К первому секретарю райкома пойдите.

— Я беспартийный.

— Какая разница? Зато Иванько партийный.

— Да меня же секретарь этот не примет.

— А вы добейтесь, чтоб принял.

Ну ладно, допустим. Если бы это была не документальная история, взятая прямо из жизни, а роман, написанный по методу социалистического реализма, то действительно в райкоме и состоялся бы хеппи-энд. В скольких наших романах именно обращением в райком заканчиваются все тревоги литературных героев. В райкоме зло терпит поражение, а справедливость торжествует.

Придя от Ильина домой, я позвонил во Фрунзенский райком, чтобы узнать фамилию первого секретаря. Мне сказали:

Пирогов Евгений Андреевич.

Я вспомнил: издательство «Планета», издательство «Светоч» и какой-то Пирогов из горкома.

Все. Круг замкнулся. К легиону сторонников Иванько мы вынуждены приписать еще одну довольно значительную фигуру. Ну что ж, пора подвести некоторые итоги, пора выстроить по ранжиру должностных лиц, вступивших по такому ерундовому делу на путь прямого нарушения не каких-нибудь, а, я подчеркиваю, советских законов. Вот они, эти лица: председатель правления ЖСК, председатель ревизионной комиссии ЖСК, председатель райисполкома, первый секретарь райкома, секретарь (фактический руководитель) Союза писателей СССР, председатель Государственного комитета; его заместитель, секретарь партийной организации комитета, председатель Моссовета. Все эти люди (а двое из них еще и члены ЦК КПСС) снизу доверху руководят всей нашей жизнью, именно они олицетворяют собой, во всяком случае в пределах Москвы, то, что мы обыкновенно называем *советской властью*.

— Ага! — скажет бдительный читатель. — Вот до чего договорился! Значит, эта история — антисоветская?

Да. Пожалуй. Но, граждане *судьи*, обратите внимание, что создал эту историю не я, а именно те лица, которых я перечислил. Я делал все, что было в моих силах, чтобы она не стала такой.

Любопытство — не порок

Ну так что же все-таки делать?

Мои сторонники говорят:

— Учтите, вас провоцируют на незаконные действия. Не поддавайтесь на провокацию. Действуйте исключительно в рамках закона.

Это, конечно, тоже позиция: противопоставить незаконным действиям власти свои законные действия. Потом, когда я останусь в своей единственной комнате и тут же надо будет работать, и тут же будет плакать ребенок, я смогу утешиться тем, что я не вышел за рамки закона. А Иванько, расширив площадь для нового унитаза, будет испытывать угрызения совести, что действовал не очень законно.

Под давлением своих сторонников я написал письмо в еще одну указанную ими малозначительную инстанцию. На этот раз я написал не вызывающе. Я написал, как меня просили. Упомянул о своем пролетарском прошлом, перечислил литературные заслуги и, упирая на беременность жены, униженно просил внимательно отнестись к моей просьбе.

Из этой инстанции я тоже ответа не получил, но я его уже и не ждал. В эффективности законных действий я разуверился. Я вынашивал иные планы, от которых меня предостерегали мои сторонники и осуществления которых с нетерпением ожидали в стане моих противников.

— Вот пусть он вселится самовольно, — сказала Вера Ивановна, — а потом он посмотрит, что с ним будет.

Она не знала, что наши интересы уже достаточно сблизились. Мне тоже было весьма любопытно посмотреть, что со мной будет.

Я решил пойти навстречу пожеланиям Веры Ивановны и...

Самовольное вселение

...Как сообщил впоследствии членам своего правления Председатель Турганов, 26 апреля 1973 года в кооперативе имел место очень прискорбный факт. Произошло чрезвычайное происшествие, выходящее за рамки нашей морали. А именно: утром указанного дня два человека вытащили из подъезда № 7 предмет, напоминавший диван-кровать, и потащили его к подъезду № 4. О происходящем передвижении людей и вещей тут же было доложено Председателю. И когда два человека с указанным выше предметом вломились в подъезд № 4, лифтерша уже оправдывалась по телефону:

— Да, въезжают! А что я могу с ними сделать? Я не могу их задержать! Я женщина, они меня не послушают.

Вскоре предмет, похожий на диван-кровать и бывший действительно им, очутился в квартире № 66. Вслед за диваном в квартире появились холодильник, пишущая машинка, телевизор, четыре стула и управдом. Последний был слегка пьян, но на ногах держался. Из произнесенной им речи можно было не без труда догадаться, что управдом выражает свое неудовольствие происшедшим и предлагает свои услуги по выносу вещей обратно.

— Ну ты что это, — сказал управдом, — как же ж так это можно, с меня же за это спросят, а ты что ж это вот...

С этими словами он взялся за диван-кровать и попытался подвинуть его к дверям. Впрочем, за сто двадцать рублей тужиться не хотелось.

— Ты пойми, — сказал он, отряхивая руки, — мне же это не нужно. Я в партии с тридцать второго года. Я — полковник.

— Каких войск? — полюбопытствовал я, глядя ему в глаза.

Он вздрогнул и сказал поспешно:

— Я политработник.

— В каком роде войск политработник?

— Политработник я, — повторил он неуверенно и попятился к дверям. — У меня орденов — во! — добавил он и вышел на лестницу.

Вы, конечно, догадались, в каких войсках служил и за какие подвиги получил он свои ордена. Служба, конечно, почетная, а все-таки неудобно.

Ночные страхи

Ночь. Я один в пустой квартире. Лежу на раскладушке и, подобно своему герою Чонкину (говорят, писатели повторяют судьбы героев), жду нападения отовсюду. Какие силы кинет на меня всемогущий Иванько? Будут взламывать дверь или высадят на балконе десант? Поздно. Хочется спать. Но спать нельзя. А веки смыкаются. За стеной, отделяющей меня от квартиры Иванько, мертвая тишина. Спят? Или, может, с той стороны роют подкоп? «Не спи, — говорю я себе. — Не спи...» Вдруг стена дает трещину и рушится у меня на глазах. Рушится беззвучно, словно в немом кино. Вываливаются целые куски кирпичной кладки, поднимается облако пыли и заволакивает все. Но пыль оседает, и — что я вижу! — верхом на неправдоподобно голубом, сверкающем брильянтами унитазе сквозь пролом в стене въезжает в комнату наш уважаемый. Торжествующе он размахивает какими-то мандатами, партийным билетом, членским билетом Союза писателей, служебным удостоверением, письмом за подписью Стукалина, удостоверяющим, что предъявитель сего есть большой человек. Лязгая гусеницами, унитаз надвигается на меня.

«Задавлю-у-у!» — гудит водитель унитаза.

Я просыпаюсь и постепенно прихожу в себя. Стена цела. Все тихо. Только за открытой форточкой воет ветер: у-у-у!..

Опять Ильин

— Так вот, Виктор Николаевич, — говорю, — пришел к вам последний раз.

Усмехается.

— Не зарекайтесь.

— Зарекаюсь. Я вижу, ходить к вам бессмысленно. Вы обещали мне вступиться, теперь умываете руки. Когда надо было меня прорабатывать за письма или за «Чонкина», вас здесь много собиралось. Работали комиссии, заседал секретариат. Сейчас перед вами чистый уголовный случай. Два члена вашей организации, злоупотребляя своим положением, пытаются всучить друг другу взятки, а где секретариат? Где комиссии? Почему же вы «караул» не кричите?

Ильин отводит глаза:

— Да, но я слышал, вы тоже проявляете неуступчивость.

— То есть капризничаю?

Он мнется, понимая, что эта формулировка для меня не нова.

— Я не говорю, что капризничаете, но вам, кажется, предлагают какие-то варианты, а вы на них не соглашаетесь.

— И не соглашусь.

— Почему?

— Да как бы вам сказать поточнее...

— Принципиально? — подсказывает он.

— Вот видите, вы знаете это слово.

— Так чего же вы от меня хотите?

— От вас я хотел, чтобы вы тоже были принципиальным, но раз нет, так нет. Я пришел сообщить вам, если вы еще не знаете, что я въехал в эту квартиру.

— Как?

— Обыкновенно. Втащил вещи, выкинул старые замки, вставил новые. Вот ключи, — для наглядности я побрякал ключами перед его носом.

— А вот это вы сделали напрасно, — сказал он. — Раньше вы действовали законно, а теперь сами даете повод. Я вам говорил и сейчас могу сказать: сходите к секретарю райкома. Вас же выселят.

— Вот об этом я как раз и хотел с вами поговорить. Надеюсь, вы наш разговор не будете хранить в тайне и передадите покровителям Иванько, что я из квартиры не выеду ни под каким нажимом. Разве что меня вместе с беременной женой вынесут на руках. Это будет очень интересное зрелище, и я не могу обещать вам, что при этом не будет зрителей. И если уже сейчас эта история вышла за пределы кооператива, я не уверен, что она не станет известна и за иными пределами.

Глаза генерала за стеклами очков быстро забегали. Он соображал, я с любопытством смотрел на него, что он скажет. Я ждал, он спросит: на что намекаете?

— А вот это, — сказал он совсем для меня неожиданно, — вы и скажите секретарю райкома.

Вернувшись домой, я получил повестку. 28 апреля в 10.00 мне предлагалось явиться к помощнику районного прокурора по гражданским делам тов. Яковлевой Л. Н.

У прокурора

28.4.10.00. Маленькая комната. В углу пятилитровая банка огурцов. За столом крупная женщина. Не прерывая телефонного разговора, она кивает на стул у окна. Сажусь. Невольно вслушиваюсь. С кем-то она договаривается насчет наступающего праздника. Разговор сугубо деловой. Праздник на носу, первого гости, а еще ничего не готово, в Елисеевском выбросили осетрину и печень трески... Что? Торт? Какой там торт? За ним надо стоять с утра... это кому делать нечего... Ну да, муж... На одну зарплату разве сейчас проживешь...

...Сижу, слушаю, думаю о своем. Конечно, ТАКИЕ ЛЮДИ ей уже позвонили. Они ей уже все сказали. Теперь начнется сказка про белого бычка. Она спросит, зачем я самовольно вселился. Я ей скажу, что не самовольно, что есть решение собрания, вот у меня выписка из протокола. Ее, разумеется, выписка не интересует, ее интересует ордер. Нет ордера — выселяйтесь. Ей-то что. У нее вон праздник... Она думает, как бы чего достать... А тут... И ничего, естественно, не докажешь... Какая противная баба... Все они такие, все они одним миром мазаны... Я ей скажу: вы прокурор, вы должны следить за соблюдением законов, а вы...

— Ну что? — положив трубку, она смотрит на меня с улыбкой, не предвещающей ничего хорошего. — Значит, въехали самовольно в чужую квартиру?

— Да как вам сказать, — бормочу я, понимая заранее, что все объяснения лишни. — Не совсем в чужую и не совсем самовольно.

Иронически улыбаясь, она кивает. Естественно, ничего другого она и не ожидала услышать. Еще не было здесь ни одного самовольщика, который не доказывал бы, что он прав.

— Ну, рассказывайте, как было дело.

Рассказываю и вижу по ее глазам: ей это неинтересно. У нее свои заботы. Ей нужно решить практически. Если выселять, то сегодня. С завтрашнего дня начинаются праздники, милиции будет некогда возиться, и понятых не найдешь. Небось нарочно рассчитал так под праздник. Праздник четыре дня. Четыре дня он будет жить в чужой квартире, четыре дня будет нарушаться закон. Нет, этого допустить нельзя, нужно принимать срочные меры, потому что в кулинарии напротив дают филе из чиновника... Тьфу! Черт, совсем задурил голову! Она поднимает невидящие глаза:

— Какой чиновник?

— У нас в кооперативе, — терпеливо повторяю я, — завелся один чиновник.

— При чем здесь чиновник? Меня он совершенно не интересует.

Еще бы!

— Если вы хотите знать обстоятельства, вам нужно знать про чиновника. Дело в том, что он занимает важный пост в Государственном комитете, и, пользуясь своим положением...

— Я вам объясняю: меня совершенно не интересует чиновник. Я вас спрашиваю, вселились вы в квартиру шестьдесят шесть?

— Вселился.

— Ну вот.

— Но не самовольно.

— А вот здесь написано, что самовольно.

— А там написано, что эту квартиру мне дало общее собрание?

— Гм... — проглядывает еще раз письмо. — Нет, не написано.

— В таком случае прошу вас ознакомиться с этим документом.

Протягиваю ей бумажку. Помпрокурора читает. Выписка из протокола общего собрания[1]. Слушали, постановили предоставить Войновичу... Круглая печать...

— М-да... Это меняет дело. Одну минуточку. — Она придвигает к себе телефон, набирает номер: — Сергей Дмитриевич, тут к нам пришло письмо из кооперати-

---

[1] Не нашел места рассказать, как я выдурил ее у управдома.

ва «Московский писатель» о незаконном вселении. Да, знаете? Но товарищ представил выписку из протокола собрания. Что? Не было кворума? Так соберите кворум, а пока я дать санкцию на выселение не могу. Что? Письмо товарища Промыслова? Я все понимаю, но при всем уважении к товарищу Промыслову участвовать в нарушении закона никак не могу. Все, с этим делом покончено. С наступающим. Спасибо. — Она кладет трубку, поворачивается ко мне: — Ну вот, вы все слышали. У меня пока нет оснований для вашего выселения. Так что идите воюйте дальше. Всего хорошего.

Уф-ф-ф! Наконец-то сумерки рассеиваются. Наконец-то я нашел официальное лицо, которое не забыло, что существуют законы. Какая милая, какая обаятельная женщина! И как здорово она отбрила этого Бударина: «Все, с этим вопросом покончено». И никаких гвоздей. Участвовать в нарушении закона она не может. При всем уважении к товарищу Промыслову.

Процесс импичмента

Мы дошли до точки, после которой сюжет нашего увлекательного повествования разветвляется. Впрочем, обе ветви не отходят далеко друг от друга и идут рядом и переплетаются между собою. Первая ветвь — это продолжение нашей борьбы за квартиру № 66 (она еще отнюдь не завершена). Вторая посвящена описанию процесса отстранения председателя Турганова от власти, процесса, который, как мы теперь знаем, называется процессом импичмента. Вот опять нам пришло на ум «уотергейтское дело».

Кто из нас, следивших за его перипетиями по передачам зарубежного радио, не приходил в изумление! Боже мой, из-за чего весь сыр-бор? Президент величайшей страны собирался кого-то подслушать. Всего-навсего.

Мы, выросшие в иных условиях, даже не можем понять толком, что тут такого. Мы и не знали, что за такую ерунду нужно снимать с поста главу государства. Если не хотите, чтобы вас подслушивали, накройте телефон подушкой, включите радио, выйдите в ватерклозет, разговаривайте шепотом при шуме спускаемой одновременно воды, еще лучше пользуйтесь для общения карандашом и бумагой, а результат общения сожгите, пепел разотрите в порошок и развейте по ветру. А уж вся эта катавасия с магнитофонными пленками вообще ни в какие ворота не лезет. Да был бы президентом Соединенных Штатов не Никсон, а наш председатель Турганов, он эти пленки стер бы ко всем чертям или поджег бы вместе с помещением, в котором они находились! Однако и на своем пути он проявил немалую изобретательность по части мелких махинаций.

Но прежде чем приступить к описанию процесса импичмента в масштабах нашего дома, следовало бы проанализировать соотношение сил в правлении и как оно менялось по мере развития нашего сюжета. В описываемый период правление состояло из одиннадцати человек. Двенадцатой была председатель ревизионной комиссии Бунина, принимавшая в деле самое активное участие.

Из двенадцати сторону Иванько с самого начала активно держали четверо: сам Иванько, Турганов, Бунина и некий Кулешов, спортивный журналист и, между прочим, как говорят, сын Блока и баронессы Нолле. Эта великолепная четверка для достижения своей цели была готова на все. Пятый член правления был в отъезде, шестой колебался, желая одновременно и выглядеть порядочным человеком, и не портить отношений с всесильным Иванько. В частных беседах с жильцами дома он уверял, что его симпатии на стороне Войновича, на правлении же поднимал руку за Иванько. Седьмой перебегал все время на ту сторону, которая ему казалась в данный момент сильнее, делая вид, что он темный восточный человек, к тому же еще немножко поэт, не от мира сего и в происходящем не очень-то разбирается. Восьмой, академик и герой труда, решил, что ему участвовать в этой склоке совсем не к лицу, держал полный нейтралитет и на заседаниях правления не появлялся, несмотря на горячие призывы с обеих сторон. Таким образом, с начала нашей истории на стороне Иванько, включая двух колеблющихся, было шесть человек, на моей — четыре. Двое из четырех считали мои требования справедливыми и уважали мою литературную деятельность, двое других второй фактор во внимание не принимали, считаясь только с правовой стороной дела. Надо учесть, что даже эти четверо тоже в какой-то степени считались с угрозами Иванько, все они писатели, все хотят печататься, поэтому вели они себя (и я им благодарен за это) принципиально, но осмотрительно. Кроме количественного преимущества на стороне Иванько было и качественное. Турганов был не просто один из шести приверженцев уважаемого, но и председатель правления. Заседания правления назначал он. Время выбирал он. Он старался выбирать такое время, когда кто-нибудь из моих сторонников отсутствовал. Во время отсутствия того же Иванько он вообще не собирал правление под разными предлогами: он устал, ему некогда, он болен. И еще один фактор был на их стороне: их активность и целеустремленность. Среди моих сторонников один был любитель хоккея и пропускал правление, если в это время показывали встречу команд ЧССР — СССР, у другого был абонемент, и он купался в бассейне. Клевреты Иванько, когда было нужно, хоккей не смотрели, в бассейн не ходили, на правление являлись все, как один, и дружно отстаивали интересы своего протеже. Но постепенно и мои сторонники зашевелились. Они стали замечать, что их просто водят за нос и обманывают. На них не могло не действовать и общественное мнение жильцов дома, которое постепенно все больше накалялось. Наконец, после долгой отлучки возвратился еще один член правления, человек активный и от Иванько независимый. Его больше всего возмутило намерение Иванько разрушить капитальную стену, что непременно привело бы к деформации всего здания. Вернувшийся из отлучки сразу заявил, что разрушения дома он ни за что не потерпит. Положение стало меняться. Почувствовав сильную руку, мои сторонники сразу встали под знамена приехавшего и полностью ему подчинились. Видя, что соотношение сил начинает меняться, член правления, желавший выглядеть порядочным, из игры выбыл и перестал появляться на заседаниях, восточный человек и поэт после некоторых колебаний перебежал в противоположный лагерь. Меж двух огней заметалась и Бунина. «Я за Войновича, — провозглашала она, — но давайте говорить правду-матку: он хочет получить квартиру хорошую». Впрочем, это мы от нее уже слышали.

Еще кое-что о Турганове

Между прочим, когда положение Турганова стало совсем уже шатким, на одном из правлений он заявил, что его нельзя отстранять от должности без санкции партийных инстанций. Еще месяц назад этот аргумент мог быть признан убедительным. Теперь же он был воспринят только как демагогический трюк. В ответ на это заявление Турганову было сказано, что его выбрали председателем без таких санкций, а потому и снимут без них же. «И вообще, — сказал кто-то, — с какой стати мы должны запрашивать партийные органы, если вы беспартийный?»

Известие о том, что Турганов беспартийный, меня, откровенно говоря, удивило. Чтобы такой человек и не присосался к правящей партии, это казалось мне совершенно невероятным. Если он этого не сделал, значит, были серьезные причины. То ли он был в партии и исключен, то ли у него не было возможности вступить в нее. Почему? Моральных преград для вступления в партию у него, разумеется, нет и быть не могло. Значит, в его биографии были какие-то темные пятна, которые и партия считает темными. Зная, что он киевлянин, я, признаюсь, грешным делом подумал, уж не был ли он при немцах полицаем. Впечатление, произведенное на меня этим человеком, позволяло мне думать, что он готов выражать преданность любому режиму, который покажется Турганову достаточно прочным. А в Киеве при немцах их режим многим казался прочным. И, уж конечно, я бы не удивился, узнав, что Турганов выдавал немцам жидов и коммунистов, не принадлежа ни к тем, ни к другим.

Но сведущие люди сказали мне, что Турганов при немцах в Киеве не был. Он был там до войны, активно сотрудничал с НКВД и посадил восемнадцать человек, своих коллег-переводчиков. Потом совершил еще нечто такое, за что чуть не сел сам, спешно переехал в Москву, а тут началась война, и киевским органам стало не до Турганова. Стало быть, насчет тургановского полицайства я ошибся, но не очень. Человек, уничтожающий себе подобных ради собственного благополучия, мерзавец. И совершенно не важно, делает ли он это с помощью гестапо или прибегает к услугам отечественных органов.

Интересное предложение

Как уже говорилось выше, я, конечно, хотел остаться в квартире, но любой иной исход дела меня тоже устраивал. Я был не прочь экспериментально установить, как далеко простирается могущество моего соперника. Можно будет и обобщить некоторые итоги, дошли ли мы до полного беззакония или какие-то границы еще существуют.

Моего соперника, естественно, устраивал только один исход — победа. Теперь она нужна была ему не только для удовлетворения территориальных желаний, но и из престижных соображений. «Если он своего не добьется, его могут выгнать с работы, — предположил один мой приятель. — У них такая этика: не можешь дело довести до конца, не берись».

И вот автору этих строк поступают новые предложения. Турганов через третье лицо передает:

«Ну, скажите Войновичу, зачем же он так? Ведь нам еще жить и жить в одном доме. У него скоро будет ребенок, ему двух комнат не хватит. Кстати, у нас скоро такая возможность появится, и я обещаю, что первая же трехкомнатная квартира будет его, я готов выдать любой вексель...»

Вот до чего дошло, даже вексель готовы выдать. Фальшивый, разумеется, вексель.

Но это еще не все. Некоторое время спустя, а именно 3 мая, на новую квартиру пишущего эти строки является один известный писатель, сатирик и юморист. Пришел поинтересоваться, как мы устроились на новом месте. Осмотрел стены, потолки, кухню. Одобрил:

— Неплохая квартира. За такую квартиру стоило и побороться. А я, между прочим, к вам с очень интересной новостью. Был я тут в одной газетенке по своим подлым делишкам и вдруг слышу такое известие: говорят, в Союзе писателей есть три бесплатные двухкомнатные квартиры, и одна из них зарезервирована для... Для кого вы думаете? Для вас. Отличная квартира. Сорок квадратных метров... У вас здесь сколько? Тридцать пять? Значит, пять метров лишних плюс масса каких-то подсобных помещений, чулан, коридор, и все это, что ни говорите, бесплатно. Вам, я думаю, те пять-шесть тысяч, которые вы при этом получите с кооператива, не помешают.

— Да уж конечно, пять-шесть тысяч для меня деньги.

— Мне жаль расставаться с таким соседом, как вы, но я считаю, что вам надо соглашаться. Тут, кстати, Симонов вернулся из Ялты, очень вами интересовался. Я к нему заходил, он сразу спрашивает, как там дела у Войновича? Ну, я рассказал, что знаю. «Ты понимаешь, — говорит он, — приходил ко мне этот Иванько, просил поговорить с Войновичем. А как я буду говорить с Войновичем, если я с ним едва знаком? Он пошлет меня, и правильно сделает». — «Нет, — говорю я ему, — он тебя, конечно, не пошлет, но что ты ему скажешь? Чтобы он остался жить в одной комнате ради того, чтобы Иванько жил в четырех?» — «Это, конечно, так, — говорит. — Но ты знаешь, Иванько для нас очень много делает. Вот сейчас через него мы пробили Булгакова. Другие ни в какую не соглашались, а он дал «добро». Вот такой разговор. А насчет квартиры я вам вот что скажу: соглашайтесь. Нет, не кидайтесь так сразу. Скажите, что вам надо подумать, посмотреть, что за квартира, набейте себе немножко цену, а потом соглашайтесь. А, как вы считаете? Правильно я говорю?

— Да как вам сказать, — отвечаю. — Видите ли, я ведь именно за эту квартиру дрался не только потому, что она мне очень нужна. Я ведь утверждал, что принципиально борюсь именно за нее. А теперь получится так, что Иванько меня на испуг не взял, так за деньги купил.

— Ну, милый мой, — удивляется мой гость, — это уже детский разговор. Плюньте вы на все эти соображения, берите деньги и переезжайте.

— Ну, конечно, я бы переехал, о чем речь. Но только в том случае, если бы мне дали гарантию, что Иванько эту комнату не получит.

Потом только я сообразил, что мой гость приходил с поручением. Ну как же я сразу не догадался? Надо было бы сделать вид, что колеблюсь, и дождаться официального предложения. Право, оно украсило бы наш и без того, впрочем, затейливый сюжет.

Несколько дней спустя я узнал, что квартиру, о которой шла речь, получил писатель Пиляр.

Вот уж кому, можно сказать, повезло!

Прогрессивный Сергей Сергеевич

Вы заметили некоторое изменение в тактике нашего уважаемого? Если он раньше действовал только с позиции силы, бряцал оружием и связями, то теперь через посредников передает своему сопернику положительные сведения о себе. Он, видите ли, прогрессивный, через него пробили Булгакова. Да как же ему после этого не уступить комнату? Ведь мне, право, было бы очень неприятно быть причиной неиздания Булгакова.

Некоторое время после окончания этой истории том Булгакова действительно вышел. Отличное издание в красивом переплете. *«Мастер и Маргарита»* полностью, без купюр, даже сцену в торгсине оставили. И все-таки за это издание мы, неблагодарные, уважаемому спасибо не скажем. Нам, читателям и почитателям Булгакова, это издание не досталось. Разумеется, я имею в виду не себя лично. Уступив уважаемому квартиру, на один экземпляр я мог бы, вероятно, рассчитывать. Не для нас была издана книга, для заграницы, где и без того есть совсем неплохие издания проклинаемого постоянно «Посева». Туда ушло двадцать шесть тысяч из тридцати общего тиража. А в Союзе писателей распределили, говорят, пятнадцать экземпляров среди членов секретариата (почему-то они охотятся не за книгами друг друга, а за Булгаковым, которого в свое время сжили со свету). И у нашего уважаемого, не сомневаюсь, Булгаков на полке стоит. Не как любимый писатель, а как престижная вещь, которая доступна не каждому.

А вот еще упрек с прогрессивных позиций. Работник Гослитиздата Борис Грибанов, встретив Владимира Корнилова, стал сетовать, что он всегда уважал Войновича как писателя и порядочного человека, а теперь он очень огорчен и разочарован, узнав, что Войнович, оказывается, пишет доносы.

— Доносы? — удивился Корнилов. — Кому и на кого?

— Ну как же, вот написал Стукалину на Иванько.

— А что же ему оставалось делать?

На это Грибанов ничего не ответил, но сказал, что квартиру Войнович все равно не получит.

— Получит, — сказал Корнилов.

Заключив пари на бутылку коньяку, собеседники разошлись.

В интересах сюжета объяснение мотивов, руководивших Грибановым, надо бы отнести в конец нашего рассказа. Но скажу сразу: Грибанов морализировал тоже отнюдь не бескорыстно. Год спустя при содействии Иванько он отправился в Соединенные Штаты директором советской книжной выставки. И еще до меня дошел слух о том, что Иванько в КГБ считается либералом и чуть ли не борется со сторонниками жесткого курса.

Из эпистолярного наследия председателя

Заглянем же опять на очередное заседание правления, посмотрим, как разворачиваются события. Вот за столом, держа перед собой двумя руками портфель, стоит Председатель и кивает яйцеобразной своей головой. Но почему у него такой неуверенный вид? О, неужели он в чем-то оправдывается? Оказывается, ему был задан вопрос, почему он самолично написал письмо в прокуратуру, не поставив об этом в известность остальных членов правления. Вопрос, конечно, задан правильно, может быть, в данном случае и допущена небольшая ошибка, но он, как Председатель, обязан был принять самые срочные меры для предотвращения самовольных действий. А сообщил ли Председатель прокуратуре, что квартира, в которую въехал Войнович, была предоставлена ему общим собранием? Нет, он этого не сообщил. Почему? Видите ли, товарищи, дело в том, что собрание, о котором здесь упоминали, оказывается, было неправомочно. В нашем доме членов кооператива 132 человека, кворум — 88, а на собрании было всего лишь 79. Ага, а вот на том же собрании была предоставлена квартира дочери писателя Ласкина, которая уже месяц назад получила ордер. Выходит, для нее был кворум, а для Войновича не было? Вот что, дорогой, говорят ему, вам придется забрать ваше письмо из прокуратуры. Нет, отвечает с достоинством Председатель, он не может этого сделать. Хорошо, говорят ему, мы пощадим ваше самолюбие, но в таком случае вы напишете к вашему письму дополнение, что квартира была предоставлена Войновичу общим собранием. Председатель сопит, но соглашается. Записали в протокол: «Обязать тов. Турганова...»

Тов. Турганов идет домой и исполняет то, к чему его обязали, таким образом: «В дополнение к письму такому-то сообщаю, что квартира № 66 была предоставлена Войновичу общим собранием. Но, — пишет он дальше, — как видно из протокола № 13, собрание это было неправомочно ввиду отсутствия на нем кворума. Тем не менее Войнович продолжает незаконно занимать квартиру № 66 и одновременно квартиру № 138. Как лицо, ответственное перед райисполкомом за соблюдение законности, я требую немедленного выселения Войновича и прошу дать соответствующую санкцию...»

Проходит два дня, и снова собирается правление. А потом оно опять собирается, и еще раз соберется, и еще много раз соберется. Принимают решение направить письмо в райисполком с просьбой завершить это дело как можно быстрее выдачей ордера Войновичу. Согласен ли с текстом письма Председатель? Да, он согласен и готов поставить свою подпись. Письмо перепечатывают, несут на подпись, Председатель все экземпляры оставляет у себя дома. Что он с ним сделает? Порвет? Что вы, говорят, не посмеет. Написать в прокуратуру посмел. Каждый высказывает свое предположение. Говорят, письмо написано на одном листе бумаги, а подписи — не уместились — на другом. Так вот, не приложит ли он эти подписи к новому тексту? Как можно, говорят, это уже будет чистая уголовщина. Но ведь он и до сих пор, как мы убедились, не отличался излишней щепетильностью в выборе средств. И все-таки напрасно мы подозревали Председателя. 16 мая стало известно, что в райисполком пришло два письма. Одно, уже известное, за подписью всех членов правления, кроме Турганова, другое — прямо противоположного содержания за подписью Председателя.

Грамматика с арифметикой

17 мая председатель райисполкома Богомолов сообщил, что в следующую среду он непременно займется этим вопросом и решит его окончательно. Он лгал. Он решил его накануне. Но не окончательно, потому что это не от него зависело. 16 мая он подписал документ следующего содержания:

«Отказать гр. Войнович Владимиру Николаевичу в предоставлении кв. 66 размером 34,9 кв. м, поскольку жилой площадью обеспечен. Его семья 2 чел. (он, жена) занимают однокомнатную квартиру размером 24,41 кв. м.

Отменить решение общего собрания ЖСК «Московский писатель» от 11 марта с.г., так как оно неправомочно, поскольку было принято недостаточным количеством голосов членов ЖСК».

«Дмитрий Дмитриевич!

Ознакомившись с вашим письмом, я был крайне озадачен. Во-первых, что значит «гр.»? Когда-то так сокращенно обозначали дворянские титулы. «Гр.» — граф, «кн.» — князь. Некоторые мои предки были действительно графами. В честь одного из них, первого командующего Черноморским флотом адмирала Марко Ивановича Войновича, известная пристань в Севастополе до сих пор носит название Графской. Значит ли ваше «гр.», что мне возвращен мой графский титул? В таком случае я прошу вас решить вопрос о восстановлении моего фамильного герба, который я прибью к дверям квартиры № 66 немедленно, как только получу на нее ордер.

Во-вторых, мне кажется, вы немножко не в ладах с русской грамматикой. В противном случае вы бы знали, что фамилия Войнович склоняется по всем шести падежам, не хуже любой другой. Если вы и дальше не будете склонять подобные фамилии, вас могут принять за иностранца.

В-третьих, меня удручают и ваши познания в области арифметики. Давайте посчитаем. Каждый из двух, упомянутых вами, чел. имеет право на 9 кв. метров площади. 9 x 2 = 18. Но вам хорошо известно, что один из двух чел. (я) имеет право на 20 кв. метров дополнительной площади как член Союза писателей. 18 + 20 = 38. Так? А если учесть, что второй чел. (моя жена) находится в состоянии беременности третьим чел. (что вам также известно), то нам придется произвести еще одно арифметическое действие: 38+9=47 кв. метров. Если мы прибавим сюда еще 3 кв. метра, которые полагаются на семью, то получим круглое число 50. Вот видите? А вы мне отказываете в 35 метрах, причем не государственной площади, а кооперативной, то есть приобретаемой мною за собственный счет.

Прочтя ваше письмо, Дмитрий Дмитриевич, я подумал, что вы а) для своего поста недостаточно образованны и б) либо вы не знаете наших законов, либо, что еще хуже, сознательно их нарушаете.

В любом случае вы дискредитируете советскую власть, которую на вашей должности вы собой представляете.

Засим остаюсь готовый ко услугам

гр. В. Войнович».

Честно говоря, это письмо я написал, но не отправил. Дело так или иначе шло к завершению, и отказ Богомолова был последней попыткой угодить ТАКИМ ЛЮДЯМ, которым я, со своей стороны, не хотел давать никаких шансов. Письмо я отложил и теперь включаю его в свой труд для оживления сюжета.

Продолжение процесса импичмента

18 мая. Заседание правления, на этот раз без Турганова. Турганов заболел. «Пусть тот, кто ездил в прокуратуру, — передал он в правление, — справится в поликлинике, действительно ли я болен».

«Слушали: «О неправильном поведении председателя правления Б. А. Турганова».

Постановили: «Предложить тов. Турганову письменно до 22 мая объяснить свои действия. До представления письменных объяснений и их рассмотрения отстранить Б. А. Турганова от обязанностей председателя правления.

Принять к сведению устное заявление С. С. Иванько о выходе его из состава правления и удовлетворить его просьбу...»

Чем вам не процесс импичмента? Но он еще не окончен.

21 мая. Турганов выздоровел, пришел в контору и унес домой протокол правления.

21 мая. Иванько заявил, что он не выходил из правления, а его слова, что он не хочет участвовать в этих дрязгах, касаются только этих конкретных дрязг. Как вам это нравится?

21 мая. Козловский заявил, что и он не выходил из ревизионной комиссии. Уж не ослышались ли мы тогда на собрании?

21 мая. Турганов пишет в правление, что он готов дать отчет в своих действиях, но не к 22 мая, а «в надлежащее время».

25 мая. Двоевластие. Новый председатель назначает на следующий день правление. Турганов рассылает членам правления встречную бумагу: «По указанию Начальника (с большой буквы, конечно. — *В. В.*) отдела по руководству и контролю за деятельностью ЖСК, ГСК и ДСК Мосгоржилуправления тов. Чекалиной Г. М. заседание Правления, назначенное на 26 мая, откладывается до согласования с нею. О дне заседания будет сообщено дополнительно».

25 мая. Ответ правления Турганову: «Хотим напомнить вам, что согласно уставу ЖСК кооперативный отдел вправе не утвердить то или иное решение правления или общего собрания, но не может определять дни заседаний правления...»

25 мая. Исторический разговор. Один из членов правления позвонил уважаемому Сергею Сергеевичу и сообщил, что, поскольку тот не вышел из состава правления, он приглашается на завтрашнее заседание. Будет решаться принципиальный вопрос о смещении Турганова с должности председателя. Ах, он не сможет прийти, он занят, какая жалость! В таком случае хотелось бы знать его точку зрения. Сергей Сергеевич охотно сообщает, что он против снятия Турганова не имеет никаких возражений. Раз председатель злоупотребил своей властью и доверием коллектива, то он, Сергей Сергеевич Иванько, как коммунист, решительно его осуждает.

Несколько дней спустя дошла до нас новая весть: на заседании какой-то высокой инстанции Иванько в пух и прах разгромил готовившийся к печати сборник (или двухтомник?) Турганова.

Ничего не скажешь. Друзья познаются в беде.

26 мая. Слушали, постановили: отстранить Б. А. Турганова. Но неужели вы думаете, что этим все кончилось? Как бы не так.

27 мая. Письмо Турганова правлению: «Поскольку вопреки договоренности с Начальником отдела руководства и контроля за деятельностью ЖСК, ГСК и ДСК Мосгоржилуправления тов. Чекалиной Г. М. об отсрочке заседания Правления, таковое все же проведено в отсутствие представителя Мосгоржилуправления, я вынужден довести об этом до сведения Регулирующих органов (разрядка моя. — *В. В.*) и до получения указаний приступить к сдаче дел Правления не имею права».

Дело клонилось к развязке. В один из описываемых дней в моей новой квартире раздался телефонный звонок:

— С вами говорит Бахоров из райисполкома. Вы почему не подчиняетесь нашему указанию? Почему не освобождаете квартиру, в которую самовольно вселились?

— А вы кто такой? — спросил я.

— Я сказал, кто я. Сейчас же освободи квартиру, свинья гнусная.

Тут уж я воспринял этот звонок, как Шабашкин письмо Дубровского, то есть звонок этот произвел на меня благоприятное впечатление. Я понял, что дела моих оппонентов плохи.

Вскоре «регулирующие органы» капитулировали.

— Соберите собрание с кворумом, — сообщили они, — как оно решит, так и будет.

Окончание процесса импичмента

КО ВСЕМ ЧЛЕНАМ ЖСК «МОСКОВСКИЙ ПИСАТЕЛЬ»

Уважаемые товарищи!

Правление ЖСК считает своим долгом уведомить вас, что в Руководстве ЖСК сложилась острая конфликтная ситуация, при которой управление домом не только затруднительно, но и невозможно. Найти выход из сложившегося чрезвычайного и беспрецедентного положения без Общего собрания — нельзя. Для того чтобы собрание было полномочным, необходим кворум. Вот почему мы обращаемся к каждому члену ЖСК с настоятельной просьбой присутствовать на Общем собрании в четверг 31 мая в 20 часов в помещении поликлиники. Убедительно просим вникнуть в серьезность положения и выполнить свой долг в наших общих интересах.

(В случае невозможности Вашего личного присутствия, просим дать доверенность члену семьи, в которой указать, что Вы доверяете и выступать, и голосовать за Вас, так как без приложения доверенности к протоколу Ваш голос засчитан быть не сможет.)

20 и 30 мая. Женщины-активистки ходят по кварти-рам, умоляют:

— Пожалуйста, не занимайте вечер 31-го числа, при-дите, очень нужно, очень важно. Обязательно.

31 мая. Собрание. 111 человек. Краткий рассказ о де-ятельности Турганова. Поступило предложение: вывести из состава правления. Принято единогласно. Нет, один воздержался. Он сомневается, можно ли выносить та-кое решение, не выслушав Турганова. Ему возражают: как мы можем выслушать того, кого нет. Его нет, гово-рят, но есть его письмо. Читают письмо. Автор письма считает, что собрание не может должным образом разо-браться в его действиях. Это может сделать только спе-циальная комиссия, которая в ближайшее время будет создана совместно Союзом писателей и райисполкомом. До тех пор пока комиссия не оценит его деятельность, он по-прежнему будет считать себя Председателем.

— Все ясно, — сказал воздержавшийся. — Я снимаю свои возражения.

Турганова сняли. Кто следующий? Кто-то заикнул-ся насчет Козловского, мол, раз на прошлом собрании он вышел из ревизионной комиссии, то зачем же его держать? Тем более что... Выступающему тут же делают знаки, шикают: не надо больше никого трогать, надо, чтоб все было тихо и гладко, Турганова вывели, теперь все в порядке. Да как же так? Что ж это за порядок, при котором одного жулика выгоняют, а другие остаются? Тут я не выдерживаю, встаю.

— Товарищи, как же так, — говорю. — Дело ведь не только в одном Турганове. Турганов в данном случае старался не только для себя. Раз уж мы здесь собрались, отчего бы нам заодно не вывести из правления того, ко-торый...

Мне тоже подмигивают и делают знаки: тише, тише, все в порядке. Ну и в самом деле все в порядке. Главное сделано — Турганова выгнали, уважаемый четвертую комнату не получил и, наверное, в этом доме уже никогда не получит, и даже его членство в правлении ему уже не поможет. Но хотелось бы вывести его на свет и показать собравшимся, кто он и что собой представляет.

Тише! Тише! Чш-ш-ш...

Ставится на голосование второй вопрос: о предоставлении Войновичу В. Н. квартиры № 66. Другой кандидатуры будто никогда не бывало. Проголосовали: 110 — «за», один воздержался. Все прошло тихо и скучно. После собрания кто-то сострил, что, пока не разошлись, надо собрать новое собрание, чтобы подтвердить решение этого собрания, которое подтвердило решение предыдущего собрания, которое подтвердило решение еще более предыдущего.

Солнечным днем в середине июля я встретил во дворе нашего управдома. Он подошел ко мне и протянул руку, как равный равному. Я думал, что сейчас он сообщит мне свое воинское звание, партийный стаж и предъявит пенсионную книжку. Поэтому, дав ему немного потрясти свою руку, я тут же выдернул ее, намереваясь скрыться немедленно в подворотне, однако сообщение управдома так меня удивило, что я остановился как вкопанный.

— Ты вот что, — сказал управдом. — Ты чего ж это паспорта не несешь на прописку?

— Да? — сказал я недоверчиво. — Паспорта?

— Ну да, паспорта. Твой и жены.

— Значит, на прописку? — спросил я, глядя пытливо в глаза управдома и думая, нет ли за этим какой-то ловушки. Принесешь паспорта, а тебе вместо штампа «прописан постоянно» тиснут — «выписан». (Кстати, однажды это со мною уже случилось. В ЖКО Бауманского ремстройтреста, где я работал когда-то плотником, мне сделали запись: «Выписан по выезду в г. Баку», и потом в милиции мне было нелегко доказать, что я в г. Баку никогда не бывал.)

— Ну да, на прописку, — сказал управдом, начиная сердиться. — Ордер пришел.

Вы представляете, как медленно лифт поднимал до шестого этажа? Вы представляете, как быстро я летел с паспортами вниз по лестнице? Однако в конторе я не спешил отдать паспорта управдому и попросил предъявить мне ордер. Я долго вертел в руках этот бесценный документ и увидел запись, сделанную на обратной стороне, что моя семья состоит из одного чел.

— Как же это из одного? — спросил я управдома.

— А что, жена уже родила? — спросил он.

— Нет, она пока что не родила. Но и без того, когда она родит, нас пока что два чел., — для ясности показал ему два пальца и подмигнул.

— Так ты ж пойми, — сказал управдом, — я полко... то есть нет. Ты, как глава семьи — понял? — записан на первой странице. Вот: Войнович Владимир Николаевич. А здесь записаны члены семьи, который у тебя пока что один. — И управдом показал мне один палец.

— Да?

После некоторых колебаний я все же отдал паспорта и военный билет, из которого управдом узнал, видимо, с некоторым разочарованием, что я всего-навсего рядовой.

25 июля все было кончено. Паспортистка 12-го отделения милиции, дважды подышав на штамп «Прописан постоянно», оттиснула его на паспортах моем и жены.

— Ну как, — спрашивает лифтерша, — этот-то все еще к вам пристает?

— Да нет, вроде отстал.

— Это ж надо какой! — говорит она чуть ли не с восхищением. — Съездил в Америку, набрался американского духа. Значит, все же отстал. То-то я смотрю, он такой злой ходит. В машину садится злой, из машины выходит злой. И жена ходит злая, ни с кем не разговаривает. Ишь американцы! Я вот говорю, Владимир Николаевич, это хорошо, что у нас советская власть. Все ж таки можно правды добиться. А если бы не советская власть, так этот бы американец о-о!

Крепка в народе вера в советскую власть... Но не будем преувеличивать заслуги последней в данном конкретном случае. В число основных факторов, способствовавших нашей победе над уважаемым, я бы поставил такие: беременность жены, единодушие коллектива и мое собственное упрямство. Идя на этот конфликт, я смирился с тем, что меня в ближайшее время не будут печатать; я готов был к тому, что будущий министр культуры РСФСР запретит мои пьесы, объявив их антисоветскими, вредными или просто порочными[1]; на случай моего выселения я намерен был пригласить иностранных (наши ведь не придут) корреспондентов и, превратив этот скандал в международный, навлечь на себя гнев Комитета госбезопасности[2] — вот какой ценой я привел эту типичную, в общем, историю к нетипичному хеппи-энду. Боюсь, что не каждый нуждающийся в расширении жилплощади согласился бы подвергнуть себя подобному риску. И если

---

[1] Что он вскоре и сделал.

[2] Без особой натяжки можно сказать, что этот конфликт (в ряду нескольких подобных) обострил мои отношения с руководством Союза писателей и стал вехой на моем пути в гостиницу «Метрополь», где два единомышленника Иванько (а может, и его дружки) от имени КГБ угрожали мне убийством и продемонстрировали один из возможных способов (см. мой отчет об этом увлекательном происшествии в пятом номере «Континента»).

бы всесильный Иванько встал на пути нашей прекрасно-
душной лифтерши (а он бы не постеснялся), я не убеж-
ден, что ее вера в любимую власть осталась бы непоколеб-
ленной.

Эпилог

С тех пор прошло без малого два года. Вскоре после
своего поражения наш уважаемый вновь стал появляться на заседаниях правления. Он был опять мил и приветлив, дружелюбно улыбался своим недавним вра-
гам, принимал активное участие в обсуждении наших
местных проблем — менять ли канализационные трубы
и ставить ли бачки для пищевых отходов на лестничных
площадках и, голосуя вместе со всеми за то или иное
решение, скромно поднимал всю пятерню, а не один
только согнутый палец.

С тех пор как Турганов перестал быть Фигурой районного масштаба, не слышно что-то стало во дворе его
зычного голоса.

Вера Ивановна держится скромно, так же как и супруг ее, китаист Эйдлин. Я не знаю, удалось ли ему издать свой китайский роман, думаю, что удалось, почему
бы и нет.

У Козловского в Гослитиздате вышел сборник его
каламбуров.

Полковник Емышев от огорчения украл двести казенных рублей, но, пойманный с поличным, вынужден
был их вернуть и уйти с работы во избежание более серьезных последствий. Несмотря на убытки, которые он
постоянно терпит с тридцать второго года.

Борис Грибанов, как уже указывалось выше, побывал
за океаном, где, не знаю, насколько успешно, реклами-
ровал нашу литературу.

Мелентьев стал министром культуры РСФСР.

Недолго задержался на прежней должности и наш уважаемый. Перейдя на службу по Министерству иностранных дел, он на очередной шестилетний срок отбыл в Соединенные Штаты. Уезжая, он, говорят, позвонил нашему новому председателю, попрощался, сказал, что сожалеет о происшедшем, что Турганов втянул его в эту историю и опозорил перед коллективом. (Вот видите, во всем виноват Турганов. Это он дрыгал ножкой нашего уважаемого и его языком говорил: «Они у меня еще все попляшут».) Теперь уважаемый представляет нашу великую страну в Организации Объединенных Наций. Не знаю, как именно он это делает. Клеймит ли позором израильскую военщину, выступает ли в защиту греческих узников, вскрывает ли агрессивную сущность блока НАТО. Думаю, однако, что у него все же остается немного времени и денег, чтобы пошуровать по манхэттенским магазинам насчет нового оборудования для своего гнездышка. Ведь мы живем в быстро меняющемся мире, и вполне возможно, что прежнее оборудование уже устарело. Может, в Манхэттене торгуют уже унитазами новейшей конструкции. Какими? Моей фантазии не хватает, чтобы вообразить, что там, на Западе, могут придумать. Может, какие-нибудь унитазы стереофонические или такие, которые перерабатывают поглощаемое ими сырье в чистое золото? Там, на Западе, в жажде наживы до чего только не додумаются!

Мы завершаем наш портрет. Его художественное своеобразие состоит в том, что герой предстает одновременно и в виде обнаженной натуры, и в шляпе с прямыми полями, в машине собственной и в машине персональной, в кругу своих покровителей, в кругу клевретов, в кругу семьи и в кругу вещей. Он один во многих лицах. Он одновременно выступает с высокой трибуны и заседает на сессии исполкома, выносит в суде кому-нибудь приговор и пишет в газете подвал по поводу очередного обострения классовой борьбы.

Но вот странное дело, на словах он борется как раз с тем, к чему сам стремится всеми своими помыслами. Паразит из паразитов, громким голосом, заглушая других, распевает он, «но паразиты никогда». Он борется с проявлениями мещанской психологии, но кто мещанин больше его? Он критикует буржуазный образ жизни, делая все для того, чтобы жить именно буржуазно. Он разоблачает низкопоклонство перед заграницей, но сам вцепляется в каждую вещь, на которой налеплена иностранная этикетка. Говорят, что идеология мешает ему стать иным. Если бы так! Это он-то сверяет каждый свой шаг по Марксу? Не слишком ли розовым выйдет портрет? Нет, пожалуй, совсем иным представляется нам образ нашего героя. Маркса он выкинул из головы с тех пор, как сдал последний зачет по марксизму, а это было давно. Марксизм ему нужен как ширма, которой можно прикрыться. Дайте ему ширму другую, он прикроется ею.

Единственная идеология, которой он поклоняется, — это максимальное удовлетворение личных потребностей, а они у него безграничны и входят в противоречие с возможностями, которые, как бы ни были велики, всегда ограниченны. Его практическая деятельность направлена к постоянному расширению этих возможностей. И тут он вовсе никакой не догматик и не ортодокс. Он идет в ногу со временем, мимикрирует и приспосабливается к новым условиям.

Больше того, эти условия он сам создает. И конечно, не нужны ему гласность и всякие там буржуазные, как он их называет, свободы. Разве в условиях гласности смог бы он хотя бы помыслить затеять такую историю? Разве при свободе творчества назвал бы его хоть кто-нибудь писателем? А что бы он делал в своем комитете при той же свободе? Издавал бы Турганова? Или Козловского? Да весь его комитет вылетел бы в трубу. Может быть, ему нужен свободный обмен людьми? Зачем? Ведь пока что он только себя предлагает в качестве обменного фонда. А при свободном обмене может поехать кто-то другой. А свободный обмен идеями? У него есть ряд идей насчет того, где бы чего урвать, но они, кажется, обмену не подлежат.

Нет, конечно, есть и другое. И догматическое следование марксизму, и идеологический спор с Китаем, и экономические проблемы, и прочее.

Но, рассматривая узловые моменты нашей истории, пытаясь найти и объяснить причины больших социальных сдвигов вроде коллективизации, индустриализации, культурной революции, борьбы с уклонами, религиозными предрассудками, троцкизмом, модернизмом, кубизмом, космополитизмом, вейсманизмом, морганизмом, сионизмом и современным ревизионизмом, не упускайте из виду скромного труженика с простым, незапоминающимся, материально заинтересованным лицом. Мягкий, улыбчивый, услужливый, расторопный, готовый оказать вам мелкую услугу, польстить вашему самолюбию, он присутствует в каждой ячейке нашего общества, вдувая жизнь во все эти сдвиги. И пока вы намечаете программы великих преобразований, строите воздушные замки, ищете ошибки у Гегеля, вынашиваете строчку стихотворения или пытаетесь рассмотреть в микроскоп X-хромосому, наш скромный труженик своими востренькими глазками бдительно следит, нельзя ли под видом борьбы с чуждой идеологией что-нибудь у вас оттяпать: квартиру, жену, корову, изобретение, должность или ученое звание. Постепенно и исподволь накаляет он атмосферу, и вот на скромном лице его вы замечаете уже не улыбку, а волчий оскал.

Перед отъездом из СССР Виктор Некрасов написал письмо о положении в нашей культуре. О том, что многие честные, талантливые люди, подвергаясь бессмысленной травле, вынуждены покидать страну, в которой родились, выросли, которой служили, без которой жизни себе не мыслят.

«Кому это нужно?» — спрашивал Некрасов.

Ну вот возьмите хотя бы нашего героя — Иванько Сергея Сергеевича.

ЕМУ ЭТО НУЖНО!

Новая сказка о голом короле

В некотором царстве или, точнее сказать, королевстве жил-был король. Тот самый, которого до меня уже описал Ханс Кристиан Андерсен. Тот король, который ходил голый. Долго, между прочим, ходил. Уже и Андерсена, который его придумал, не стало, а король все ходит и ходит. И все голый. Из года в год король ходит голый, а вся королевская рать ходит за ним и твердит, что у нашего короля новое платье. Замечательное платье. Лучше всех. Ни у какого другого короля во всем мире нет подобного этому платья. Именно другие короли ходят совсем голые или в лучшем случае в каких-нибудь обносках, которые вот-вот с них спадут.

А наш король разодет, как куколка.

Все жители королевства это знали и подтверждали это при каждом удобном случае. В определенные дни и в неопределенные тоже подданные его величества сходились на митингах и собраниях, выходили на демонстрации, выражая единодушное восхищение платьем своего любимого монарха. И хотя само это платье было выше всяких похвал, народ того королевства торжественно обещал, что скоро-скоро королю будет сшито платье еще лучше этого.

Конечно, в семье не без урода, и среди жителей королевства попадались такие личности, которые находили, что платье короля не совсем хорошее, что король, говоря другими словами, в общем-то мог бы быть одет и получше. Страже и тайной королевской полиции против таких клеветников приходилось принимать определенные меры воспитательного характера. Кого в кандалы закуют, кого засекут кнутами, кого на кол посадят, каждому, как говорится, свое.

Несмотря на столь суровые вынужденные меры, подобные преступления полностью изжить все же не удавалось.

Иной раз кажется, всюду уж тишь да гладь и народ поголовно и полностью восхищен платьем своего короля, как откуда ни возьмись появляется некий глупый мальчик и не своим голосом вопит: «А король-то голый!»

Начитавшись Андерсена, мальчик, конечно, воображает, что, как только он это выкрикнет, народ тоже смекнет, что к чему, и заметит, что король действительно гол. И все скажут: «Спасибо тебе, мальчик, спасибо, дорогой, спасибо, умница, что подсказал, мы-то сами не видели». И даже найдется еще какой-нибудь Андерсен, который про него сказку напишет. Мальчик не знал, что королевство живет по сказкам не Андерсена, а дедушки Карлы Марлы, а в этих сказках всякие глупые возгласы насчет голости короля приравниваются... как бы это сказать... к террору.

Стоило мальчику что-нибудь такое воскликнуть, как королевская стража тут же его хватала и уволакивала, а народ расходился, про себя бормоча: «Сам виноват, не надо чего зря болтать языком. Подумаешь, Америку открыл: король голый! Ясно, что голый, все знают, что голый, но кричать-то зачем?»

Следует отметить, что строгие меры приводили к положительным результатам, со временем количество таких глупых мальчиков постепенно, в общем-то, убавлялось. Одних родители загодя пороли, другие сами без порки умнели. И, поумнев, начинали понимать, что выражать свои мысли можно по-разному. Можно опасным, а можно совсем безопасным образом. Можно кричать, что король гол, имея в виду, что он гол. А можно, имея в виду то же самое, кричать, что король распрекрасно одет.

В результате в этом королевстве развилось очень высокое искусство наоборотного понимания. Иногда даже понимания с юмором. То есть один житель королевства встречал другого и говорил: «Вы видели, какое сегодня замечательное платье у короля?» Другой немедленно хватался за живот и хохотал до упаду, понимая, что речь идет о том, что у короля вообще никакого платья нет. «Да-да-да, конечно, я обратил внимание, — отвечал другой, давясь от смеха. — Причем мне кажется, что сегодня на нем было платье еще лучше вчерашнего». После чего от смеха давились оба.

Нельзя не отметить того, что и литература в королевстве тоже развилась необычная. Там были писатели правоухосторонние, которые писали через правое ухо. Правоухосторонние писатели, допустим, писали так: «В нашем королевстве, и далеко за его пределами, и на всем белом свете все знают, что лучшее в мире платье носит наш любимый король». Люди, читая такие слова, мысленно возмущались, мысленно говорили: «Какая ложь!» — и выкидывали эти книги немедленно на помойку. Выкидывали, впрочем, тоже в основном мысленно. Лево же ухосторонние писали то же самое, иногда слово в слово и даже с теми же точками и запятыми, но имели в виду совершенно противоположное. И люди, читая те же слова, надрывались от смеха, а потом текст передавали из рук в руки, переписывали, а то даже заучивали наизусть. Со временем разница между писателями левоухосторонними и правоухосторонними в значительной мере стерлась. Настолько стерлась, что многие современные специалисты, читая книги, никак не могут понять, чем именно левоухосторонние сочинители отличались от правоухосторонних. Тем более что, как известно, в свое время правоухосторонние из тактических соображений иногда выдавали себя за левоухосторонних, а левоухосторонние успешно делали вид, что они правоухосторонние.

Иностранцы, бывая порой в том королевстве, потом сообщали в своих газетах и очень удивлялись тому, насколько глубоко наоборотное понимание проникло в сознание каждого жителя королевства. И все началось именно с королевского платья. С тех пор, когда стало считаться, что тот, кто хвалит королевское платье, говорит правду, а кто говорит, что платья нет, — лжет. В конце концов люди стали называть черное белым, горькое сладким, сухое мокрым, плохое хорошим и левое правым, а правое — левым. И в конце концов, все перепуталось до невозможности. Если человеку говорили, что на улице очень тепло, он надевал шубу. Если говорили, что холодно, он, наоборот, раздевался, почти как король. Если ему про какую-то еду говорили, что это очень вкусно, он ее не трогал, опасаясь, что его от нее стошнит.

Тем временем время шло, в королевстве ничего не менялось, и король как ходил по улицам в чем королева его родила, так и ходил, постепенно старея. Или, в переводе на местный язык, быстро молодея. А чем больше он старел, то есть молодел, тем больше отсутствие платья сказывалось на королевском здоровье. Здоровье его все время ухудшалось, то есть, говоря по-тамошнему, наоборот, улучшалось. Улучшалось так, что то насморк у него, то грипп, то воспаление легких, того и гляди, загнется. То есть, наоборот, разогнется.

В конце концов собрались королевские министры на закрытый совет министров и стали думать, что делать. Первый министр говорил так.

Конечно, у нашего короля очень хорошее платье, очень элегантное платье, но ввиду течения возраста в обратную сторону и наступления время от времени временных похолоданий, то бишь потеплений, я предлагаю сшить королю совсем новое платье и надевать его поверх старого нового платья, пусть новое новое будет не столь элегантно, как старое новое, но чтобы в нем все же королю было холодно, то есть тепло. Министр идеологии говорит: нет, так дело не пойдет, если мы сошьем королю новое новое платье, то народ, увидев его, решит, что старое новое платье было вовсе не платье, то есть это было даже совсем ничто, то есть король, скажут, был просто гол. Поэтому я предлагаю никакого нового платья не шить. Министр хлопчатобумажной промышленности говорит: тем более что для нового платья у нас в королевстве слишком много хлопка и слишком много бумаги, иначе говоря, ни того, ни другого нет. Министр королевской тайной полиции ничего не говорит, только что-то записывает, у него-то бумага есть.

Думали-думали и решили примерно так, что столь замечательное, то есть бедственное положение в королевстве сложилось потому, что мы слишком много говорили правды, то есть, конечно, врали. А теперь будем не слишком. Давайте, говорят, вернемся к исконным понятиям и черное будем называть, ну, если не сразу черным, то для начала, может быть, синим, а потом даже серым. А правду будем называть правдой, или почти правдой, или правдой в значительной степени, а про ложь скажем, что она не всегда отражает то, что видит, правдиво, порой отражает не совсем правдиво, иногда даже неправдиво совсем.

Так порешили министры и объявили свое решение народу.

Оживилось королевство. Люди так устали от правды, которая наоборот, что, как только им разрешили, все наперебой кинулись говорить правду, которая правда. Кинулись-то кинулись, а не могут. Рты пораскрывали, а языки, хоть и без костей, не ворочаются, липнут то к верхнему нёбу, то к нижнему. Привыкли все говорить наоборот, а не наоборот не привыкли. Но люди стали все же учиться и тренировать свои языки, приучая их к правде. И вот ораторы выступают, газетчики пишут, что в результате определенных негативных тенденций в последние двадцать лет король наш одет не очень-то хорошо. Раньше мы, мол, писали и утверждали, что король наш одет лучше всех, но это не совсем так.

Понятно, вскоре наметился в выступлениях разнобой. Одни говорят, ну зачем уж так, наш король и раньше был одет распрекрасно, и сейчас он наряжен неплохо. Ну, может быть, какой-то небольшой непорядок в его одежде бывает, но это может случиться со всеми. А если даже случался большой непорядок, то зачем же об этом вспоминать и бросать тень на нашего короля?

Другие, конечно, были критичнее. Нет, говорят, мы должны сказать правду, мы должны сказать полную правду. Король наш одет недостаточно, он, можно даже сказать, почти совсем не одет. И, между прочим, люди говорили все это совершенно свободно, никакая стража их не хватала, да и вообще никакой стражи видно не было, не считая, естественно, секретных агентов — тех было видно, но трудно было узнать, поскольку они делали вид, что они тоже такие же люди, как мы.

Граждане королевства продолжали обсуждать недостатки королевской одежды и изъяны в ее покрое, а король ходил между ними и проклинал их, как мог. Он был уже старый, он мерз, дрожал от холода, у него были насморк, грипп и воспаление легких одновременно. Ему хотелось, чтобы кто-нибудь из людей заметил, что он совершенно гол, чтобы появился хотя бы какой-нибудь глупый мальчик, но мальчиков глупых давно уже не было, все были умные и готовы были в крайнем случае обсуждать качество королевской одежды, но не ее отсутствие.

И тогда король не выдержал и сам закричал на всю Дворцовую площадь:

— Король голый! Голый! Голый!

При этих криках в народе произошел некий переполох. Одни очень перепугались. Другие сразу низко потупились и поспешили уйти с Дворцовой площади подальше от греха, боясь, что запишут в свидетели. Секретные агенты и невесть откуда возникшая тут же стража кинулись вязать бунтовщика, думая, что это опять какой-нибудь глупый мальчик. Но увидев, что это не глупый мальчик, а сам король, растерялись и не знали, что делать.

А тут как раз появился глупый мальчик.

— Король голый! — закричал он. — Голый! Голый!

И еще много — десять, двадцать, а может, и сто глупых мальчиков тут появились, и все стали кричать, что король голый. И стража, видя, что глупых мальчиков так много, тронуть их не решилась. Тем более что король и сам принародно признал свою голоту.

С тех пор в этом королевстве можно говорить что хочешь. Даже что король голый. Никто на это не обращает внимания. И ничего из этого не происходит. А король как ходил, так и ходит голый. Потому что ему все никак не могут сшить новое новое платье. То материалу подходящего нет (а королям из чего попало платья не шьют), то портных достаточно искусных найти не могут (а неискусных для такой важной работы не приглашают). Так он и ходит голый. И говорить об этом можно сколько угодно. Чем люди некоторое время и занимались. Ходили по улицам и кричали, что король голый. На демонстрациях носили его голые изображения. На концертах пели о его голости всякие неприличные частушки.

Но в конце концов всем это ужасно наскучило. И сама жизнь в королевстве тоже стала удивительно скучной. Раньше люди получали удовольствие оттого, что ходили смотреть на голого короля. И оттого, что, крича о его замечательном платье, понимали, что на самом деле никакого такого платья нет. И очень смеялись, передавая друг другу свое впечатление от прекрасного платья короля. И возмущались книжками правоухосторонних писателей, которые писали в прямом смысле, что король хорошо одет. И надрывали животики, читая книжки левоухосторонних писателей, которые писали книжки о том, что король прекрасно одет в совершенно обратном смысле.

И вообще тогда жить было лучше, чем сейчас.

Сказка о глупом Галилее

В некотором царстве, в некотором государстве на некоторой планете, называвшейся, допустим, Земля, жил-был некий молодой, подающий надежды и очень умный астроном по имени, скажем, Галилей. Сразу оговорюсь, что наш Галилей сказочный и его биография с историческим Галилеем совпадает не полностью. Хотя в чем-то все-таки совпадает. Сказочный Галилей жил в государстве, где люди трудились не покладая рук, сеяли хлеб, варили сталь, добывали уголь, пели песни и выступали на митингах. Но он сам песен не пел, от работы отлынивал, от митингов уклонялся и вообще с государственной точки зрения занимался совершеннейшей чепухой. Чепуха эта заключалась в том, что Галилей по ночам, пренебрегая, между прочим, супружескими обязанностями, сидел у себя в обсерватории и таращился неотрывно на звезды через такую трубу, которая называется телескопом. Причем не просто таращился, а в надежде весь мир удивить и додуматься до того, до чего другие люди без него додуматься не могли. И додумался. И побежал утром к жене. А она как раз только позавтракала и принялась за стирку белья.

— Слушай, дорогая, — кричит ей с порога ученый. — Ты знаешь, какой я умный? Ты знаешь, какое я открытие сделал? Нет, ты не знаешь, ты даже представить себе не можешь! Ты знаешь, я сделал такое открытие, которого даже Птолемей не мог сделать! Я открыл, что Земля наша круглая и вращается, причем очень интересно вращается. Вокруг своей оси вращается и одновременно вращается вокруг Солнца!

Галилей, конечно, думал, что жена, услышав такое, кинется ему на шею с объятиями: ах, ты, мол, мой умник, мой гений, генюша, такое открытие совершил! Не зря, скажет, я малой твоей зарплатой удовлетворялась и ночи проводила в сплошном одиночестве. Но ничего подобного наш бедный Галилей не дождался. Жена вместо того, чтобы на шею кидаться и такие слова говорить, бац ему мокрыми кальсонами по мордасам. Ты, мол, мне баки не заливай про верчение Земли и про прочее, я-то знаю, что ты там не на звезды таращишься, а на свою аспирантку Джульетту.

Вот такие бывают женщины. Им какое открытие ни совершай, они всему норовят дать свое собственное истолкование. Если бы жена Галилея поняла, что он действительно совершил большое открытие, может, он, ей об этом сказав, языком дальше трепать не стал бы. А тут он расстроился и пошел, понятное дело, в тратторию. Там, как водится, выпил и на всю тратторию расхвастался, какой он умный, как он открыл, что Земля круглая и вращается и что сами мы на ней тоже вращаемся, как на карусели, и летим в пространство неизвестно куда. А в траттории народ разный, кто на Галилеевы слова вовсе внимания не обратил, кто посмеялся: вот, мол, до чего человек доклюкался, что такую дурь порет. И там же, естественно, нашелся сексот, который тут же слова астронома на ус намотал и в Святейшую инквизицию, как тогда выражались, стукнул. В инквизиции, понятно, такой острый сигнал оставить без внимания никак не могли, и вот получает наш ученый повестку туда-то и туда-то явиться с вещами. Нет, вру, первый раз вызвали его без вещей. Ну, насколько нам известно, настоящему историческому Галилею в инквизиции показали орудия пыток, после чего он сказал, что Земля не вертится, а потом, выйдя оттуда, изменил свои показания и сказал, что нет, вертится. Но я же пишу не историю, а сказку, и в моей сказке все было совершенно не так. В сказке моей никаких таких пыточных орудий нет. Но есть Главный инквизитор, человек вежливый и современный. Вот приходит к этому человеку наш астроном, а тот его в своем кабинете встречает, заключает в объятия, хлопает по спине.

— Здравствуйте, — говорит, — Галилей Галилеевич, безумно рад вас видеть! Как здоровье, жена, детишки, все хорошо? Очень за вас рад, не хотите ли кофею?

Принесли им кофею.

— Пожалуйста, — говорит инквизитор, — угощайтесь, берите молоко, сахар, пряники. Так вот, Галилей Галилеевич, пригласил я вас по делу, можно сказать, совершенно же пустяковому, сейчас мы во всем разберемся и пойдем я к себе домой, вы — к себе.

— А в чем, собственно, дело? — спрашивает Галилей.

— Да и дела-то, собственно, никакого нет, а просто вот поступили в нашу контору от трудящихся сигналы, что будто бы вы проповедуете совершенно нам чуждую, псевдонаучную и во всех отношениях гнилую теорию, будто Земля, как бы это сказать, круглая, наподобие футбольного мяча, и как будто она при этом даже и вертится. Я, конечно, в это нисколько не верю, но сигналы поступают, и мы на них вынуждены реагировать.

— А тут верить или не верить вовсе даже нечего, — отвечает ему Галилей, — дело в том, что Земля действительно круглая и действительно вертится. Причем вертится, как бы сказать, двояко: и вокруг себя самой, и вокруг Солнца тоже вращается.

И стал увлеченно рассказывать, каким образом происходит смена дня и ночи и времена года почему тоже меняются.

Товарищ же синьор Главный инквизитор тем временем вежливо слушает и улыбается. А потом:

— Галилей Галилеевич, — спрашивает, — а вы психиатру давно не показывались?

— Простите, не понял, — говорит астроном.

— Ну, послушайте, ну, как же это может быть, чтобы она круглая была и вертелась. Ведь, рассудите сами, если бы она была круглая и вертелась, то мы бы с нее все непременно попадали и полетели неизвестно куда вверх тормашками.

Галилей стал ему, естественно, чего-то там такое насчет магнетизма плести и насчет всемирного тяготения, но инквизитор только рукой махнул.

— Ладно, — говорит, — идите, подумайте, крепко подумайте и с женой, кстати, посоветуйтесь, она у вас женщина здравомыслящая, она вам объяснит, вертится Земля или не вертится.

Ну, пошел Галилей домой к жене, она как раз шваброй пол протирала.

— Ну что, — говорит, — опять на звезды смотрел, опять открытия делал? — И, конечно, бац ему шваброю промеж рогов.

Галилей обиделся. И сказал жене, что был на этот раз не в обсерватории, а в инквизиции и что ему велели там идти домой и с женой посоветоваться.

Услышав слово «инквизиция», жена первый раз поняла, что дело серьезное, похуже даже, чем если муж за аспиранткой ухлестывает. И только теперь заинтересовалась мужниным открытием. И стала его подробно расспрашивать, как ему такая нелепица пришла в голову. Он стал ей подробно объяснять.

— Ну хорошо, — говорит жена, — допустим, ты даже прав и Земля в самом деле вращается. Но тебе-то какая с этого польза?

— Дело не в пользе, — объясняет ей Галилей, — а в том, что это научная истина. А я, как ученый, отказаться от истины не могу.

Жена видит, дело нешуточное. Драться больше не стала, а стала его уговаривать. Зачем, мол, делать такие открытия, от которых одни только неприятности? Пусть она вращается сколько угодно, а ты себе помалкивай, она от этого своего вращения не прекратит и квадратной не станет.

Тут уж и Галилей рассердился, напыжился и стал произносить всякие возвышенные слова о верности своим принципам и убеждениям, о совести ученого, об ответственности перед грядущими поколениями и так далее в этом духе.

Жена, в свою очередь, тоже много слов на него потратила. Так и так уговаривала. Обещала даже аспирантку простить и на шашни их смотреть сквозь пальцы. Тюрьмой пугала. Молодостью своей попрекала. Детьми малыми заклинала. А Галилей уперся как баран, и ни в какую.

Прошло какое-то время. Земля вращалась вокруг своей оси, вокруг Солнца, день сменялся ночью, а лето зимой, время текло, отношения в семье становились все хуже. Да если б только в семье! Постепенно стал замечать Галилей, что на работе к нему начальство все хуже относится, соседи на лестнице не здороваются, друзья не звонят, а при случайной встрече на другую сторону улицы переходят. А аспирантка Джульетта сменила тему своей диссертации и руководителя тоже сменила. Чувствует Галилей, что тучи над ним сгущаются, а ничего поделать не может.

И вот наконец приглашают Галилея в Астрономическое управление для разбора его персонального дела. Собрались, надо сказать, все светила тогдашней науки, стали разбираться. С кратким вступительным словом выступил Главный астроном. Так, мол, и так, товарищи синьоры, с некоторых пор в нашем здоровом коллективе стали наблюдаться нездоровые явления. Сотрудник наш синьор Галилей распространяет вокруг себя всякие вредные небылицы о том, что Земля наша, на которой мы с вами живем, трудимся, является всего-навсего неким шаром, который вращается в пространстве вроде волчка. Вот я бы попросил наших ученых мужей тоже высказаться по этому вопросу.

Ну, стали ученые один за другим подходить к микрофону. Как потом было записано в протоколе, они выступали страстно, принципиально, выражая чуткость и озабоченность судьбой их заблудшего коллеги.

Один из выступавших долго говорил о незыблемости основополагающих основ учения Птолемея. Другой осветил международную ситуацию, которая настолько сложна, что любой отход от наших нерушимых научных принципов играет на руку врагу и увеличивает опасность войны. В общей дискуссии приняла участие и Джульетта. Она обратила внимание собравшихся на падение нравов в среде молодежи, где наблюдаются идейные шатания, пацифизм, алкоголизм, наркомания, преклонение перед всем иностранным, а в результате — внебрачные половые связи, разрушение семьи и сокращение рождаемости. Одной из причин такого положения дел Джульетта считала возникновение разных незрелых теорий, вроде теории Галилея.

— Если Земля круглая, — сказала Джульетта, — если она вертится, значит, все дозволено, значит, никакой твердой почвы под ногами нет, значит, можно пить, курить, колоться, воровать, убивать, прелюбодействовать.

Еще один ученый напомнил, что государство этого самого Галилея с детства растило, кормило, одевало, обувало и обучало. Но Галилей никакой благодарности, очевидно, не чувствовал, а, напротив, снедаемый дьявольским честолюбием и подстрекаемый своими единомышленниками из-за рубежа, все дальше отрывался от коллектива, к мнению товарищей не прислушивался, проявлял признаки зазнайства, высокомерия и вообще считал себя слишком умным.

Еще один астроном по поводу Галилея выразился совсем коротко.

— Я бы лично таких, с позволения сказать, ученых просто расстреливал, — сказал он и под аплодисменты сошел с трибуны.

Потом опять выступил Главный астроном.

— Ну вот, — сказал он, — я рад, что у нас получилось такое оживленное собрание. Выступавшие говорили взволнованно и заинтересованно, они всячески пытались помочь Галилею осознать свои ошибки и заблуждения. Выйдите, гражданин Галилей, на трибуну, наберитесь мужества, признайтесь в своих ошибках, и мы вам все постепенно простим.

Галилей на трибуну вышел, но мужества не набрался. Сначала он, пытаясь увильнуть от ответственности, что-то такое мямлил, что будто о вращении Земли утверждал не из враждебных намерений, а из преданности научной истине. А потом и вообще обнаглел, улыбнулся и сказал:

— Что бы вы тут ни говорили и что бы со мной ни сделали, а все-таки она вертится!

После чего, естественно, терпение у всех лопнуло. Решением общего собрания Галилей из Астрономического управления был уволен, и к делу его опять приступила Святейшая инквизиция. В то время суток, когда Земля повернулась к Солнцу другой стороной, а на этой стороне наступила ночь, приехала к Галилею ночью коляска под названием «черный ворон» и увезла его далеко-далеко.

И вот сидит он в тюрьме. Земля тем временем вращается. И все, что на ней есть: поля, деревья, коровы, тюрьмы, — все это тоже вращается. Раз в сутки — вокруг земной оси, раз в год — вокруг Солнца. Вращаясь вместе с тюрьмой, Галилей постепенно состарился, жена его тем временем вышла за другого, а дети переменили фамилию, чтобы не портить себе карьеру.

А Галилей сидел, и думал, и гордился собой.

— Ну, ничего, — говорил он себе, — ничего, что состарился, ничего, что жена бросила, ничего, что дети отказались, ничего, что сижу в тюрьме. Зато я остался верен своим принципам, а Земля как вращалась, так и вращается, и рано или поздно всем придется признать, какой я был умный.

И, как все большие ученые, наш Галилей оказался в конце концов прав. В результате неутомимого вращения Земли и часовых механизмов наступило наконец то сказочное время, когда мудрым, смелым и, как было сказано, своевременным постановлением правительства было признано, что Земля круглая и вращается вокруг своей оси и вокруг Солнца. В связи с этим постановлением наш сказочный астроном был помилован по старости лет и выпущен на свободу без пенсии.

И вот вышел он за ворота тюрьмы, идет со своими пожитками по улице. А навстречу ему мальчик с новеньким глобусом. Идет, вертит глобус и поет песенку: «Глобус крутится, вертится, словно шар голубой».

Увидя глобус, Галилей удивился и, остановив мальчика, спросил, что это такое. Мальчик охотно объяснил, что глобус — это как бы макет Земли, которая имеет форму шара и вот так вот вертится.

— Ага! — сказал Галилей торжествуя. — Значит, круглая и вертится? А известно ли вам, молодой человек, кто об этом первый сказал?

— Конечно, известно, — сказал мальчик. — Всем известно, что первый об этом сказал Галилей.

— Галилей? — взволнованно переспросил ученый. — А что, этот Галилей, наверно, очень умный был человек?

— Галилей-то? Да что вы! У нас про него даже песенка есть такая: жил на свете Галилей, звездочет и дуралей.

— Что за глупая песенка! — закричал астроном. — Как же Галилея можно называть дуралеем, если он первый сказал, что Земля круглая и вертится!

— А потому и дуралей, — объяснил мальчик. — Умный не тот, кто говорит первый. Умный тот, кто говорит вовремя.

С этими словами мальчик, вертя глобус, пошел дальше. А Галилей посмотрел ему вслед и заплакал. И подумал, что жизнь его прошла зря. Потому что, открыв много такого, чего люди раньше не знали, он только в конце жизни узнал истину, которую другие постигают в детстве.

Содержание

Литературно-художественное издание

КЛАССИЧЕСКАЯ ПРОЗА ВЛАДИМИРА ВОЙНОВИЧА

Войнович Владимир Николаевич

ФАКТОР МУРЗИКА

Ответственный редактор *О. Аминова*
Младший редактор *М. Мамонтова*
Художественный редактор *А. Сауков*
Технический редактор *О. Лёвкин*
Компьютерная верстка *Л. Панина*
Корректор *Т. Бородоченкова*

ООО «Издательство «Э»
123308, Москва, ул. Зорге, д. 1. Тел.: 8 (495) 411-68-86.

Өндіруші: «Э» АҚБ Баспасы, 123308, Мәскеу, Ресей, Зорге көшесі, 1 үй.
Тел.: 8 (495) 411-68-86.
Тауар белгісі: «Э»
Қазақстан Республикасында дистрибьютор және өнім бойынша арыз-талаптарды қабылдаушының
өкілі «РДЦ-Алматы» ЖШС, Алматы қ., Домбровский көш., 3«а», литер Б, офис 1.
Тел.: 8 (727) 251-59-89/90/91/92, факс: 8 (727) 251 58 12 вн. 107.
Өнімнің жарамдылық мерзімі шектелмеген.
Сертификация туралы ақпарат сайтта Өндіруші «Э»

Сведения о подтверждении соответствия издания согласно законодательству РФ
о техническом регулировании можно получить на сайте Издательства «Э»

Өндірген мемлекет: Ресей
Сертификация қарастырылмаған

Подписано в печать 05.09.2017. Формат 84x108¹/₃₂.
Гарнитура «Ньютон». Печать офсетная. Усл. печ. л. 21,84.

Тираж 5000 экз. Заказ № А-2206.

Отпечатано в типографии филиала
АО «ТАТМЕДИА» «ПИК «Идел-Пресс».
420066, г. Казань, ул. Декабристов, 2.

Оптовая торговля книгами Издательства «Э»:
142700, Московская обл., Ленинский р-н, г. Видное,
Белокаменное ш., д. 1, многоканальный тел.: 411-50-74.

**По вопросам приобретения книг Издательства «Э» зарубежными оптовыми
покупателями обращаться в отдел зарубежных продаж**
*International Sales: International wholesale customers should contact
Foreign Sales Department for their orders.*

**По вопросам заказа книг корпоративным клиентам,
в том числе в специальном оформлении,** обращаться по тел.:
+7 (495) 411-68-59, доб. 2261.

**Оптовая торговля бумажно-беловыми
и канцелярскими товарами для школы и офиса**:
142702, Московская обл., Ленинский р-н, г. Видное,
Белокаменное ш., д. 1, а/я 5. Тел./факс: +7 (495) 745-28-87 (многоканальный).

Полный ассортимент книг издательства для оптовых покупателей:
Москва. Адрес: 142701, Московская область, Ленинский р-н,
г. Видное, Белокаменное шоссе, д. 1. Телефон: +7 (495) 411-50-74.
Нижний Новгород. Филиал в Нижнем Новгороде. Адрес: 603094,
г. Нижний Новгород, улица Карпинского, дом 29, бизнес-парк «Грин Плаза».
Телефон: +7 (831) 216-15-91 (92, 93, 94).
Санкт-Петербург. ООО «СЗКО». Адрес: 192029, г. Санкт-Петербург, пр. Обуховской Обороны,
д. 84, лит. «Е». Телефон: +7 (812) 365-46-03 / 04. **E-mail:** server@szko.ru
Екатеринбург. Филиал в г. Екатеринбурге. Адрес: 620024,
г. Екатеринбург, ул. Новинская, д. 2щ. Телефон: +7 (343) 272-72-01 (02/03/04/05/06/08).
Самара. Филиал в г. Самаре. Адрес: 443052, г. Самара, пр-т Кирова, д. 75/1, лит. «Е».
Телефон: +7 (846) 269-66-70 (71...73). **E-mail:** RDC-samara@mail.ru
Ростов-на-Дону. Филиал в г. Ростове-на-Дону. Адрес: 344023,
г. Ростов-на-Дону, ул. Страны Советов, 44 А. Телефон: +7(863) 303-62-10.
Центр оптово-розничных продаж Cash&Carry в г. Ростове-на-Дону. Адрес: 344023,
г. Ростов-на-Дону, ул. Страны Советов, д.44 В. Телефон: (863) 303-62-10. Режим работы: с 9-00 до 19-00.
Новосибирск. Филиал в г. Новосибирске. Адрес: 630015,
г. Новосибирск, Комбинатский пер., д. 3. Телефон: +7(383) 289-91-42.
Хабаровск. Филиал РДЦ Новосибирск в Хабаровске. Адрес: 680000, г. Хабаровск,
пер.Дзержинского, д.24, литера Б, офис 1. Телефон: +7(4212) 910-120.
Тюмень. Филиал в г. Тюмени. Центр оптово-розничных продаж Cash&Carry в г. Тюмени.
Адрес: 625022, г. Тюмень, ул. Алебашевская, 9А (ТЦ Перестройка+).
Телефон: +7 (3452) 21-53-96/ 97/ 98.
Краснодар. Обособленное подразделение в г. Краснодаре
Центр оптово-розничных продаж Cash&Carry в г. Краснодаре
Адрес: 350018, г. Краснодар, ул. Сормовская, д. 7, лит. «Г». Телефон: (861) 234-43-01(02).
Республика Беларусь. Центр оптово-розничных продаж Cash&Carry в г.Минске. Адрес: 220014,
Республика Беларусь, г. Минск, проспект Жукова, 44, пом. 1-17, ТЦ «Outleto».
Телефон: +375 17 251-40-23; +375 44 581-81-92. Режим работы: с 10-00 до 22-00.
Казахстан. РДЦ Алматы. Адрес: 050039, г. Алматы, ул.Домбровского, 3 «А».
Телефон: +7 (727) 251-58-12, 251-59-90 (91,92,99).
Украина. ООО «Форс Украина». Адрес: 04073 г. Киев, ул.Вербовая, 17а.
Телефон: +38 (044) 290-99-44. **E-mail:** sales@forsukraine.com

**Полный ассортимент продукции Издательства «Э»
можно приобрести в магазинах «Новый книжный» и «Читай-город».**
Телефон единой справочной: 8 (800) 444-8-444. Звонок по России бесплатный.

В Санкт-Петербурге: в магазине «Парк Культуры и Чтения БУКВОЕД», Невский пр-т, д.46.
Тел.: +7(812)601-0-601, www.bookvoed.ru

Розничная продажа книг с доставкой по всему миру. Тел.: +7 (495) 745-89-14.

ISBN 978-5-04-089650-9

16+